행복한 삶을 위한 곳

콜라텍을 다녀보니

정하임 저

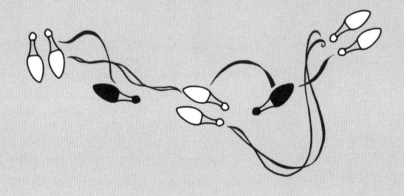

NODE MEDIA
노드미디어

이 책은 노년층을 위한 콜라텍이라는 취미생활에 대한 이야기입니다. 콜라텍의 출입 여부와 상관없이 노년층의 취미생활이란 점에서 좋은 공감대를 갖고 읽을 수 있는 책입니다. 특히 교감 선생님의 콜라텍 예찬론은 콜라텍의 좋은 경험을 느끼게 해주며 독자도 같이 젊어지고 건강해지는 느낌을 주리라 생각합니다.

이 책에 나오는 이야기들은 저자가 주로 활동한 곳에 대한 이야기로 전체 콜라텍을 대표한다고 할 수 없습니다. 또한, 이야기 속에 등장하는 모든 이름은 가명임을 알려드립니다.

차 례 👣

3장 콜라텍 이야기

4장 춤 이야기

5장 파트너 이야기

시작하면서 👣

콜라텍은 실버들의 행복한 놀이터

나는 콜라텍에서 이루어지는 일들을 보면서 글을 쓰고 싶은 욕심이 생겼다. 이렇게 재미있는 놀이터가 어디 있단 말인가? 밖에서는 궁금하기 그지없는 콜라텍이다. 아무도 콜라텍에 대하여 언급한 이야기는 없다. 나는 글을 쓰기로 마음먹고 5년간 글을 쓰기 위한 자료 수집차 유심히 관찰을 하고 그날그날 특징 있는 이야깃거리를 모아나갔다.

내 눈으로 본 것과 주변 사람에게서 들은 것 등 다양한 루트를 통하여 이야기를 수집하였다. 그리고 우리가 잘못 알고 있는 편견도 바로 잡아야겠다고 생각하였다.

콜라텍이라고 하면 보편적으로 금기시하며 일반인은 이용하지 않고 끼 있는 사람들만 이용하는 장소로 알고 있다. 이미지는 부정적인 면이 강하고 그곳을 드나드는 사람들은 불륜의 대상이나 된 듯 급이 낮은 인간으로 취급하기도 한다.

그러나 내가 바라 본 콜라텍은 아주 정상적인 실버들의 학교이자 놀이터였다. 우리가 사물을 바라볼 때는 관점을 어디에 두느냐에 따라 빨간색이 보이기도 하고 파란색이 보이기도 하는 것이다.

나는 실버들의 복지 차원에서 바라보았다. 그리고 보니 정말 실버들에게는 노년기를 행복하게 보낼 수 있는 아주 즐거운 놀이터라는 생각이 들었고 일부 실버들만 이용할 게 아니라 전 실버들이 참여할 수 있는 공간이 되어야 한다고 생각하였다. 여기 오는 실버들은 애국자요 자기 주도적 삶을 살고 있는 현명한 실버라는 생각을 하였다. 젊은 시절 열심히 일하고 황혼기에 자기실현을 위하여 하고 싶은 일을 열심히 하면서 사는 보기 좋은 실버들이다.

춤의 매력

이 책을 다 읽고 나면 독자 여러분은 춤에 대한 편견이 사라지고 춤을 배워볼까 하는 호기심이 생길 것이다. 그리고 운동 개념으로 춤을 잘 평가하게 될 것이다. 건강을 위해서 가장 좋은 게 춤이고 춤을 추기 위하여 콜라텍에 가야 한다고 긍정적인 마인드를 갖게 될 것이다.

춤을 배우기 전 아니 콜라텍 출입을 하기 전에 이 책을 읽고 가면 많은 도움이 되도록 썼다. 춤은 언제 배워서 추는 게 좋은지 그리고 춤에 빠지지 않도록 교육적인 이야기도 많이 썼다.

노년기 대상에 적합한 책을 쓰고 노년기가 춤에 대한 알레르기가 있다면 이 책을 읽고 나도 춤을 배워 추고 싶다는 마음이 생기리라 생각한다.

알려 주고 싶은 콜라텍 이야기

나는 이 책을 통해 소외되고 드러나지 않은 콜라텍에서 만난 우리 노년층의 삶과 그들의 성(性) 문화와 아울러 콜라텍이 노년층의 건전한 놀이터가 되기를 바라는 마음에서 콜라텍에 대한 다양하고 재미있는 이야기를 하고자 한다.

또한, 글이라는 게 교육적인 이야기만 쓰면 재미가 없고, 반면교사로 받아들일 수 있는 이야기도 써야 독자들이 선택할 수 있기에, 일반 사람들이 궁금해하는 콜라텍의 모든 것과 긍정적인 점, 부정적인 점, 주의해야 할 점 및 커플들 이야기를 재미있게 펼쳐나갔다.

나는 콜라텍에 대하여 자유롭게 기술할 것이고 내가 전하고자 하는 의도를 바르게 전달하여 콜라텍이 갖고 있는 선입견을 바로 잡는 기회가 되길 바라는 마음이다.

이 책을 통해 콜라텍의 좋은 점과 춤의 좋은 점을 알게 되어 일반인에게는 긍정적인 관점을 갖고 춤을 추게 하고, 춤을 배우고 싶은 초보들에게는 콜라텍 사용설명서 같은 역할이 되는 책이 되길 바란다.

1장

콜라텍을 다녀보니

나는 콜라텍 예찬론자가 되었고
춤의 전도사가 되었다.

콜라텍을 다녀보니

젊음의 샘물 마시고 젊어지는 꽃띠 중년 여성

콜라텍은 재미있고 특이한 세계다.

콜라를 마시면서 노는 청소년 문화 공간이었던 이곳이 어떻게 해서 노년층의 놀이터가 되었는지는 모르겠다. 하지만, 분명한 것은 현재 많은 노년층이 콜라텍을 다니고 있는 점이다. 그리고 콜라텍 이용자는 시간이 갈수록 놀라운 속도로 증가하고 있고 이용자 나이도 젊어지고 있다. 우리나라에는 노년 여가 활동처가 빈약한 탓에 이 콜라텍이야말로 노년의 안전공간이자 놀이공간인 셈이다. 여가 활동 장소로 안성맞춤이다.

내가 처음 이곳을 가게 된 건 단순히 춤을 추고 싶어서였다. 나는 어릴 적부터 흥과 끼가 많은 편이었다. '어릴 적 버릇이 여든 간다'고 했던가? 어릴 적부터 품고 있었던 흥과 끼는 나이가 들어서도 좀처럼 없어지질 않았다. 아니 오히려 더 발산하고 싶어 안달을 냈다.

어느 날 함께 춤을 배운 지인이 우리처럼 나이 많은 사람들도 춤을 추는 곳이 있다며 '콜라텍'에 가자고 했다. 나는 '어떻게 거길 가냐'며 손사래를 흔들었다. 당연히 그럴 수밖에 없던 것이 콜라텍 하면 불륜이 연상되기에 사회적으로 부정적 이미지가 너무도 강했다.

하지만 다이어트 차원에서 춤을 배워 놓았기 때문에 콜라텍이 문제였지 춤은 문제가 아니었다. 한 번도 춤을 실전에 사용하지 않아서 호기심 반 두려움 반으로 결국 지인을 따라 '동경'이라는 콜라텍에 첫 발을 들여놓았다. 이름도 참 신기하였다. 동경은 일본의 수도인데 이곳에서는 일반인이 알아듣지 못하게 장난 끼로 오늘 일본에 갔다 와야겠다고 한다. 그러면 우리는 '동경' 콜라텍이라는 걸 알아차리고 얼마나 돈이 많으면 동경을 매일 다녀오냐며 놀리기 일쑤였다.

그렇게 시작하여 나는 지금의 콜라텍 예찬론자가 되었고 춤의 전도사가 되었다.

하지만 콜라텍을 다닌 지 몇 년이 지났어도 여전히 사회적으로 부정적 이미지가 강하다. 그래도 4년 전만 하여도 내가 춤을 배웠다고 누구에게도 자신 있게 이야기하지 못하였는데 지금은 아주 당당하게 춤을 잘 춘다고 말한다. 이유는 내가 배워서 춤을 춰 보니 다른 사람이 생각하는 것처럼 부정적이지만은 않다는 것을 알기 때문이다.

오히려 춤을 못 춘다고 하는 사람 보면 지금 같은 세상에 왜 춤도 추지 못하지? 하는 세상 흐름에 뒤쳐진 사람 같아 보였다. 이런 사람은 예전 같으면 가방이나 지키는 역할을 할 사람이다.

나는 무엇이든지 다 할 수 있는 사람이 되어야 한다고 생각한다. 할 줄 아는데 하지 않는 것과 전혀 할 수 없는 것은 차원이 다르다. 현대인에게 어울리지 않는 이미지기 때문이다. 우리가 대상을 바라볼 때 어디에 초점을 맞추어 바라보느냐 관점의 차이라 생각한다.

우리는 골프를 치기 위해 골프장에 가고, 수영을 하기 위해 수영장에 가고, 등산을 하기 위해 산에 가야 한다. 즉 운동을 하기 위하여 운동 장소에 가야 하듯 바로 춤이라는 운동을 하기 위하여 가는 곳이 콜라텍 무도장인 것이다. 그런 관점에서 보면 콜라텍이 부정적인 곳이 아니라는 걸 금세 알게 된다. 소위 사람들은 콜라텍을 저급하다느니 수준이 낮다느니 허접한 곳으로 치부하는 경우도 있다. 그러나 긍정적인 관점에서 바라보면 너무 매력적인 곳이다.

과거 춤을 배울 때부터 음성적으로 배우고, 춤을 추기 위해서는 시장에 가는 듯 시장바구니 들고나가 카바레에 다니던 시절을 생각해서는 안 된다. 예전에는 카바레에 가서 제비에게 물려 전 재산을 탕진하고 남편이 사우디에 나가 벌어 온 돈을 제비에게 빨려 남편이 아내의 바람난 행동에 분하여 자살하던 기사가 너무나 많이 있었다. 그래서 지금도 춤을 추면 제비에게 돈을 빼앗긴다고 알고 있다.

그러나 현재는 많은 사람이 스포츠 개념으로 춤을 접하기에 즉 춤이 생활화가 되어서 아주 당당하고 자신 있게 춤을 배우고 콜라텍에 가서 춤을 추는 세태임을 읽을 줄 알아야 한다. 예전

의 카바레가 아닌 콜라텍에 대한 개념부터 바르게 정립되어야
한다. 시대의 흐름에 순행할 필요가 있다.

춤을 추어보니 좋은 점이 너무나 많다.

나는 춤의 예찬론자가 되었다.

실버들의 놀이터

콜라텍의 신개념 쓰다

콜라텍 하면 그동안 이미지가 허접스러운 곳 저급한 곳이라는 부정적인 면이 연상되고 콜라텍을 다니는 사람도 수준이 저급하다고 생각한 것이 사실이다. 그러나 내가 다녀 본 결과 이런 사고는 구시대 사고라는 걸 금세 깨닫게 되었다. 얼마나 밝아지고 얼마나 투명해진 곳인지 모른다. 콜라텍은 단지 춤을 추기 위한 넓은 장소에 불과하였다.

남녀노소 수많은 연령이 함께 소통하고 어울리면서 즐겁게 춤을 추는 곳으로 변신하였다. 국가에서 세제 지원도 해주고 노인 복지 차원에서 정책적으로 지원을 해주고 있었다.

각양각색의 사람들이 모여서 춤이라는 운동을 통하여 자신만의 삶을 젊게 살아가고 있었다. 자신이 춤을 추는 것을 당당하게 밝히고 떳떳하게 살아가고 있는 모습이 보기 좋았다. 춤을 추는 사람들은 건강해야 춤을 출 수 있기에 모두가 활력이 넘치고 건강미가 넘쳐났다.

격세지감을 느끼듯 세태는 180도 변하여 춤을 스포츠 개념으로 인지하고 춤을 추는 사람들도 어마어마하게 대중화가 되었고 연령층도 젊어졌고 신분도 유망한 직업에 종사하는 전문직 사람들과 경제력도 우수한 사람들이 출입하는 곳으로 변하였다. 직업에 귀천이 없듯 운동에 무슨 귀천을 논하랴 자신의 적성과 취향, 경제력에 맞게 취미 생활을 하면 되는 것이지 골프를 치는 사람은 훌륭한 사람들이고 춤을 추는 사람은 저급한 사람들이라 평가하는 것은 판단의 오류다.

가장 인간적이고 서민적인 세계가 춤 세계란 것을 알게 되었다. 사람들이 인정 있고 같이 어울리기를 좋아하고 술 한 잔 나누면서 허심탄회하게 소통하고 즐겁게 놀기를 원하는 세계이다. 처음 만난 사람과도 오래전 만난 것처럼 격이나 체면이 없는 곳이다. 아무튼, 일반 세계와는 상이한 세계이다. 춤 인구가 상상 외로 많이 증가하였기에 각양각색의 사람들을 만나 볼 수 있다. 나는 그곳을 인간시장이라고 표현하고 싶다. 직업도 다양하고 나이도 다양하고 성격도 다양하고 신분도 다양하고 학벌도 다양하고 경제력도 다양하고 단지 취미가 같다는 이유 말고는 모두가 다른, 그래서 나는 인간 시장이라 표현을 한다.

춤을 출 줄 아는 사람들은 나이가 들었어도 이 콜라텍에서 인생을 아주 젊게 즐겁게 건강하게 살아가고 있다. 하루의 일과가 콜라텍에 출근하듯 매일 같은 시각에 출근한다. 일종의 학교요 출근 장소라 할 수 있다.

나는 모든 실버들이 건강하게 살기 위하여 다른 운동보다도 춤을 배워 춤을 추는 게 가장 좋은 운동이라고 본다. 나이가 들면 신체 조건이 열악해져 관절이 약하여 운동을 하지 못하게 된다. 모든 운동에는 나이의 정년이 있는 것 같다. 등산은 여자의 경우 관절이 가능한 50대 중반이 정년이고 골프도 허리가 받쳐 주는 70대 정도가 정년이고 수영도 허리가 받쳐주는 70대 정도가 될 것이다. 그러나 춤은 걸을 수 있으면 가능하기에 80대 중반 그 이후도 가능하다. 현재 이곳에 오는 장수 댄서가 80대 후반이 오고 있다.

전천후 놀이터

이곳은 여름에는 냉방 겨울에는 난방을 해주기에 계절에 관계없이 많은 댄서가 이용한다. 즉 계절의 영향을 받지 않는다. 더워도 추워도 바람이 불어도 눈이 와도 아무런 영향을 받지 않기에 전천후 운동을 할 수 있다. 여름이면 시원하게 겨울이면 따뜻하게 이렇게 모든 것을 맞춰 주는 곳이 어디 있는가?

놀기에 모든 조건이 갖추어져 있다. 이곳에 오면 집에 가기 싫을 정도로 놀기에 부족함이 없다. 등산은 날씨가 좋아야 가능하고 추운 한파에는 전문 등산인을 제외한 아마추어는 가지 못한다. 골프도 비가 오거나 눈이 펑펑 내리면 공을 칠 수 없다. 즉 날씨의 영향을 많이 받는다. 자전거 사이클도 날씨가 좋아야 가능한 스포츠다. 모든 스포츠는 대부분 날씨의 영향을 받지만 춤은 실내 운동이다 보니 날씨의 영향을 받지 않아 얼마나 좋은

지 모른다.

콜라텍은 이용료가 저렴하여 경제적 부담이 가지 않아 좋다. 실버들은 무료로 지하철을 타고 와서 입장료 1,000원을 내고 보관소 500원을 내면 마음껏 놀 수 있다. 실버세대들에게 부담이 가지 않는 비용이기에 매력적인 곳으로 각광받는다.

이곳에서는 많은 사람이 존재하기에 사람 살아가는 이야기가 만들어진다. 다른 운동하는 곳에서도 이야기가 만들어지겠지만 많은 사람이 이용하다 보니 재미있는 이야기, 즉 역사가 이루어진다.

사랑이야기, 이별이야기, 여자들 사이에서 일어나는 이야기 등 많은 이야기가 있으며 그중 실버세대 사이에서 일어나는 커플들 이야기가 아무래도 콜라텍의 꽃이라 생각이 든다. 사람 사는 이야기 중 사랑 이야기가 가장 재미가 있기 때문이다. 여자의 성은 나이가 70대가 되어도 여자임을 알게 되었다.

콜라텍이 궁금한 사람들 그리고 콜라텍을 이용하고 싶은데 어떻게 해야 하는지 몰라 고민하는 사람들, 내가 처음에 편견으로 경계하였던 것처럼 잘못 이해하고 있는 사람들에게 바른 개념이 정립되었으면 한다. 과거 카바레 인식으로 고정된 선입견을 깨끗이 버리고 현대 초점에 맞추어서 콜라텍을 봐야 한다.

콜라텍에 오는 실버들은 애국자

노년기의 건강 면을 보면 정신건강 면과 신체건강 면으로 구분된다. 노년기의 정신 건강 면의 특징은 우울감, 불안감, 불면증, 상실감 등 정신적 질환을 앓고 있다. 그리고 사고는 부정적 견해를 가진다. 얼굴에 표정이 없고 말수가 적고 사람들과 소통하기보다는 혼자 있기를 좋아한다. 신체 건강 면 특징은 순발력이 떨어지고 민첩성이 부족하고 신체 협응력이 떨어진다. 그래서 동적인 것보다는 정적인 것을 좋아하게 된다. 나이가 들면 평지나 트래킹 할 수 있지 길이 조금만 울퉁불퉁하여도 등산이나 운동량이 큰 운동은 엄두도 내지 못한다. 관절이 약해서 격하다 싶은 운동은 엄두도 내지 못한다.

그래서 실버들에게는 의도적으로라도 동적인 운동을 하도록 권하고 음악과 함께 하는 운동을 하도록 해야 한다. 그리고 혼자가 아닌 상대가 있는 운동을 하도록 하여 외롭지 않고 쓸쓸하지 않게 소속감을 느끼도록 해야 한다. 우리 세대의 기대수명이 100세라고 하지만 기대수명 100세가 중요한 게 아니라 건강하게 사는 건강수명이 중요하다. 죽는 날까지 건강하게 살다가 가는 일이 중요한 것이다.

콜라텍에 오는 실버들은 모두 애국자다. 병원에 가지 않고 건강하게 자기 몸 관리를 하니 건강보험료를 축내지 않아 애국자다. 이 애국자를 우대하고 찬양해야 한다. 통계에 의하면 65세 이상 노인 중 89%는 만성 질환을 앓고 있고 고혈압, 당뇨, 관절염 순으로 질환을 앓고 있는데 평균 2.86개의 만성질환을 지니고 산다고 한다. 그러나 콜라텍에 출입하는 노년은 아주 건강하게 노년기 삶을 보내고 있다. 80대 실버들도 콜라텍을 이용해 운동하면서 건강한 생활을 하여 일반 실버들보다 병원에 가는 횟수가 적다. 나라의 건강보험적용을 받는 일이 적으니 당연히 건강보험료 소비를 하지 않아 나라 돈을 축내지 않는 셈이다.

그러니 애국자들이다. 표창장이라도 주어야 맞는다고 본다.

여가 활동에 좋은 춤

노후 여가 선택

노후생활의 여가는 개인의 건강이나 경제 상황, 취향에 의해 다르게 선택하게 된다. 그러나 노년기에 여가 선택 시 유의할 점은 음악과 함께 하는 여가, 동적인 여가, 상대와 함께 하는 여가, 경제적인 여가가 이상적이라고 하였다.

노년기에는 의도적으로 신체 활동을 많이 하는 여가를 선택하는 것이 좋다. 우리나라 노년들이 주로 하는 여가가 정적인 것을 선호하고 치중한다. 자신의 건강에 자신이 없어서 대부분 신체에 무리가 가지 않는 운동을 선호하기에 움직임이 없는 화투, 잡담, 바둑, 장기, 수다 등 움직임이 적은 운동을 하게 된다.

그러니 춤을 추라고 하면 힘들다는 선입견 때문에 자신감이 떨어질 수 있는데 춤도 장르에 따라 느린 것 빠른 것 다양하기에 선택하여 추면된다. 처음에는 운동량이 적은 느린 춤을 추다 적응이 되면 다이내믹하게 움직임이 큰 춤으로 옮겨 추면된다.

춤은 아무래도 동적이기에 에너지가 넘치고 활기가 넘쳐난다. 이것이 바로 콜라텍의 긍정적인 내용이다. 콜라텍은 신체 건강면이 아니더라도 정신건강에 아주 좋은 특효약이다.

또한 매일 생음악을 들으며 감성을 키우고 자신의 몸매 관리에 신경을 써서 단정하게 가꾸기에 자기 실제 나이보다 10여 년 젊어 보이고 노인 특유의 냄새가 나지 않아★ 외관상 젊고 곧게 나이 들어간다. 자세가 바르고 일자 걸음을 걸어 자기 관리에 철저하다.

나이가 들어도 곱게 화장을 하고 다니는 실버세대들 정말 이분들이야 말로 행복한 노년 생활을 하기 위하여 여가를 잘 활용하는 모습이 존경스럽다.

국가는 이런 콜라텍을 많이 만들어 실버세대들이 맘 놓고 즐길 수 있도록 지원해 주어야 한다. 유치원생들에게 놀이동산이 필요하고 젊은 세대들에게 끼를 발산하는 클럽이 필요하듯 정말 이 많은 노년층이 맘 놓고 즐길 공간을 제공해 주어야 한다. 한평생 가족에 봉사하고 자기 일에 관심도 가지지 못한 세대들이다. 이 실버세대들에게 젊은이들처럼 자신의 감정을 마음껏 발산하고 사람들과 어울리면서 소통할 수 있도록 복지 차원에서 운동할 공간을 제공해 주어야 한다.

우리 후배들은 노년층이라 우리와 다를 것이라고 생각하는 편견을 버려야 한다. 실버세대도 사랑을 느끼고 사랑을 원하고 즐겁게 향유할 권리가 있고 능력이 있다. 희로애락(喜怒哀樂)을 느끼

★ 춤을 추기 때문에 냄새가 없는 게 아니라 콜라텍 출입을 위해서 스스로 관리하기 때문에 냄새가 안 난다. 냄새가 나는 사람들은 콜라텍에서도 환영받지 못한다.

는 감정이 살아 있고 우리와 같음을 알아야 한다.

춤의 여가 활동을 통한 행복한 노년생활

우리나라의 노인 문화는 그렇게 발달하지 않았다.

나이가 들면 딱히 갈 곳이 마땅치 않다. 남자들 경우는 바둑이나 장기를 주로 하고 여자들 경우는 동네에서 모여 음식이나 나누어 먹고 자식이나 손주 이야기하면서 하루를 보낸다.

그리고 활동도 신체가 건강하지 않으니 정적인 활동을 많이 하고 지낸다. 그리고 편한 옷차림으로 지내다 보니 전형적인 할머니, 할아버지가 되어 옷차림도 신경 쓰지 않게 되고 외출도 많지 않으니 자연히 몸도 자주 씻지 않아서 특유의 노인 냄새까지 나는 게 현실이다.

그러나 콜라텍을 이용하면 좋은 점이 여러 사람과 어울려 지내서 밝은 생활을 할 수 있고 정적이 아닌 동적인 활동을 하게 되어 노화가 더디게 되고 건강한 삶을 살 수 있다. 또한, 자신의 옷차림에도 신경을 쓰고 자주 씻어 노인 특유의 냄새도 덜 나게 되어 보기 좋고 자신감이 넘치는 생활을 하게 된다.

이렇게 여가활동을 어떻게 하느냐에 따라 노년 삶의 질이 다르다. 나 혼자 즐기는 여가가 아닌 상대가 있어 같이 즐길 수 있는 여가를 해야 건강한 육체와 정신을 유지할 수 있다.

우리나라는 노인이 여가를 즐기기 위한 조건이 충분하지 않다. 우선 시설 면에서 자유롭게 노인이 즐길 공간이 부족하다. 가장 이용하기 좋은 곳이 역시 콜라텍이다. 활동량을 크게 요구하지 않고 자기 자신의 활동량에 맞추어서 선택할 수 있기에 맞춤형 운동이 될 수 있어 좋다. 내 신체 능력에 맞게 속도를 낼 것인지 늦출 것인지 선택을 하면 된다.

우리의 여가를 보내는 취미 생활을 무엇을 선택하느냐에 따라 인생의 노년의 삶의 질이 달라지는 것을 알게 되었다. 건강과 경제 상태에 따라 달라지겠지만 넓은 공간에서 많은 사람과 어울리면서 보내는 취미 생활이 가장 바람직하다는 것을 알게 되었다.

치매 환자들이 신나는 음악을 들으며 신이 나고 흥이 나서 몸을 움직이려 노력하는 사례를 보면서 잠자고 있는 감성을 일깨우는 데는 음악과 춤이 최고라는 생각을 하였고 신체 건강, 정신 건강을 위하여 노인 시절에는 춤을 추어야 한다는 확신을 갖게 해 주었다.

과거 음성적이던 시절의 춤이 아닌 양성적인 시절의 춤을 새롭게 인식하여 허접한 것도 아니고 저급한 것도 아니고 정말 우리 실버 세대들에게 가장 중요한 취미이자 여가를 보내는 가장 훌륭하고 매력적인 춤이라는 것을 알고 열심히 춤을 배워서 자신 있게 사람들을 만나 춤을 추는 것이 노년의 인생을 행복하게 보내는 지름길이라고 권한다.

콜라텍의 긍정적인 면

밝게 변해가는 얼굴 모습

사람이 나이가 들면 인상부터 변한다.

즐거운 일을 보아도 잘 웃지도 않고 표정이 무표정해지고 화난 얼굴을 하고 다닌다. 그래서 나이 든 사람에게서는 자신이 살아온 인생사만큼 얼굴로 표현이 되어 어떻게 살았는지 금세 알 수 있다.

그러나 콜라텍에 다니면서 춤을 추는 사람들의 표정은 항상 환한 미소를 띠고 즐거운 표정을 짓고 다닌다. 하기야 다른 운동과 달리 신나는 음악을 듣고 화난 표정을 지을 수 없는 것처럼 화를 내면 춤이 추어지지 않기에 춤을 추는 사람은 즐거울 수밖에 없다. 그러다 보니 시간이 갈수록 멋스러워지고 세련되어 간다. 표정 역시 밝게 변하는 것을 알 수 있다.

자신의 몸매 관리도 철저히 하기에 나이도 실제 나이보다 10여 년은 젊어 보인다. 걸음걸이도 실버 같지 않게 곧게 바른 자세로 일자 걸음으로 걷기에 자신감이 넘쳐 보인다. 화장도 자기 나이보다 10여 년 젊게 하고 다니고, 자주 씻어서 실버 특유의 냄새도 나지 않는다. 옷차림도 화려하고 하사하게 원색을 즐겨 입는다. 보통 나이가 들면 무채색을 입는데 이 세계 실버는 화사하게 입는다. 뒷모습이 실제보다 너무 젊어 착각을 일으킨다. 행복한 표정, 젊은 옷차림, 화려한 화장, 일자 걸음, 멋을 한껏 부리고 다니는 실버들 살아있는 생동감을 느낀다.

　비록 부유해 보이지는 않지만, 자신의 삶을 자신이 주체가 되어 즐겁게 사는 사람들이다. 걱정 근심 없이 현재에 충실하면서 가장 현실적으로 살아간다. 아니 행복을 찾을 줄 아는 사람들이다. 행복은 먼 곳에 있는 것이 아니라 현재 지금이라는 사실을 잘 인지하여 살고 있다. 나이가 들어도 목소리가 활기차고 톤이 높아 소년, 소녀들 같다. 때로는 자신을 너무 잊고 사는 사람들처럼 보기가 민망할 때도 있지만 이 사람들은 누구의 눈치도 보지 않는 오로지 자신의 감정에 충실하게 사는 사람들이다. 다른 사람이 어떻게 생각하든 그것은 중요하지 않다. 나만 즐겁고 나만 행복하면 된다고 생각을 한다. 어찌 보면 이기적으로 보이기도 하지만 노년기 자신 있게 사는 모습을 우리는 인정해 주고 응원해 주어야 한다. 그들의 문화를 존중해 주어야 비로소 실버들을 바르게 이해해 준다고 할 수 있다.

걱정 근심의 무풍지대

　이곳에서 춤을 추는 사람들 표정을 보면 참 행복한 모습이다. 아무 걱정이 없는 사람들처럼 보인다. 그러나 이 사람들도 많은 걱정 속에서 잠을 이루지 못하기도 하고 이 세상을 떠나고 싶기도 하고 갖은 고뇌 속에서 힘들게 사는 사람들이 많다. 하지만 이 세계에 들어서면 행복의 세계에 들어선 듯 아니 마법에 걸린 듯 모든 걱정 근심이 사라진다. 마법의 주문에 걸린 듯 아무 생각이 들지 않고 오로지 현 상황에 충실하게 적응을 한다.

음악이 리드하는 대로 음악에 젖어 몸을 움직인다. 실버들이 자신은 못 한다고 생각하지 않고 잘한다고 생각을 하기에 나이가 들어도 음악에 맞추어서 신나게 흔들고 비빈다. 음악에 심취하여 음악에 빠져들어 춤을 추기에 고민할 겨를이 없다. 지금 해야 할 일은 음악에 맞춰 틀리지 않게 박자와 리듬을 타는 것뿐이다.

오랫동안 춤을 추어 온 사람들의 몸가짐은 유연하고 리드미컬하다. 음악을 잘 탄다고 보면 된다. 음악과 자신의 몸짓이 하나가 되어 보기 좋다. 숙달된 몸짓과 아마추어 몸짓은 전혀 다르다. 몸놀림이 다르기 때문이다. 많게는 몇 십 년을 춘 사람도 있고 적게는 기본만 마치고 온 사람도 있는데 둘의 실력 차는 엄청 클 수밖에 없다.

선수들은 희로애락(喜怒哀樂) 감정 표현을 아주 잘 한다. 이렇게 춤에 빠져들면 근심 걱정은 사라지게 된다. 춤을 추는 사람의 감정을 읽을 수 있다. 현재 즐거운지 마지못해 춤을 추는지 몸짓과 표정에서 나타난다. 춤과 노래는 자신의 감정에 충실한 운동이어서 연출은 되지 않는다. 걱정 근심이 있으면 즐거운 척하려 해도 되지 않는다. 춤이 추어지지 않는다. 춤은 예술이기에 감정이 그토록 중요하다. 감정이 살지 않기에 춤출 기분이 안 나기 때문이다. 그래서 고민이 있는 사람도 음악에 심취하여 춤을 추다 보면 아무런 걱정도 근심도 없게 된다.

음악은 마취제 역할을 한다. 한때 난 주식으로 손실이 커서 죽고 싶었던 적이 있었지만, 이곳에서 춤을 출 땐 무념무상이 된다. 그래서 힐링을 하고 돌아가게 되는 것이다. 이곳에 오는 사람들 이야기를 들으면 정말 심적 고통을 받는 사람들이 많은 것을 알 수 있다. 자식 문제, 부부 문제, 경제적인 문제, 건강문제 등 다양하지만 일단 이곳에서는 걱정 근심이 중단된다.

이곳에서는 걱정 근심을 할 겨를이 없다. 마취제를 마신 듯 걱정과 근심에서 멀어진 사람들이다.

콜라텍에 오면 마약에 접한 듯 걱정 근심 없이 즐겁게 시간을 보낼 수 있다. 그 이유는 바로 춤과 음악의 위력인 것이다. 끊임없이 흘러나오는 음악이 때로는 부드럽게 때로는 흥겹게 때로는 감미롭게 내 마음을 안정시키고 힐링을 시켜주기에 이곳에 오면 아무런 걱정 근심이 떠오르지 않는다. 그저 틀리지 않게 리듬과 박자를 탈 생각뿐이다.

다양한 음악이 마음을 치유해 주는 것이다. 그래서 음악과 함께 하는 운동을 하면 정신적 힐링이 되는 것이다. 음악을 들으며 이 사람 저 사람과 춤을 추게 되니 다른 생각을 할 틈이 없는 것이다. 그저 어떡하면 음악에 맞춰 예쁜 모습으로 춤을 출까 생각뿐이다. 마치 댄서가 된 듯이 춤에 올인을 한다.

평등한 놀이터

춤이 희미한 실내에서 이루어지는 운동이다 보니 나이, 외모, 학력, 경제력, 사회적 위치 등이 그렇게 중요한 비중을 차지하지 않는다. 수준이 같거나 경제적인 조건이 같아야 하는 조건이 아니기에 이 안에서는 조건을 따지지 않게 된다. 하루 동안 만나 운동하는 파트너일 뿐이다.

파트너의 정보도 알 필요가 없고 나의 개인 정보도 밝힐 필요도 없는 곳 그저 즐겁게 운동을 한다고 생각하면 된다. 일일 파트너가 외모가 잘 생겨야 할 이유도 예뻐야 할 이유도 학벌이 좋아야 할 이유도 돈이 많아야 할 이유도 나이가 젊어야 할 이유도 없는 곳이다.

파트너를 만들려고 생각하지 않는 한 외적인 조건은 아무 필요가 없다. 그저 춤에만 집중하면 된다. 이곳에서는 춤이 잘 맞는 게 가장 이상적인 파트너다. 아주 평등한 곳이다. 내가 지금 춤을 추고 있는 사람과 아주 평등한 관계에서 춤을 추고 있는 것이다. 상대가 나이가 많다고, 키가 작다고, 얼굴이 못생겼다고, 옷차림이 고급스럽지 않다고 춤을 못 추는 게 아니다.

외적인 조건으로 제약을 받지 않는다. 그러나 가끔 아주 용감한 사람들을 만난다. 난장이 과인 왜소증인 사람들이 오고, 허리가 완전히 굽어 땅에 닿을 정도인 실버도 있고, 얼굴이 천연두를 앓은 보기 힘든 얼굴도 있고, 다리를 절룩거리며 들어오는 실버도 있다.

어떤 신체조건이라도 차별받지 않고 입장할 수 있는 평등한 놀이터가 바로 콜라텍인 곳이다.

정신 건강에 보약

나이를 먹으면 밤에 잠도 잘 오지 않아 불면증을 호소하게 된다.

자다 깨면 다시 잠을 이루려고 해도 잠이 오지 않아 고민하는 게 나이든 여성들의 증세다. 한의사는 남자의 건강은 식욕이고 여자의 건강은 수면이라고 한다.

특히 여자는 나이가 들면 예민해진다. 갱년기가 되면 에스트로겐이 분비되지 않아 남성적으로 되어 가고 잠도 오지 않게 된다. 부부생활을 하지 않고 또 혼자 살면 깊은 잠을 이룰 수 없는 나이가 노년층이다.

60세가 넘으면 불면증을 호소하여 수면제를 복용하기도 하고 수면을 유도하는 향도 맡아 보기도 하고 뇌파를 안정시키는 수면유도 안경을 착용하기도 한다. 하지만 별 효과가 없는 게 현실이다.

그러나 이곳에서 춤을 추고 나면 신체 운동을 하여서 몸이 나

른해지고 정신이 힐링이 되어 깊은 잠에 빠지게 된다. 아주 곤하게 죽은 듯이 잘 수 있어서 좋다. 열심히 발 운동을 하였으니 수면제 역할을 해주어 잠에 깊이 빠져든다. 얼마나 고맙고 좋은 운동인가?

그리고 노년에 접어들면 우울증을 호소하는 이가 많다. 사별한 외로움, 자식들의 무관심, 건강 문제, 경제적 빈곤 등 여러 고민으로 우울증에 빠지게 한다. 자식들이 떠나고 노인 부부만 빈집을 지킨다 하여 빈집 증후군을 앓게 된다. 인생이 허무하고 그동안 나는 무엇을 하였나 하는 허탈감에 빠지게 된다.

그러나 춤을 추고 나면 우울증은 오지 못한다. 우울증으로 병원에 가면 의사들 처방은 한결같이 기분전환을 유도하는 춤을 배우도록 권장을 한다. 춤을 배우고 사람과 어울리면서 우울증은 바람과 같이 사라지는 것을 경험하게 된다. 치매도 걸릴 염려가 없다. 신나는 음악을 들으며 박자를 맞추려고 머리를 쓰고 노력하다 보면 기억력 증진에도 좋고 치매가 넘보지 못한다.

다른 운동은 신체 기능만 신장되지만 춤은 감정까지 치유하기에 감정에 관련된 질병에는 특효약이다. 우울증, 조울증, 불면증, 분노, 흥분 등 감정에 관한 병은 춤과 음악으로 치유되기에 정신병에 아주 특효약이다.

또한, 춤을 추면 신체의 기둥인 하체 다리가 튼튼해지고 심장이 튼튼해져서 신체 건강 뿐 아니라 정신건강까지 좋아지는데 모두가 콜라텍을 이용하여 얻게 되는 좋은 점이다.

경제적인 서민운동

춤은 배울 때는 비용이 조금 드는 편이다. 여자는 한 달 정도면 충분히 배우게 되어 남자 파트너와 춤을 추는 데 지장이 없다. 춤을 잘 추는 남자를 만나면 여자는 금방 실력이 는다. 그러나 남자는 여자를 리드해야 하기에 시간과 비용이 많이 드는 편이다. 개인차가 나지만 남자의 경우는 기본은 물론이고 테크닉까지 배워야 하기에 그렇다.

기본만 하여도 춤을 추는 데는 지장이 없지만, 남자의 경우 기술적인 면에서 부족하면 춤이 단조롭고 무미건조해진다. 춤이 단순하면 여자들이 좋아하지 않는다. 여기는 춤을 잘 추는 사람이 가장 인기가 좋기 때문에 실력을 갖추어야 상대 선택 시 춤을 잘 추는 여자를 선택할 수 있다.

심지어는 남자의 경우 실력이 부족하면 여자들이 춤을 추다 손을 놔 버리는 일이 종종 있다. 춤을 추다 거절을 당하면 얼마나 창피하고 자존심이 상하는지 모른다. 여자가 음악이 끝나기도 전에 손을 놓고 가버리는 일, 부킹이 소개를 해 주면 싫다고 고개와 손을 절레절레 흔드는 일 등 자존심 상하는 일을 겪으면 자존심 강한 남자들은 다시는 춤을 추고 싶은 의욕이 들지 않는다고 한다. 심하면 의기소침하여져 춤을 포기하는 경우도 생긴다. 그러기에 남자는 기본을 학원에서 배우면 실전을 해야 한다.

콜라텍에 와서 다시 개인 지도를 받아 실력을 늘려야 한다.

시간당 춤 선생에게 레슨비를 내고 자주 실전을 해 보아서 기술을 익혀야 한다.

운전 주행도 자기 나이에 맞게 시간을 연습해야 한다고 한다. 소위 주행 연습 시 자기 나잇대 만큼 실습을 해야 안전하다고 한다. 예를 들어 30대는 30시간 50대는 50시간 주행연습을 해야 마스터 할 수 있다고 한다. 춤도 그렇다. 나이가 많은 사람은 그만큼 배우는 이해력과 순발력이 뒤지기에 많은 연습을 해야 한다. 젊은 사람은 쉽게 익히지만, 나이가 많아서 배우려면 시간이 많이 든다.

앞에서 춤을 맛있게 추려면 남자는 매력적인 팁을 갖고 있어서 특유의 나만의 기교를 부릴 수 있어야 한다. 춤에는 왕도가 없다. 기본 기술을 익히면 나만의 기술을 접목하여 즉 창의적인 테크닉을 내가 만들면 되는 것이다. 이곳은 춤의 세계이기에 춤을 잘 추는 사람이 대접을 받고 인기가 좋다. 나이가 많아도 춤을 잘 추면 젊은 상대와 춤을 출 수 있고 인물이 못났어도 춤을 잘 추면 아름다운 여인과 춤을 출 수 있는 것이다. 춤을 추고 나면 여자들이 음료수라도 대접하고 술이라도 대접을 한다. 그리고 춤을 잘 추면 부킹에게 부탁을 하지 않아도 불티나게 바쁘다. 부킹이 알아서 척척 해 주기 때문이다.

그래서 남자의 경우는 기초과정을 학원에서 마스터 하고 콜라텍에서 실전을 하며 춤을 잘 추는 여성에게 술이라도 대접해야 하니 처음에는 돈이 드는 편이다. 무슨 운동이든지 배울 때는 돈이 들어가는 게 정석이다.

그러나 다른 운동은 운동할 때마다 돈이 들어가지만 춤은 배울 때만 돈이 들어가지 일단 배우고 나면 무도장에 와서 운동만 하면 되니까 돈이 들어가지 않아 경제적인 운동이 된다. 입장하는 입장료 1,000원에 소지품 보관소 500원이면 운동하고 싶을 때까지 실컷 운동할 수 있다. 여유가 있으면 음료수도 사서 마시고 술과 음식을 할 수 있기에 기본적으로 들어가는 돈은 아주 저렴하다.

더운 여름에는 시원한 에어컨 가동을 해주고 추운 겨울에는 히터가 나와서 정말 돈 안 들이고 피서 피한을 할 수 있는 경제적인 운동이다. 비가와도 운동할 수 있고 눈이 와도 운동할 수 있고 바람이 불어도 운동할 수 있고 정말 전천후 운동이다.

불로장생 열차 티켓

콜라텍에 오는 사람들은 아주 건강하다.

가장 이해가 빠른 실례를 들면 일반 사회에서는 성생활을 50대에도 못하는 사람들이 많다고 한다. 직장 스트레스로 인하여 발기부전 환자가 많아 걱정이라는 다큐멘터리를 본 적이 있다. 과도한 스트레스로 또는 지병으로 인하여 부부생활을 안 하고 사는 섹스리스 족이 참 많다고 알고 있다.

그런데 이곳에서는 춤을 추러 오는 사람이면 거의 성생활을 하고 산다고 보면 된다. 심지어 84세인 할아버지도 의학의 도움을 빌려 파트너와 성생활을 한 달에 3회 정도 한다고 자랑을 한다.

이 세계에서는 70대 여자의 경우는 아주 활발한 성생활을 하고 산다. 일반 세계에서는 할머니로 치부하지만, 이곳에서는 아가씨로 통한다. 70대가 파트너가 있어 규칙적인 성생활을 하고 산다.

74세인 남자 심영수 실버는 애인 두 명을 데리고 양다리 걸치고 성생활을 하는데 자신은 춤을 추다 여성이 몸에 닿으면 바로 반응이 온다고 자신의 정력을 과시한다.

정말 일반사회에서는 상상도 못 할 일이 이 세계에서는 비일비재하게 일어나고 있다. 이곳의 특성이다. 이유를 생각해 보니 여기서는 음악을 들으며 여성과 안고 춤을 추면 스트레스를 받지 않아 감성이 풍부해지고 다리 운동을 통하여 다리가 튼튼해지고 성생활을 규칙적으로 하다 보니 생식기능이 강해져 그야말로 불로장생의 지름길인 것이다. 주변에는 항상 여성이 있어서 원하면 원할 때마다 파트너를 할 수 있는 계기가 되니 마음이 항상 청춘인 것이다.

이곳을 다니려면 우선 깔끔한 용모에 자주 씻어 노인 특유의 냄새가 나지 않게 된다. 금연도 많이 하여 담배 냄새도 나지 않는다. 여자들은 춤을 추고 관리를 철저히 하다 보니 실버의 특유인 비만이 오지 않고 걸음걸이도 다리를 벌려 걷지 않고 일자 걸음을 걷는다. 허리는 꼿꼿하게 세우고 팔자걸음이 아닌 일자 걸음을 걸어 나이가 들어도 예쁜 자태를 유지하게 된다.

70대 할머니들도 여자가 되고 싶어 화장을 곱게 하고 액세서 리를 화려하게 하고 속눈썹까지 붙이고 젊은 스타일의 옷을 입 고 선글라스를 착용하고 굽이 높은 구두를 신고 다닌다. 나이는 숫자에 불과하다면서 '나이야 비켜라'고 외치며 행동한다. 젊은 이처럼 생각하고 말하고 행동을 한다. 자신의 물리적 나이를 잊 게 한다. 보통 자신의 물리적 나이에서 10세 정도 아래로 보인 다. 얼마나 행복한가?

소일거리로 최고의 놀이터

나이가 들면 갈 곳이 없다.

우선 혼자서가 아닌 누군가의 도움을 받아야 하기에 그렇다. 우리나라 노인 여가 동향을 2016년 보건복지부에서 조사한 통 계를 보니 1위가 TV 시청(82.4%), 2위 산책(17.8%), 3위 독서(주 로 종교 서적), 텃밭 가꾸기 순으로 조사된 통계가 있다. 사실 우 리나라 실버들이 가장 많이 하는 것이 TV 시청인 것은 이미 알 고 있는 내용이다.

특히 은퇴를 하게 되면 그동안 활발하던 인간관계가 뜸해지면 서 전화부터 걸려오는 횟수가 줄어든다고 한다. 주변 사람들도 멀어지고 외롭고 쓸쓸하게 된다. 그래서 여가 활동을 해야 하는

데 노년기에 가장 적합한 여가로는 춤이 가장 좋다. 신체적으로 관절이 약해져서 힘찬 운동이나 등산은 힘이 들어 갈 수 없고, 여행은 경제적으로 부담이 되어 자주 할 수 없으니 춤을 추러 콜라텍에 출입을 하는 게 가장 이상적이다. 점심때 학교에 등교하듯 출근하여 오후 내내 사람들과 어울려 소일을 하기에 가장 좋은 곳이다.

자식들도 직장생활로 바빠서 부모를 자주 찾아뵙는 것도 아니고 모시고 여행을 다닐 수도 없기에 보통은 노인이 되면 혼자가 되는 게 일상이다. 자식은 다 성장하여 부모 곁을 떠나 부모는 빈 둥지만 지키는 빈 둥지족이 되어버린다. 배우자와 함께한다면 다행이지만 배우자가 떠나고 혼자 외롭게 남아 있게 되면 더할 수 없이 상실감에 외로운 노년을 보내야 한다.

따라서 노년기에는 반드시 취미 생활을 해야 하는데 취미 중에도 가장 늦게까지 할 수 있는 수명이 긴 취미를 선택하자면 가장 적합한 게 춤이다.

취미를 춤으로 하면 혼자서도 취미 생활을 즐길 수 있다. 콜라텍이 도시에 있기에 위험하지도 않고 교통 접근성이 좋아 대중교통을 이용하여 혼자서도 다닐 수 있기에 위험하지 않다. 콜라텍은 전천후 운동을 할 수 있기에 일기 상태에 영향을 받지 않아서 좋다.

나 혼자 가도 항상 파트너가 많아서 좋다. 둘이 가야 한다거나 여럿이 가야 운동을 할 수 있는 게 아니라 혼자 가도 가능한 운동이기에 좋다. 그러다 보니 주변 사람에 의해 변경될 필요도 없고 제약을 받을 필요도 없다.

내 형편에 맞게 내가 주도적으로 결정할 수 있어서 좋다. 콜라텍에 가면 항상 같이 놀 준비된 사람들이 많기에 대상이 없어서 놀지 못할까 봐 고민할 필요가 없다. 준비된 사람이 많아서 좋다. 날씨 영향도 받지 않는다.

무더운 여름에도 시원한 냉방시설이 되어 있고, 혹한의 추운 겨울에도 바람 부는 스산한 날씨에도 춤은 제한받지 않아 너무 좋다. 춤을 추면 심심할 시간이 없다. 집안일 다 해놓고 춤을 추러 오는 사람들에게 갈 곳이 있어서 다행이다. 시간만 되면 언제든지 이용할 수 있기에 전천후 운동이다.

아무리 운동을 해도 질리지 않는 게 춤의 매력이다. 콜라텍에 다니면 올수록 더 오고 싶은 매력이 넘치는 스포츠다. 왜 춤이 질리지 않나 생각해 보니 인간을 상대로 하는 운동이어서 그렇다. 수영은 물과 싸워야 하고 등산은 산과 싸우게 되고 헬스클럽은 체육기구와 싸워야 하는데 춤은 상대가 인간이기에 싫증이 나지 않는 것이다. 매일 바뀌는 사람 속에서 사람의 매력에 질리지 않는 운동이 될 수 있다. 소통하면서 느끼는 운동인 것이다.

소통과 만남이 쉬운 곳

나이가 들면 새로운 사람을 만나기도 힘이 들고 말도 트기 어렵다. 그리고 주변에서 나이 든 사람과 소통하는 것을 좋아하지 않는다. 세대 차이가 난다느니 이해력이 부족하다느니 이런저런 이유로 실버와 소통하는 것 자체를 싫어한다.

그러다 보니 인간관계를 잘할 수도 없다. 그러나 콜라텍을 이용하면 연배가 같은 사람들이 많아서 사람들을 쉽게 만나고 사이좋게 지낼 수 있다. 동성뿐 아니라 이성 친구도 쉽게 사귈 수 있어 좋다.

사별이나 이별로 혼자되어 쓸쓸하게 보내는 노년을 이곳에서 자기 취향에 맞는 이성 친구를 만나 재결합도 하고 파트너로 지내는 실버들이 많다. 이곳은 만날 수 있는 사람이 많기에 어찌보면 결혼정보업체 같은 역할을 한다.

TV에서 노년의 성을 다룬 다큐멘터리를 본 적이 있다. 성(性)이 젊은 노년이 성을 해결할 수 가 없어 성을 찾아 파고다 공원에 다니다 성병에 걸린 다큐멘터리였다. 싱글인 노년이 해결하지 못하는 성(性)을 콜라텍에 와서 대화를 통하여 쉽게 해결할 수 있어서 심심할 겨를이 없다. 건전한 성문화가 조성된다. 성이 꼭 육체적인 것만 의미하지는 않는다. 스킨십도 성적인 것이고 대화하는 것으로도 성적인 것을 해결할 수 있다.

나이가 들면 노인 특징의 하나가 노인 특유의 냄새가 나고 노인 특유의 꼬장꼬장한 성격, 아집, 부정적인 견해가 특징이다. 그리고 다른 사람에게 탓을 돌리는 투사를 즉 원망을 많이 하게 된다. 주변에서 자신을 멀리하기에 외롭고 쓸쓸한 노년을 보내게 되는데 이곳에 출입하는 사람들은 외로울 겨를이 없이 즐겁게 생활을 한다. 매일 새로운 많은 사람과 소통하고 친교하는 시간을 갖게 되어 외로울 겨를이 없다.

콜라텍의 공헌도

콜라텍의 사회 기여도는 엄청 크다고 본다.

우선 실버세대를 건강하게 해 주고 주변 소상인들의 사업을 활성화해서 자영업자들에게 희망을 준다. 주변 모텔, 식당 영업은 아주 활황이다. 술집도 서민적인 곳은 잘 되고 있다. 콜라텍은 나라 차원에서 활성화를 시켜서 지역별로 있어야 한다고 본다.

앞으로는 노인세대의 기대수명은 100세라는 UN 보고서가 나온 지 오래되었다. 현재 실버세대의 평균수명이 남자는 79.1세 여자는 85세라고 작년 보고서가 나왔다. 이제 노인과 관련된 문제를 더는 소수의 문제로 다루어서는 안 되는 시대가 온 것이다.

실버들의 건강한 사교의 장

요즘 노인을 위한 문제 중 하나가 성 문제다.

나이가 먹어도 힘은 좋고 집에서 남자의 성을 받아 줄 아내가 없거나 있어도 제 기능을 못 하기에 노인 남성들이 성을 사기 위하여 혈안이 되어 있고 여자 노인들은 성을 팔고 있다고 보도 되었다. 그래서 노인들에게 성병이 심각한 수준이라고 나라에서 수수방관만 할 게 아니라 노인 성 문제까지 접근하여 해결해야 한다.

노후에 혼자되어 외롭고 쓸쓸한 싱글이 콜라텍에 나와 춤을 추면서 나와 정서가 맞는 이성 친구도 사귈 수 있으니 얼마나 다행인가? 건전하게 데이트를 하고 또 재혼도 할 수 있고 어쩌면 사교의 장이 될 수 있기에 실버들에게는 참 좋은 공간이 될 수 있다.

이렇게 콜라텍에서는 성 문제까지도 제법 해결이 되고 있기에 더 많은 수를 늘려 지역마다 보급시켜 건강한 노년을 보낼 수 있도록 하면 좋겠다.

춤추는 실버는 애국자

노인이 되면 아픈 곳이 많아 병원을 달고 살게 된다.

통계에 의하면 노인 65세 이상 89%가 만성질환을 갖고 산다고 한다. 고혈압 당뇨, 관절염 순으로 만성질환을 앓고 있는데 평균 2.69개의 질병을 갖고 있다고 한다.

그러다 보니 노년기에는 아픈 곳을 치료하느라 약을 달고 산다. 나이가 들면 웬 약을 그렇게 많이 먹어야 하는지 질병약, 건강보조 약 등 한 줌씩 먹고 산다.

이렇게 실버세대들이 약을 많이 먹고 산다. 그러니 보통 실손

보험 하나씩 들고 암이나 기타 질병보험을 몇 개씩 들어 놓고 산다. 노인의 일과는 병원 가는 일이다. 오전에 내과를 다녀와 정형외과를 가서 물리치료를 받고 돌아온다. 하루에도 몇 군데씩 병원을 돌면서 시간을 보내는데 가장 대접을 받는 곳이 정형외과로 알고 있다. 물리치료를 받으면서 힐링을 하고 온다. 정형외과에 가보면 실버들이 가장 많이 대기하고 있다.

그러니 국가에서 건강보험료를 얼마나 지원하는지 상상이 간다. 그러나 콜라텍 출입을 하면 운동을 하여 건강하게 노년 삶을 살기에 건강보험료를 축내지 않아 나라 살림에 보탬을 준다. 바로 이분들이 애국자이다.

콜라텍에 출입하는 실버들은 60대가 가장 많고 70대도 많다. 얼마나 젊게 사는지 모른다. 나라에서 칭찬하고 장려를 해야 한다.

자신의 삶도 건강하게 유지하고 가족에게도 간병의 책임을 맡기지 않게 하니 가족은 자기 하는 일에 열중할 수 있어 도움이 되고, 나라에는 건강보험료 세금을 절약해 주니 진정한 애국자인 것이다. 육체만 건강한 게 아니라 정신도 건강하게 된다.

나이보다 젊게 살기에 행복한 삶을 살 수 있고 가족도 행복한 가정을 꾸릴 수 있다. 가정에 환자가 없어야 행복한 자식들의 삶이 펼쳐지는 것이다.

나라에서는 실버세대들이 춤을 출 수 있도록 지원해야 한다. 무료로 춤을 배울 수 있도록 지도 강사를 지원하고 무료로 운동할 수 있도록 공간을 제공해야 한다. 운동할 곳을 많이 만들어 노년기에 혼자 된 실버가 그곳에서 친구도 만나 운동도 하고 사랑도 하고 즐겁고 행복한 삶을 살 수 있도록 지원해야 한다. 국가는 노년의 건강하고 행복한 삶을 위해 책임져야 한다.

2장

콜라텍에 가기까지

교감선생님 이야기

한 번도 나를 실버라 생각한 적이 없다.
나는 생각도 젊고 목소리고 애교스럽고 말도
실버처럼 하지 않고 젊은이처럼 젊게 한다.

춤을 사랑하는 끼 있는 女子

나는 춤을 좋아하는 생물학적 노년 초기의 실버다.

그러나 한 번도 실버라 생각한 적이 없다. 내 나이 60. 아직 자녀가 출가하지 않아 손주가 없어서 더욱 그런 것 같다. 나는 생각도 젊고 목소리고 애교스럽고 말도 실버처럼 하지 않고 젊은이처럼 젊게 한다. 옷차림은 말할 것도 없이 젊게 입는다.

나는 음악을 무척 사랑한다. 내가 눈을 뜨면 항상 음악이 내 곁에 있다. 음악 장르는 다 섭렵한다. 클래식, 트로트, 팝, 발라드 다 좋다. 음악을 들으면 내 감성이 살아나서 좋다. 신나는 음악이 나오면 나도 모르게 몸이 흔들어진다. 그래서 주변 사람들이 내 나이보다 젊게 보고 나도 내 나이보다 10여 년 이상 젊다고 느끼고 사는 것이다.

옷 사이즈도 몸에 착 붙는 스타일을 좋아하고 외모 가꾸기에 투자를 게을리 하지 않는다. 얼굴 마사지를 하고 목욕 가서 경락 마사지를 하는 등 정말 내 삶에 내가 주인이 되어 즐겁고 행복하게 살고 있다. 거기에 내 취미생활인 춤을 출 수 있어서 너무 행복하다. 주말에는 무도장을 찾아 한 주 동안 열심히 분주히 사느라 스트레스 받았던 영혼을 힐링하기 위해 춤을 춘다.

이런저런 운동을 많이 하였지만 내 정서에 맞는 건 역시 춤이라는 것을 확인하였다. 이유는 내가 가장 사랑하는 음악이 있고 음감 리듬감이 발달된 나를 아름답게 표현할 수 있어서 춤이 좋다. 거기에 정적인 것보다 동적인 것을 좋아하는 내 타입에 어울려 더욱 내 정서에 부합된다. 또한, 여러 사람과 어울리는 것을 좋아하는 밝은 성격의 소유자에 소통과 인간관계를 좋아하는 사교성의 소유자라서 춤이 좋다. 아버지로부터 물려받은 끼를 발산할 공간인 콜라텍이 있어서 얼마나 행복한지 모른다.

아무리 끼가 넘쳐나도 발산할 공간이 없으면 무용지물인데 넓은 공간에 아름다운 음악이 흐르고 나와 정서가 같은 수많은 사람과 춤을 출 수 있다는 게 나를 춤의 예찬론자로 만든 이유이다.

나는 할머니라 불리는 경우가 거의 없다. 직업이 있다 보니 선생님이라는 호칭이 익숙하다. 40여 년 넘게 교사생활을 하고 지금은 관리자가 되어있어 아무래도 가정 일에 찌들지 않고 세상 흐름에 순응하여 살아가기에 나를 내 나이보다는 젊게 봐주는 듯하다. 내 성격은 호기심이 많고 새로운 일에 도전하기를 좋아하여 매우 진취적이다. 생각을 하면 금세 행동으로 옮기는 행동파다.

생각이 미치면 이것저것 재지 않는다. 바로 실천으로 직행한다. 때로는 실수도 있지만 요즘 사람들은 돌다리를 두드리다 끝내는 경우가 많은데 일단 나는 내가 하고 싶은 것을 바로 실천으로 옮긴다. 실수하더라도 행동을 하고 실수를 하는 타입이다. 그래서 지금 내가 콜라텍을 다녀 본 일을 글로 쓰고 있는지도 모른다.

아이들 가르치는 교직에 전념도 하지만 멀티형이어서 이런저런 일을 될 수 있는 대로 많이 경험하기를 좋아하고 내가 하고 싶은 일은 해야 하는 성격이다. 춤을 배우고 타로 상담도 배우고 운동도 다양하게 접해 보았다.

나는 모든 것을 다 잘하고 싶다. 나 자신의 에너지가 많다 보니 매사에 적극적이고 에너지가 넘친다. 내 사전에는 못 하는 게 없는 만능인이 되고 싶어 꾸준히 새로운 일에 도전하고 있는지 모른다.

그러다 보니 춤을 배우고 추고 그 사회에서 일어나는 일을 글로 쓰고 있다. 도전은 아름다운 것. 내 삶이 존재하는 한 도전은 계속된다.

용감무쌍한 말괄량이

사람은 나이가 들면 추억을 먹고 산다고 했다.

그래서일까? 수십 년이 지난 어릴 적 기억을 종종 떠올리곤한다. 그런데 신기하게도 어릴 적 기억은 어제 일처럼 또렷이생각난다. 좀 전에 뭘 먹었는지 잘 기억하지도 못하면서 말이다.

내가 사는 곳은 충남 P 전형적인 농촌 마을이다. 주변엔 논으로 둘러 쌓여있고 내가 노는 곳은 동네에 햇볕이 잘 드는 마당으로 단골 놀이터였다.

이 마당엔 항상 아이들 노는 소리로 재잘거리어서 동네가 살아있음을 느끼게 하였다. 여자아이들은 주로 고무줄놀이, 핀치기를 하였고, 남자아이들은 비석치기, 자치기를 주로 하였다.

여자 남자 따로 놀다 심심하면 술래잡기를 같이 하였는데 나는 유독 잘 숨어서 술래가 잘 찾지 못하였다.

내가 잘 숨는 곳은 추수 후 쌓아 놓은 짚 누리 속이었는데, 볏단을 빼고 들어가 숨으면 절대 찾지를 못하였다. 술래는 우리를 찾으러 여기저기 다니면서 이름을 부르기 시작하였다. "하임아 어디 있니?" 술래가 부른다고 우리가 대답할 리가 없었다. 지는 팀이 라면을 사 와서 라면을 끓여야 하는데 나는 숨소리도 죽이고 바스락 소리도 절대 내지 않고 볏단 속에서 죽은 듯 숨어 있었다. 술래는 찾다가 지치면 자신이 진 것을 인정하는 소리를 질렀다. "얘들아, 나와라. 내가 졌다."

그러면 우리는 의기양양하게 나와서 승리의 세레머니를 울렸다.

그 날 우리는 연탄을 때는 정자네 집에 가서 큰 솥에 라면을 끓여 퉁퉁 불은 라면을 먹으면서 이야기꽃을 피웠다.

냇가에서 미역 감기

더운 여름엔 마을 건너 냇가로 미역 감으러 남자 여자 줄을 지어 달려갔다.

좁은 논두렁을 달리다 보면 고무신이 미끄러워 차라리 벗고 달리는 게 나아 벗고 달리다 보면 논둑은 미끌미끌하여 발바닥이 아프지 않았지만, 모래가 많은 곳은 발바닥이 아파서 몸을 움츠리면서 달리기를 하였다.

우리 동네 냇가는 냇물이 야트막하여 놀기 안성맞춤이었다. 여자아이들은 흥얼거리면서 모래성을 쌓았고 남자아이들은 우리와 조금 떨어진 곳에서 팬티까지 홀랑 벗고 물장구를 치면서 놀았다. 한참 놀다 우리 여자들은 팬티가 젖을까 봐 벗은 팬티를 나뭇가지 위에 올려놓고 수영을 하였는데 수영 장소로 냇가가 들어가고 둑에는 나무가 있으면 아주 최고의 장소였다. 옷은 나무 위에 놓고 우리는 움푹 들어간 곳에서 발가벗고 물놀이를 하면 보이지 않았기 때문이었다. 우리 노는데 일종의 명당자리였다.

한참 놀다 보면 남자아이들이 슬금슬금 우리가 있는 곳으로 다가와서 같이 놀자며 여자들이 노는 웅덩이에 쳐들어왔다. 처음에 여자애들은 가라고 소리치지만 금세 친해져서 함께 신나게 물장구를 치고 물싸움을 하고 놀았다.

역시 놀 때는 동성보다 이성이 있어야 더 재미가 있고 신이 났다. 물놀이로 하루해를 보내고 나면 배가 고파 돌아오는 길에 밭에 들어가 고구마를 캐어 고구마 잎에 쓱쓱 문질러 흙만 털고 먹었는데 모래흙은 잘 털어지지만 진흙은 잘 털어지지 않아 고구마 잎으로 문질러도 지저분하기만 하고 손도 온통 진흙으로 묻어 보기가 좋지 않았다. 생고구마의 진미는 하얀 우윳빛 즙이 었는데 아주 단 맛이 났다.

난 매일 이렇게 노는 일에 열중이었다. 정말 개구쟁이였다. 여자지만 노는 것은 영락없는 선머슴처럼 씩씩하게 놀았다.

개구리 구이

가을이 되면 친구들과 논두렁을 다니면서 개구리를 잡았다. 많이 잡으면 굵은 철삿줄에 가득 꿰었다. 개구리 다리들이 쭉 뻗어 개굴 거리는 모습이 안쓰러웠지만, 논두렁에 널려 있는 게 개구리다 보니 안쓰러운 것도 한순간이었다. 우리는 잡은 개구리를 논 한가운데 낮은 언덕에 불을 지피고 구워 먹고 콩을 구워 먹으며 놀았다. 개구리 살이 야들야들 아주 부드럽고 맛이 좋았다. 나는 순발력이 좋아 뛰어가는 개구리를 잘 맞혔다. 이 동작은 완전 순발력 있게 막대기를 적시에 내려쳐야 하는데 개구리 잡는데 소질이 있어서 잘 잡았다.

개구리를 발견하면 긴 장대를 박자를 잘 맞춰서 내려 패야한다. 개구리는 막대기를 맞으면 두 다리를 쭉 폈다. 이 자세는 개구리가 죽은 자세다.

개구리를 불에 구워 먹으면 아주 고소한 게 살이 참 담백하였다. 개구리를 구울 때는 논두렁 콩을 뽑아 같이 짚불에 구워 먹으면 맛이 플러스된다.

불을 피운 날은 우리들 손과 입이 새까맣게 그을음이 묻어 전쟁고아 같았다. 우리들은 서로 바라보면서 얼굴 모습이 우스워 웃었다. 서로 깜둥이 같다고 놀리면서 재미있게 어린 시절을 보냈다. 어린 시절은 무조건 재미있었다.

젤리를 빼먹고 봉지를 재단하다

먹을 간식이 없어서 사탕이나 과자 구경하기 힘든 시절이었다. 껌 하나만 있어도 친구끼리도 돌려 씹고 잘 적에도 벽에 붙여 다음날까지 먹던 시절, 난 유난히 식탐이 많았는데 손님이 가끔 할머니 드리려고 젤리 사탕을 한 봉지 사 올 때가 있었다. 처음에는 젤리 사탕을 부모님이 들에서 돌아오실 때까지 잘 둔다. 그러나 시간이 갈수록 먹고 싶은 마음에 참을 수가 없어서 하나만 먹어야지 하고 그만 봉지를 뜯는다. 젤리 맛은 기가 막히게 달고 쫀득쫀득한 게 도저히 손을 멈출 수가 없어 다시 하나만 먹어야지 하고서는 하나가 십여 개가 되어야 겁이 나 이젠 도저히 먹으면 안 되겠다는 생각에 먹기를 멈춘다.

그러나 팍 줄은 젤리 양을 감추려고 뜯긴 비닐봉지를 촛불을 켜 놓고 바람처럼 순식간에 스쳐 지나가게 하여 봉지를 막으려 하는데 어린 실력으로는 도저히 반듯하게 마음에 들게 되지 않고 비뚤거렸다. 그러면 마음에 들 때까지 다시 촛불을 지나쳐 나중에는 봉지가 줄어들어 조잡한 봉지가 되어 도저히 부모님께 드릴 용기가 나지 않아 걱정하던 어린 시절이 있었다.

부모님께 원래 젤리 봉지가 작았다고 이야기 하면 부모님은 모르는 척 속아주셨는데 내 위 언니는 항상 내 잘못을 지적하면서 엄마에게 고자질하였다.

"무슨 사탕 봉지가 이렇게 작냐? 분명 하임이가 사탕을 빼먹었겠지. 안 먹었을 리가 없어" 내 위 숙희 언니는 항상 나를 부정적으로 보았다. 내 식성을 잘 알고 있었기에 젤리 봉지가 작은 이유가 원인이 나라고 정확하게 본 것이었다.

엄마는 숙희 언니의 고자질에도 모르는 척하셨다. 오죽 막내가 먹고 싶어서 뜯어먹었겠나 싶어 용서하셨던 것이었다.

담임선생님 도시락 당번

4학년 때 총각 담임교사가 마침 우리 동네에서 가장 잘 사는 집에 가정교사로 계셨다. 난 정희와 맨날 도시락 당번을 하였다. 아침 등굣길에 가정교사 집에 들러 도시락을 가져다 담임 선생님께 드리고 빈 도시락은 다시 갖다 드리는 역할이었다. 우리는 즐거운 마음으로 신나게 심부름을 하였다. 가정교사 집에는 도우미 언니가 있어서 우리가 가면 맛난 간식도 주면서 살살 우리를 구슬렸다.

우리는 심부름을 잘한다고 칭찬하는 소리에 아주 열심히 도시락 배달을 하였지만 사실 우리가 도시락 배달을 열심히 했던 이유는 따로 있었다.

하숙집에 출입하려면 대문이 아닌 후문으로 해야 했고 그 앞에 큰 닭장이 있었는데 항상 닭들이 싱싱한 달걀을 낳아 달걀이 널려 있었다. 싱싱한 게 먹음직스러웠다. 우리 집도 닭을 기르지만 몇 마리 안 되어 하루에 달걀을 서너 개밖에 낳지 않았다. 그러나 하숙집 닭은 많아서 달걀이 수두룩하게 나와 있었다.

정희와 나는 암묵적인 눈치로 달걀을 훔치자는 사인을 보내 누가 먼저랄 것도 없이 주머니에 넣었다. 양쪽 주머니에 담으니 서너 개는 담을 수 있었다. 정희와 나는 심부름을 할 때마다 겉옷에 주머니가 있는, 그것도 큰 주머니가 있는 옷을 좋아하여 입고 다녔다. 이유는 달걀을 많이 담을 수 있었기 때문이었다.

양 주머니에 서너 개를 담아 문방구에 가서 달걀 한 개에 5원을 쳐 20원어치 간식을 사 먹었다.

그 재미는 말로 표현할 수 없었다. 주로 바꿔 먹은 간식은 심리 사탕이라고 아주 작은 흰 알사탕인데 얼마나 단단한지 도저히 깨물어 먹지는 못하고 빨아먹어야 하는 사탕이었다. 사탕 한 알로 십 리를 갈 수 있다고 하여서 이름이 심리 사탕이었다.

그리고 고무줄같이 색색으로 된 넓적한 질긴 것을 찢어 먹거나 불에 구워 먹으면 그 맛도 일품이었다. 그때는 간식도 못 먹던 시절이었는데 정희와 나는 부잣집 딸처럼 매일 20원어치 간식을 사 먹는 호화를 누리었다. 친구들에게도 인심을 쓰면서 나누어주면 우리의 인기는 짱이었다.

스릴이 있는 달걀 훔치기는 4학년 내내 하였고 선생님이 가사 도우미 언니와 연애를 하다 주인에게 들키는 바람에 다음 해 우리 동네를 떠나 우리의 달걀 훔치기는 끝이 났다. 선생님이 떠나자 정희와 나는 그렇게 서운할 수 없었다. 선생님이 우리 동네에 안 계신 것이 서운하였지만 더욱 서운한 일은 달걀을 가져다 간식을 바꿔 먹을 수 없는 게 서운하였다.

지금 생각하면 아주 대담하였다. 달걀 훔치는 일을 1년간 상습적으로 한 것을 보니 배짱 한 번 두둑하였다. 선생님이 떠나셨기에 우리들 달걀 훔치기가 끝이 났지 만약 그 후로 계속 훔치기를 했다면 아마도 세 살 버릇 여든 간다고 나는 절도범이 될 수도 있었다.

중학교 시절에는 반 오락부장을

초등학교를 졸업하고 중학생이 된 나는 초등학교 때처럼 친구와 어울려 놀기를 좋아하였다. 그 시절에는 학교 공부가 전부이고 학원에 다니지 않았기에 학급에서 장기자랑을 많이 열었다. 공부하기 싫어서 선생님께 장기자랑을 하자고 졸라 대면 선생님은 못 이기는 척하고 우리의 뜻을 들어주셨다. 선생님들도 힘이 드시니 마침 쉬고 싶은 것 같았다. 그런데 항상 떼쓰는 담당을 내가 맡았다.

우리가 선생님에게서 한 시간을 얻어 무얼 할까 고민하면 반 친구들은 노래자랑을 하자고 하면서 항상 나를 시켰다. 나는 빼지도 않고 흔쾌히 노래를 불렀다. 선생님도 웃으며 내 노래를 듣고 친구들은 우레와 같은 박수를 보내왔다. 사실 내가 우리 반 오락부장을 맡았기에 장기자랑 시간은 내가 전적으로 책임을 지고 주선을 하고 진행을 하였던 것이다. 한 시간을 공부를 빼먹고 노래를 부르고 나면 신이 났다. 날씨가 더우면 이런 시간을 자주 가졌다.

소풍을 가도 내가 오락부장이어서 항상 진행을 맡았다. 언니가 사놓은 녹음기를 들고 가수 노래 테이프를 준비하여 가져가는 일을 내가 도맡았다. 보물찾기 준비도 항상 내 몫이었다. 소풍을 가면 내가 일약 스타가 되어 다른 반보다 즐겁게 진행하여 다른 반 아이들이 우리 반만 쳐다보면서 즐거워하였다.

지금 생각해 보니 어려서부터 춤과 노래에 소질이 있었고 앞에서 진행하는 것을 즐겼던 것을 알 수 있다. 지금도 기억에 남는 것은 중학교 1학년 때 반 장기자랑 대회에서 단짝 친구 조윤실과 한복을 빌려 입고 노들강변 노래에 맞춰 춤을 안무하여 춘 기억이다. 얼마나 연습을 많이 하였던지 친구들이 너무 잘한다고 열렬히 환호해 주었다. 어린 시절이었지만 춤 안무에도 소질이 있었던 것을 알 수 있다.

이 일을 계기로 나는 친구들 사이에서 꽤 춤을 잘 추는 아이로 알려졌고, 춤을 출 일이 생기면 나를 추천했다. 그러면 나는 빼지도 않고 서슴없이 나가서 춤을 덩실덩실 추었다.

한 번은 동네에 콩쿠르대회가 열렸다. 청년 아저씨들이 나가서 노래하였는데 나도 중학교 3학년 신분으로 콩쿠르에 출전하여서 장려상을 받았다. 내 성격이 무대 체질이라 여러 사람 앞에 서는 것을 두려워하지 않고 즐겼던 것이다. 어디서나 자신이 하고 싶은 일은 적극적으로 도전하는 성격이었다.

아버지의 선물

나는 심부름을 아주 잘 하였다.

1남 5녀 막내로 태어나 부모님이 다른 친구들보다 연세가 많아서 엄마가 학교에 오시면 솔직히 할머니 같다는 생각에 부끄러워한 적도 있다.

내가 자주 한 심부름은 매일 아버지 막걸리 술을 사 오는 일이었다. 아버지는 젊은 시절에는 면사무소에 다니시다 농사일을 하셨는데 일을 할 줄 몰라서 머슴을 두고 살았다. 아버지는 농사일을 하시려면 항상 막걸리를 옆에 두고 벗 삼아 일 하신 애주가셨다. 농사일을 잘 못 하시니까 막걸리 술기운으로 하신 것 같다.

우리 집에서 주막까지는 내 걸음으로 15분은 족히 가야 했다. 큰 유리병을 들고 가서 막걸리를 사 오는 일이었는데 어린 나에게는 막걸리가 무겁기도 하고 맛도 보고 싶어 쉴 때마다 한 모금씩 마셨다. 홀짝홀짝 마시니 시원하고 달짝지근한 게 먹을 맛이 났다. 그러다 보니 한 번만 먹어봐야지 한 게 여러 번 마셔서 막걸리병 주둥이 날씬한 부분까지 먹게 되어 집에 와서 보면 병 입구에서 너무 많이 비어 모양새가 좋지 않았다.

아버지는 술병을 쳐다보면서 기분이 안 좋으신지 주막 아주머니에게 "이 여자 술을 뭐라고 주었지? 가득 채우지도 않네." 하시면서 기분이 안 좋아 보이셨다.

나는 내가 먹었다고 하지 않고 가만히 있었다.

다음 심부름에서도 역시 술을 마시며 집에 와서 아버지가 하신 말씀이 생각나서 물을 병목까지 부어 드렸다. 아버지는 술을 드시더니 버럭 화를 내시며 "이제 이 여자 물까지 타네. 한 번 얘기해야지, 안 되겠네." 하시기에 나는 겁이 더럭 났다. 그래서 아버지에게 그동안 일을 이실직고하였다.

아버지는 내가 귀여운 듯 "아이고 우리 막내딸이 아버지를 닮아서 술도 잘 마시네." 하시며 사랑스러운 듯 나를 나무라지 않고 귀엽다고 하시던 아버지였다.

아버지는 노래와 춤, 술을 좋아하시고 노름을 좋아하셨다. 내가 노래와 춤을 좋아하고 주식을 하는 것은 순전히 아버지 유전인자를 물려받은 거 같다.

끼는 잠시 접고, 선생님의 길을 꿈꾸다

아버지가 돌아가시자 큰 형부가 우리 집으로 들어오셨다.

큰 형부는 내가 여고 1학년 때 교감으로 발령을 받아오셨다. 형부 덕에 나는 과외도 공짜로 하고 수학여행도 공짜로 다니고 지금 말하면 가정이 어려운 아이로 배려대상이었던 것이었다.

우리 집 가정형편이 어려워지자 학교에서 오늘날 기초생활보장 수급자 학생처럼 그렇게 편의를 봐준 것이었다. 나는 형부 덕분에 공부를 열심히 하여 반에서 1, 2등을 놓치지 않았다.

공부를 잘해서 교대에 합격했지만, 취업을 해야 할지 고민에 빠졌었다. 교감이었던 큰 형부는 은행에 취직시켜준다고 하셨고, 셋째 고모는 워커힐 연예단에 들어와 연예부장인 고모부 아래서 근무하라고 하였다. 고모는 내가 키가 크고, 얼굴도 예쁜 편인데다가 성격이 명랑하니 연예계 생활을 잘 할 것 같다고 하셨다.

교사이던 셋째 언니는 무슨 소리냐며 교대 합격했으면 교사가 되어야지 쓸데없는 소리 하지 말라면서 그 당시 나에게 5천 원 한 장을 주면서 G 교대에 가서 면접을 보고 오라고 하여 나는 그 길로 교대에 가서 면접에 통과하였다.

나는 언니 영향으로 교대에 입학하여 오늘날 교감까지 하게 된 것이다. 교직 생활 40여 년을 하게 된 것도 우리 셋째 언니가 교대에 들어가라고 강력하게 밀어붙여 정년을 맞이하게 되었다고 생각하니 언니가 새삼 고마운 생각이 든다. 교대를 너무 일찍 들어가서 18세에 졸업을 하니 큰 형부가 미성년자라 발령이 안 난다고 하여 나이를 2살이나 올려 교직에서 실제 나이보다 2살이나 앞서서 정년을 맞이하게 되어 안타깝기만 하다. 사실 발령과 나이는 아무 상관이 없었는데 2년이나 일찍 정년을 맞이해야 한다고 생각하니 아쉽기도 하고 알려주려면 제대로 알고 알려주었어야지 하는 생각에 큰 형부가 원망스럽기도 하다.

교장 연수도 마치고 교장 발령을 기다리고 있는 차에 2년이란 얼마나 긴 기간인데 아쉽고 안타까울 뿐이다. 교감 선생님인 형부 말씀이 맞겠거니 생각하고 다른 곳에 문의 한 번 하지 않은 나 자신이 원망스러웠다.

그 당시는 발령이 적체되어 3년씩 대기자로 남아야 했었는데 난 1차 발령을 목표로 열심히 공부한 결과 1977년 내 나이 18세가 되던 해에 충남 P군 S 탄광촌에 있는 한 초등학교로 1차 발령을 받았다.

열정 높은 탄광촌 선생님

내 나이 18세에 생전 보지도 듣지도 못한 탄광촌에 발령이나 B에 위치한 S학교를 찾아가는데 내가 탄 버스는 산속으로 산속으로 들어가니 무섭기까지 하였다. S삼거리에 내리니 광부들 사택이 많고 술집도 많았다. 광부들이 일을 마치고 힘이 들어서인지 식당이나 술집에 항상 광부들이 많아 술집은 성황을 이루었다. 광부들 월급 즉 간조가 나오는 날에는 무슨 잔치가 열린 듯 삼거리 분위기가 축제 분위기였다. 삼거리 모습은 아주 분주하게 움직였다.

1977년에 발령이 났는데 광부들 월급이 200만 원쯤 되었던 것 같다. 우리 봉급에 비교하면 많은 편이었지만 그만큼 사지(死地)에서 목숨과 바꾼 대가니까 많은 것도 아니었다. 가끔 광산이 무너져서 광부가 사고를 당하였다는 소식이 간간이 들려오면 광부 자녀가 있는 반은 슬픔에 젖어 같이 슬퍼하였다.

나는 삼거리 토착민 집에 방을 얻어 자취를 하였다. 직업이 교사이다 보니 방을 쉽게 내주었다. 학교까지는 걸어서 10여 분이면 넉넉하였다. 나와 같이 발령을 받은 3년 선배 이숙희 선배와 자취를 하였다. 나란히 두 방에서 자취하였는데 이 선배와 나는 사는 모습이 아주 달랐다. 실제 나이는 5살 차이가 났지만, 이 선배는 연애를 해서 항상 돈이 부족하였다. 봉급을 타면 나보고 돈을 빌려달라고 하여 빌려주었다. 선배는 연탄불도 자주 꺼뜨려서 나보고 연탄불을 붙여 달라고도 하였다. 그리고 김 선배는 밥을 잘 거르고 라면을 자주 끓여 먹었다.

주인 할머니와 아주머니는 나 혼자 있으면 나를 칭찬하였다. 나이도 이 선배보다 어린데 어쩌면 그렇게 살림을 잘하냐면서 똑순이 선생님이라고 애칭을 지어주었다.

그렇게 S에서 3년간 교사 생활을 하였다. 하루도 못 살 것 같던 탄광촌에서 정이 들어 즐겁게 학교생활을 하였다.

내가 생각해도 나는 야무진 곳이 있다. 하기야 힘든 1차 발령을 받는 것은 아무나 받지 못한다. 교대 졸업생 240명 중 5%만 1차 발령을 받았는데 그때 내가 6등으로 졸업을 하였다.

비록 18세 아주 예쁜 건강한 나이에 단발머리를 나풀거리는 나이지만 검소한 차림으로 멋도 내지 않고 청바지 차림으로 근무를 하였다.

멋 내지 않아도 젊음 그 자체가 신선하게 예뻤다. 학교에서는 경험이 없는 새내기 교사라고 첫 담임을 2학년을 주었다. 교직 경력이 없는 새내기 교사에게 우대하는 대우 차원에서 보통 가장 부담이 적은 2학년을 담임시킨다.

내가 쓰는 교실은 교실 반 칸짜리였는데 교장 선생님과 같이 칸막이를 하고 사용하였다. 숨소리도 들릴 공간이었다. 내가 맡은 아이들은 20여 명. 아침 일찍 출근하여 전지분유를 따끈하게 타서 교장 선생님께 머그잔으로 한잔을 드리는 일을 매일 하였다. 내 나이 18세 교사인데 누가 시켜서가 아니라 그냥 어른으로 대접하는 차원에서 매일 전지분유를 타서 드렸다. 내가 생각해도 참 깜찍하였다. 지금은 여교사에게 차 한 잔을 기대하면 인권 모욕에 걸린다. 참 격세지감을 느끼는 교직 현실이다.

한 학년에 2반씩 있었는데 나는 2반을 담임하였다. 나이는 어리지만 내 반 아이들을 아주 잘 관리하였다. 내가 수업하는 것을 칸 저편에서 교장 선생님이 다 듣고 계시기에 정말 나는 아주 열심히 최선을 다하여 교육하였다. 아이들도 눈치가 있어서 발표도 잘 하고 말도 잘 들었다. 학교생활이 재미있었다. 경험은 없었지만, 열정적으로 반을 경영하였다. 글짓기 대회에 나가면 우리 반이 금상을 휩쓸었다. 나는 S 학교의 신입 교사이지만 보배였다.

새 학기 한 달 정도 지난 4월에 환경검사가 있었다. 전 학년을 교장과 교감, 교무 그리고 부장교사가 각 반 환경정리 해 놓은 것을 검열을 하러 다녔다. 그 당시 환경검사가 있는 행사가 참 부담스러웠다. 각 반이 비교되기에 미술에 솜씨가 없는 선생님은 고역이었다. 나도 그중 한 사람이었다. 나는 학창 시절에 국어에 소질이 있었지 미술은 문외한이었다. 그래도 최선을 다하여 준비하였다. 담임들은 있는 실력을 모두 발휘하여 환경정리를 창의적으로 해놓고 심사위원단을 기다리는 그런 제도였다.

새내기 교사에게 늑대의 손길이

4월에 환경심사가 있는 달이었는데 심사하기 약 2주 전 체육부장인 권OO 부장교사가 우리 교실에 왔다. 내가 해 놓은 환경정리를 보더니 트집을 잡으면서 "저게 뭐냐"며 신규로 발령을 받았으면 아주 창의적으로 환경정리를 해서 교장, 교감에게 잘 보여야지 형편없다는 것이었다.

나는 순간 기분이 나빴다. 비록 내가 미술에 솜씨가 없는 건 사실이지만 그래도 최선을 다하여 정리한 것인데 트집을 잡기에 "난 더 이상 못해요. 최선을 다했는데요?" 톡 쏘아붙이자 권 부장 교사는 이번 토요일 집에 가지 말고 남아서 환경정리를 하라는 것이었다.

나는 더욱 기분이 나빠서 "쌀이랑 반찬이랑 가지러 집에 가야해요. 최선을 다했으니 내버려 두세요."기분 안 좋은 투로 대답을 하자 권 부장 교사는 나에게 유혹의 손길을 뻗었다.

우리 교실 방문하기 한 1주일 전 6학년 여학생 두 명에게 절편 두 조각과 편지를 보내온 적이 있었다. 편지 내용은 동생으로 삼고 싶다면서 떡을 보내니 맛있게 먹으라는 내용이었다. 나는 편지와 떡을 받고 보니 참 이상하다는 생각이 들었다. 무언가 내 앞날에 불길한 징조가 엄습해 왔다.

권 부장 교사는 나에게 동생같이 생각한다면서 잘 도와주겠다고 말을 하였다. 계속 나에게 환경정리를 자신이 해줄 테니 집에 가지 말고 일요일에 근무하라고 주장을 하였는데 난 거절을 하였고, 권 부장 교사는 자신이 폼 잡고 호의를 보여주고 싶었는데 내가 권 부장 교사를 무시하며 고집을 부려 펼쳐보지 못하였고 나는 내 소신대로 환경심사를 받았다.

권 부장 교사는 다음 주말에는 나에게 영화나 보자고 추파를 던졌다. 다음 주 토요일에 집에 가지 말고 자기랑 군산에 가서 영화나 한편 보고 마지막 배로 돌아오자는 내용이었다.

기가 찼다. 셋째 언니가 P에서 그 당시 초등학교 교사를 하였는데 언니 친구들과 하는 이야기를 들어 잘 알고 있었다. 지금은 어림도 없는 이야기지만 그 당시는 교장의 권력이 막강하여 신성해야 할 교육기관에서 성(性)적인 비리가 많았었다.

결혼 안 한 노처녀 교사가 교장과 불륜을 맺고 자신이 교장 역할을 하고 있다는 이야기를 들어 잘 알고 있었다. 교장 권력이 막강하여 교사들은 교장에게 인사를 잘 해야 학년 배정을 잘 주었고 업무도 편한 업무를 주던 관행이 있었다. 교장에게 미운털이 박히면 학교생활이 무척 피곤하던 시절이 있었다.

지금은 학교생활이 얼마나 천국과 같이 변하였는지 격세지감을 느낄 때가 많다. 지금은 교장, 교감에게 힘이 주어지지 않아 봉사하는 것이 주 업무인 세상이다. 우스갯소리로 '그 좋은 시절 교장 한 번 못해보고, 이 좋은 시절 교사 한 번 못한다.'는 이야기가 있다. 이 한마디로 얼마나 많이 교직 사회가 변하였는지 감이 잡힐 것이다.

지금은 교사들의 학년 배정, 업무 배정, 근무 평가, 성과급 지급 등이 공정하고 투명해져서 지금 교사들이 이 이야기를 들으면 호랑이 담배 피우던 시절 이야기가 아니냐고 할 수 있다.

그러나 내가 초임 시절에는 흔한 일이었다.

권 부장 교사가 나에게 추파를 던지고 있는데 답은 뻔하였다. 내가 권 부장 교사와 영화 관람을 같이 가면 마지막 배를 놓치니 그 덕에 학교 업무는 편할 것이고, 내가 군산의 영화 관람을 거절하면 자신의 자존심을 짓밟았다고 하여 나의 학교생활은 힘이 들 것이 불을 보듯 훤한 예측이었다.

어린 18세의 순수한 교사가 결정하기 참 힘든 일이었다.

40년 전 이야기인데 엊그제 일처럼 생생히 떠오른다. 나는 옆반 2학년 1반 노총각 김○○ 교사에게 찾아갔다. 남자지만 여자 같이 편한 남자 사람이어서 나이 차도 많았지만, 오라버니 같은 편한 생각이 드는 선생님이었다.

수수한 얼굴에 키는 작은 편이고 몸집도 작은 편이었다. 항상 웃는 얼굴에 머리숱이 없어 설렁설렁한 헤어스타일을 하고 다니면서 유머도 좋고 말도 잘 하는 편한 성격이었다. 회색 잠바를 잘 입고 다니고 이가 뻐드렁니가 나고 입술이 두껍고 푸른빛을 띤 김○○ 선생님 모습이 너무 생생하게 떠오른다. 잘 웃고 동료

교사와도 잘 지내는 인품이 좋은 34세의 노총각 선생님이었다.

나는 수업을 마치면 옆 1반에 가서 학교의 궁금한 이런저런 이야기를 잘 묻고 시간을 많이 보냈다. 권 부장 교사의 이야기를 내 친구가 발령받은 학교 이야기라고 거짓말을 하면서 꺼냈다. 그러자 김OO 선생님은 듣자마자 "권 선생 이야기지? 맞지?" 아주 자신 있게 공격을 하였다.

나는 너무 당황한 나머지 더듬거리며 아니라고 친구 이야기라고 하였지만 곧이듣지 않았다. 그러면서 "그 사람 이니셜이 KKS이지?" 단번에 맞추면서 권 부장 교사 욕을 하였다.

"개** 처녀 교사만 오면 지가 뭔데 먼저 * 먹으려고 **하네."

김 교사가 흥분하면서 화를 내는 거로 보아 권 부장 교사가 여교사에게 보내는 푸시가 내가 처음이 아니라 나 이전에 사안이 있었구나 생각이 들었다. 나는 집히는 게 있었다.

우리 학교에 성OO 교대 선배가 있었는데 나이가 28세로 그 당시 노처녀에 속하였다. 소문에 의하면 권 부장 교사가 숙직인 날 성OO 교사 자취집에서 저녁을 먹고 학교에 와서 숙직한다는 이야기를 학부형에게서 들은 적이 있었다. 성 선배와 학부형 집이 광부 사택이라서 누가 드나드는지 공개가 된 상태라 권 부장 교사가 숙직 때마다 들르는 것을 알고 있었다.

삼거리에 식당이 있는 데 왜 군이 성 선배 집에서 저녁을 먹었을까 궁금하였다. 속담에 참외밭에서는 신발 끈도 고쳐 매지 말라고 하였는데 같은 동료 집에서 저녁을 둘이서 먹다니 어린 나였지만 학부형 이야기를 듣고 보니 학부형 눈에 곱게 비칠 리 없었겠다는 생각이 들었다.

나는 피식 웃었다. 아무리 성 교사는 사심이 없이 저녁을 해 먹였더라도 28세의 노처녀 여교사 집에 48세의 남자 교사가 와서 당직 때마다 저녁을 먹고 갔다니 동네 학부형들이 과연 저녁만 먹었을까에 대해 의심이 드는 것은 자명한 일이라 생각을 하였다. 학부형 눈에 얼마나 의혹이 들었을까? 아마 성 교사만 모르고 있었을 것이다. 이 소문은 암암리에 동네 학부형 입에서 입으로 퍼져 나갔을 것이다.

사실 나도 둘 사이가 애인이 아닌가 이상하게 생각을 하였던 게 내가 권 부장 교사 교실에 볼일이 있어서 갔더니 성 교사와 이야기를 하고 있었는데 성 교사가 짧은 스커트를 입고 자세를 다리를 꼬고 앉아 있어 허벅지가 보였다. 나는 어린 나이에 교사라는 사람이 어떻게 저런 자세로 앉아 있지? 둘 사이가 의심이 들었고 이상하다는 생각이 들었다. 지금도 생생히 떠오른다. 나는 그 모습을 보고 얼마나 당황하였는지 모른다. 내가 교실에 들어갔는데도 성 선배는 다리를 풀지 않고 있었다.

그 당시 권 부장 교사는 손만 씻어도 스킨 샘플을 꺼내서 손에 바르고 멋을 내었는데 알고 보니 간질 환자였다. 한 번은 출근길에 간질이 발작하여 길거리에서 쓰러진 적이 있었다. 권 부장 교사의 복잡한 여자관계 소문과 새끼 장학사라는 소문 그리고 교장, 교감 위에서 장치던 모습이 주마등처럼 순간 스쳐가

멍하니 생각을 하고 있었다.

김OO 교사의 말로는 이미 내가 발령받아 오기 전에도 처녀 선생이 발령이 나서 부임을 하면 김 부장 교사가 유혹했었다는 이야기였다. 그러면서 김OO 교사는 나보고 "그 사람이 권OO이지?" 다짜고짜 확신에 찬 말투로 물었다. 할 수 없이 나는 부정도 하지 못하고 사실이라고 시인을 하자 김OO 교사는 나에게 권 부장 교사를 혼내주라고 조언을 해 주었다. 화가 난 모습으로 망신을 주라고 하였다.

나는 편지와 떡 이야기를 하고 환경정리에 관한 이야기, 영화를 보러 가자고 한 이야기 모두를 하였다. 김OO 교사가 무어라 충고를 할지 궁금해 하면서 대답을 기다렸다.

우리 둘은 권 부장 교사는 망신을 받아야 할 사람이라고 암묵적 약속을 하고 언제 어떤 방법으로 할 것인지 고민을 하였다.

조여 오는 늑대 교사의 보챔

권 부장 교사는 아이 편에 쪽지 편지를 보내 군산에 갈 것인지 답장을 목요일까지 하라고 나를 압박하였다. 그 시절에는 주 5일제가 아니어서 금요일이 피크였다. 나는 며칠을 고민 한 끝에 거절하기로 마음을 먹었다. 지금 생각하면 부드럽게 거절을 할 수 있었는데 어린 나이에 겁이 나서 당돌하게 거절을 한 게 지금도 우습다. 부드럽게 거절을 하였다면 나의 학교생활이 순조로웠을 텐데 지금도 후회스럽다. 그때 어린 교사인 나 혼자 답을 구하려 하지 말고 선배와 상의를 하여 거절하는 방법을 배워서 하였으면 좋았을 것을 나 혼자 하다 보니 매끄럽지 못하였다. 멘토가 없었기에 내 생각대로 내 방식대로 혼자 해결하려 하였던 것이었다.

5교시 체육 수업을 운동장에서 하였다. 공교롭게도 나의 반과 권 부장 교사 반이 같은 시간에 체육 시간이 운동장 수업이었다. 수업을 마치고 권 부장 교사가 아이들을 한 줄로 데리고 교실로 들어가려는 순간이었다. 나는 다짜고짜 "선생님은 나를 우습게 보셨어요." 큰소리로 외치며 "나는 그런 사람이 아니에요."라고 아주 당당하게 거절을 하였다. 그 후에 일어난 일은 가히 상상이 가고도 남는다.

보복은 바로 왔다. 그 해 가을 대운동회에 나에게 4, 5, 6학년 남학생 매스게임 업무를 주었다. 18세 새내기에게 1개의 학년은 몰라도 3개 학년의 그것도 남학생을 통솔하라고 하는 것은 실패할 것을 뻔히 알면서도 나에게 준 것이었다.

나는 당당하게 권 부장 교사의 콧대를 꺾어놓으려고 하겠다고 하였다. 그러나 사춘기 남학생을 통솔하는 게 녹록지 않았다. 서너 번 연습하다가 울고 말았다. 도저히 내 능력으로는 불가하여 백기를 든 상태였다. 내 자존심이 무척 상하였다. 내 지도력 부족으로 할 수 없이 운동회 남자 매스게임을 하지 못하고 4, 5, 6학년 여학생 부채춤으로 대신하여 지도하였다.

부채춤은 아주 인기리에 성공적으로 수행하였다. 그해 운동회에서 부채춤 박수가 가장 많이 나왔고 주민들로부터 칭찬을 들었다. 원래 부채춤은 한복이 화려하여 조금만 해도 잘 해 보이는 것인데 나는 대형 변화를 주어 멋진 부채춤을 완성하였다. 주민들의 우레와 같은 박수를 받으면서 실추되었던 내 명예를 다시 찾는 기쁨을 누렸다. 나의 지도력에 나 자신이 놀라웠다.

권 부장 교사에게 보복하였다고 생각하니 통쾌하였다. 이렇게 운동회는 잘 마무리가 되었는데 그다음 해 권 부장 교사가 업무를 체육부장에서 교무부장을 맡으면서 나에 대한 갑질은 더욱 드셌다. 겉으로 확연하게 드러나지 않게 아주 지능적으로 나를 골탕을 먹였다.

이제 S가 싫어졌다. 빨리 이곳을 떠나야 할 것 같이 정신적 스트레스는 심하였다. 학년 배정도 가장 인기 없는 힘이 든 5학년을 거듭 주면서 나를 골탕을 먹이고 있었다. 나는 5학년 중임을 도저히 감당하기 힘들어 울면서 교장실로 쳐들어갔다. 교장실에서 교장, 교감, 교무 셋이 교무회의 중인 것을 알고 일부러 들어갔다. 권 부장 교사 망신을 주기 위하여 들어가니 권 부장 교사가 당황한 기색이 역력하였다. 지은 죄가 있으니 내 입에서 무슨 말이 나올지 겁이 났던 것이었다.

나는 철인이 아니어서 5학년 중임을 못 한다고 대드니 권 부장 교사가 내 입을 보면서 내 입에서 무슨 소리가 나올 기세였는지 금세 순순히 조정해 주어 2학년을 배정받았다.

적극적인 탄광촌 선생님

나의 첫 부임지 S에서 3년을 탄광촌 주민으로 살아온 일들이 주마등처럼 스쳐 지나간다. 이런 시골로 발령을 날 것 같았으면 공부를 열심히 하지 않을 것이라는 후회도 하면서 근무를 하였었다.

천천히 중간 발령을 받았으면 중소 도시라도 발령이 났을 것을 3.1자 발령이다 보니 이런 곳에 왔다는 후회도 하였던 것이다.

첫해는 2학년 담임을 하며 자취 생활을 하였고 이듬해는 5학년을 담임하고 있었는데 반장인 이순규 아버지가 담임인 나를 찾아와 자기 집에서 숙식하면서 이순규를 가르쳐 달라고 하여 대한석탄공사 사택에 입주하였다.

서울 본사에서 출장 온 석탄공사 직원의 숙소인 셈이고 순규 아버지는 집사였다. 그러자 생활비가 하나도 들어가지 않았다. 식(食) 주(住)를 해결하니 내 살림이 부쩍부쩍 늘어났다.

석탄공사 사택의 환경은 그야말로 지금으로 말하면 전원주택이었다. 산속에 자리 잡은 사택은 사계절이 확연하게 드러나는 아름다운 환상적인 별장 같은 곳이었다. 산속에 넓게 자리 잡고 있었고 방 개수가 10여 개가 넘었다. 테니스 코트도 있어 가끔 서울 본사 석탄공사에서 내려오는 출장 손님들이 운동하기도 하였다. 일종의 서울 본사 직원 숙소였던 것이었다.

탄광촌의 모습은 정말 한 번도 본 적이 없는 신기한 세계였다. 영화의 한 장면 같은 곳이었다. 아침 출근길에는 밤새 일하고 내려오는 광부들을 만나게 되는데 머리에는 등불을 켜고 차림새는 까맣게 석탄으로 칠한 얼굴, 옷차림새도 까만 옷 모두가 까만 모습에 웃음이 나와 참느라 힘이 들었다. 거리를 지나는 광부들, 산, 들, 냇물 온 사방이 잿빛 투성이였고 학교 안도 마찬가지였다.

아이들의 정서도 잿빛인지 그림 바탕색은 항상 검은색으로 색칠을 하고 냇물도 검은색으로 칠해 놓았다. 이 탄광촌의 색채는 검은색이었다. 산도 마을도 검은색, 그림이 온통 검은색이었다. 여기 사는 사람들 의상도 주로 무채색인 검은색으로 정서도 우울해 보였다.

나는 순진한 아이들에게 아이들다운 밝은 웃음을 전하고 싶었다. 비록 주변은 검은색이지만 아이들 동심은 밝고 맑게 해 주고 싶어 함께 춤을 추고 노래 부르는 시간을 많이 가졌다. 처음에는 쑥스러워했던 아이들이 하나하나 대담하게 춤을 추고 멋스럽게 노래를 부르기 시작했고, 자기표현을 제법 잘 하였다.

나의 수업 시간은 재미있었다. 음악 시간에는 노래에 자신이 표현하고 싶은 대로 표현하도록 즉, 안무를 하도록 지도하니 놀라울 정도로 변해 갔다. 운동회 때는 4, 5, 6학년 여자아이들을 데리고 의상은 노란색 원피스를 맞춰 입고 훌라후프 춤을 추었는데 내가 안무를 짜서 '크시코스의 우편마차' 음악에 맞춰 대형 변화를 하면서 훌라후프 춤을 멋지게 추었다. 내가 생각을 해도 정말 체전에 나온 모습같이 멋지고 훌륭하였다. 학부형들은 앙코르를 부르면서 외쳐댔다. 멋지게 춤을 추는 아이들의 모습에 가슴이 벅차올랐다.

내가 가장 잊을 수 없는 기억은 사명감에 불타 우리 반 신주옥 엄마가 결핵에 걸려 병원 치료도 제대로 못 하자 우리 반 아이들과 함께 들판을 다니면서 질경이를 캐서 말려서 갖다 준 일이다. 그 당시는 의학이 발달하지 않아서 민간요법에 의존을 많이 하였다. 가슴이 따뜻한 인간적인 선생님이 되고 싶었다.

나는 학교생활을 아주 적극적으로 사명감에 불타 근무를 하였다. 그 당시 학교에는 교가가 없어 내가 작사를 하고 작곡가 김공선 씨가 작곡해 멋진 교가가 탄생하였다. 지금 생각해 보면 참 잘한 일이었다. 그러나 현재는 폐광으로 인구가 줄고 학생 수가 줄어 폐교가 되고, 주변은 S 휴양림으로 멋지게 변신하였다.

나는 글짓기에도 소질이 있어서 어린이들 문예반을 맡아 백일장 대회에 참석하여 금상을 많이 타 왔다. 대회의 금상은 항상 S초등학교 몫이었다.

그 무렵 새해가 되면 연초 신춘문예 동화 부문에 응모하였다.

나의 아름다운 어린 시절을 발표하고 싶었다. 1,000페이지 원고를 채우기 위하여 나와의 싸움은 시작되었다. 나의 유년시절을 멋지게 묘사하여 감동적인 동화를 쓰겠다고 사택의 멋진 풍경을 벗 삼아 긴긴 겨울밤에 담요를 뒤집어쓴 채 동화작가 꿈을 꾸면서 원고지 천 페이지를 채우느라 심혈을 기울이던 추억이 생각난다.

춤추는 선생님

탄광촌에서의 경험은 교직 생활을 하는 동안 두고두고 영향을 주었다. 나는 즐거운 학교가 아이들에게 좋은 영향을 심어준다는 사실을 깨닫고 교직 생활을 하는 내내 아이들에게 학교가 즐거운 곳이 될 수 있도록 재미있는 시간을 많이 가졌다.

담임교사가 즐거워야 아이들이 즐겁고 담임교사 인생관이 긍정적이어야 아이들 인생관도 긍정적으로 변하는 것이다. 초등학교에서는 그만큼 담임교사의 역할이 중대하기에 담임교사는 항상 긍정적인 마인드에 건강해야 한다는 것이 나의 교육관이었다. 아이들 롤 모델은 담임교사이기에 정말 담임교사 재능을 뛰어넘을 수 없는 게 교육의 현실이었다. '학교가 즐거워야 공부도 잘 될 수 있다.'

나는 음악 시간에 완전 창의적인 수업을 하였다. 노랫말에 맞춰서 춤을 추었다. 마치 오페라 가수가 된 듯 뮤지컬 배우가 된 듯 자기감정을 표현하라고 교육을 하였고 조별로 경쟁을 시켜 순위를 매기면서 아주 즐겁게 수업을 하였다. 아이들이 처음에는 수줍어서 표현하지 않지만, 나중에는 교사와 혼연일체가 되어 아주 신바람이 나서 춤을 추고 노래를 불렀다. 그래서일까?

내가 담임을 하면 수줍던 아이들이 노래와 춤을 잘 추는 것은 물론 당당하고 발표력도 좋아지고 시골 아이들 같지 않게 자기 자신에 대한 표현도 잘할 수 있게 되었다.

시골 작은 마을에서 지방도시를 거쳐 서울로 점차 대도시로 나의 교직 생활을 옮기면서 나의 교육철학은 변함없이 즐거운 교실 행복한 수업시간을 만들기 위하여 항상 노래와 춤이 끊이지 않는 교실을 만들어 나갔다. 그리고 개인적으로는 춤에 관한 연수 공문이 오면 빠짐없이 배우고 익히고 나의 소질과 재능을 발휘하면서 춤을 생활화하였다.

그래서 춤추는 선생님이란 별명도 얻게 되었다. 춤을 잘 추는 신체 조건은 없다. 나를 아는 사람들은 내가 마른 편이 아니어서 무슨 춤을 잘 출까 생각을 하겠지만 난 흥이 많고 신명이 좋아 일단 감정 표현을 잘 하는 게 나의 특징이다 보니 춤을 아주 잘 추는 선생님이 될 수 있었던 것이었다.

단합의 고수

1990년 D에서 K신도시가 생기면서 군인 아내들이 D에 내려와야 하는 상황에 우리 D 근무 선생님은 1:1 조건으로 서울 발령을 내주었다.

서울로 발령을 받아 승진하기 전 학교에서 친목회장을 4년간 맡았다. 남자 교사도 있었지만 개교학교라서 단합 차원에서 자천 타천으로 친목 회장직을 맡았는데, 아주 큰 학교라 전 교직원이 100여 명이 넘었다. 난 교장을 구심점으로 단합을 시키는 게 친목회장의 역할이라 생각을 하고 단합에 중점을 두었다.

회식 때면 선생님들이 모두 나와 노래를 부르고 춤을 추었다. 지명을 하면 한 사람도 못 한다고 빼거나 부끄럽다고 사양하는 교사가 없이 시키면 모두 나와 10대 소녀들처럼 잘 놀았다. 노래방도 아니고 회식 후 여흥 차원에서 전 직원이 노래하며 춤을 추는 학교는 솔직히 없다. 노래 정도는 몰라도 춤을 춘다는 것은 그만큼 단합이 잘 된 학교라는 뜻이었다.

식당 아주머니들이 구경하느라 일을 하지 못하였다. 이렇게 잘 노는 학교는 처음 본다며 얼마나 즐거워했는지 모른다. 매력 있는 젊은 여교사들의 신세대 춤과 나이 든 원로 교사들의 구성

진 노랫가락은 1차로 부족하여 3차까지 밤늦게까지 돌아다니기도 하였다. 정말 학교 분위기는 다른 학교의 추종을 불허할 정도로 단합이 잘 되었고 교감이 된 이후에도 나의 교육관은 '교장, 교감이 즐거워야 교사가 즐겁고 교사가 즐거워야 아이들이 즐겁다'였다. 나이는 들었지만 젊은 교사와 소통이 잘 되기 위하여 소위 꼰대 교감이 되지 않기 위하여 젊게 살고 있다.

같은 직장에 있어도 같은 학년이나 돼야 말이나 하고 친하게 지내지 다른 학년 선생님과는 이야기 한번 하지 않고 지내는 선생님도 많다. 그러니 무슨 동료애가 있겠는가? 이렇게 공적인 집단은 모래알을 뭉쳐 놓은 것처럼 응집력이 없는 게 특징이다. 필요할 때만 대화를 하고 지내는 일시적인 집단이 된다.

이런 공직 사회를 단합시키기 위하여 관리자인 내가 먼저 망가지면 단합이 된다. 야유회나 친목 행사 여행 시 가장 먼저 망가진다. 내가 가장 먼저 체면과 위신을 내려놓고 노래를 부르고 춤을 추며 멍석을 펼쳐 주기만 하면 다음 순서는 교사들이 바통을 이어받아 펼쳐진 멍석 위에서 무대를 꾸며나간다.

그래서 친목 도모의 자리에서 관리자는 품위와 권위를 내려놓고 제일 앞장서서 놀곤 한다. 직장이며 학교며 어떤 조직사회 등 '좋은 직장'이 되려면 수직적 조직보다는 수평적 조식이 훨씬 능률을 올릴 수 있기 때문이다. 소통을 중시하는 조직이 능률도 올릴 수 있다.

위기의 절벽에 서다

주식에 손대다

1990년 D에서 서울로 발령이 나서 오게 되었다. 서울에서 두 학교 근무를 마치고 1998년 해에 이상하게도 주식에 손을 대었다. 주식에 아무 경험과 지식이 없는 상태에서 겁 없이 주식에 손을 대고 말았다. 그동안 남편과 열심히 벌어 적금만 들어 차곡차곡 돈을 모아갔는데 이상하게 1998년부터 내 마음이 산란해지기 시작하였다. 돈을 벌고 싶다는 생각이 밀려왔다.

나는 인생을 사주팔자가 있다고 생각을 하는 데 지금 생각하니 그 무렵이 내가 돈이 나가야 하는 시기였던 것 같다. 내가 사는 동네 최재인 엄마가 주식으로 2천만 원을 벌었다고 자랑을 하자 왜 그렇게 나도 벌고 싶어 마음이 산란해져 주식에 손을 대었는지 모른다.

지금 돌아보니 내 인생이 불안하던 시기였던 것이었다. 내 인생의 사이클이 하락하던 시점에 내 마음이 하락 쪽으로 달려가고 있었던 것이었다. 누가 시켜서가 아니라 나 스스로 내 마음이 하락을 향하여 하락 열차를 타고 속력을 내어 달려가고 있었다.

팔자는 못 속인다고 돈을 버려야 내 수명에 좋아서였는지 많은 돈을 버리게 되었다. 내 아버지 유전인자가 내 핏속에 흐르는 투기성을 잠재우지 못한 것이었다. 처음에는 손실금이 1,300만 원이었다. 그 돈은 거의 연봉에 가까운 돈이었다.

내 친구가 나에게 그냥 잊고 손을 떼면 어떻겠냐고 하는데 난 1년 연봉이라 생각하니 도저히 아까워서 손을 놓을 수 없었다. 반드시 원금을 찾을 것이라는 오기가 발동을 하자 발동을 하면 할수록 난 진흙 늪 속에 빠져 도저히 나올 수가 없었다. 도박하는 사람이 원금 생각이 나서 계속한다는 이야기는 들어서 알고 있었는데 주식도 도박처럼 원금 생각이 나서 계속 손을 놓을 수 없었다.

주식의 노예가 되어 버렸다. 내가 주식에서 손을 떼지 못하고 20여 년간 주식의 그늘에서 벗어나지 못하자 손실금은 이미 억 단위로 불어나 있었다. 주식의 성질이 내 돈을 다 잃으면 대출을 받아서 하게 되어 있다.

직업이 공무원이다 보니 대출은 얼마나 쉽게 잘 해 주던지 연금 대출 신용대출 등 대출이란 대출은 다 받았다. 난 매달 봉급을 타면 이자 내기에 바빴다. 손실금도 눈덩이처럼 불어나 있었다. 도저히 내가 감당할 수 없어 잠도 오지 않았다. 정년퇴임도 10년밖에 남지 않았는데 차입한 돈을 갚지 못하면 퇴직을 해도 연금을 받을 수 없다고 생각하니 머리가 아프고 정신이 번쩍 들었다. 큰일이었다. 그러나 무슨 배짱인지 꼭 회복할 것 같은 자신감과 희망은 버리지 않았다. 자신 있게 회복할 수 있을 것 같았다.

그나마 요행이 전혀 없는 것은 아니고 대박이 내 곁을 스쳐 지나가기를 여러 번 하였다. 꼭 원금을 회복할 수 있을 것 같은 생각이 들었다. 그러나 언제 빚을 갚는단 말인가? 그래도 한 가지 희망의 끈을 놓지 않았다. 성공할 것 같은 확신이 들었다. 난 '된다 할 수 있다'를 외치며 아침마다 기도하며 하루를 시작하였다. 여러 번 대어를 손에 잡았다가 놓친 경험이 있어서인지 꼭 할 것 같은 생각이 들었다.

난 꼭 성공해서 원금을 회복할 것이라는 긍정적 사고와 믿음으로 그 날이 오기를 기도하며 열심히 생활하였다. 역학을 보면 내 사주는 말년에 복이 많다는 이야기를 많이 들어서 한 가닥 희망의 끈을 놓지 않고 복을 불러올 자세로 살았다. 웃으면 좋은 일이 생긴다고 한다. 좋은 일이 없어도 웃으면 좋은 일이 온다고 한다. 웃어서 좋아진다는 의미다. '할 수 있다.' 외칠 때 전두엽에서는 인지하여서 할 수 있게 한다고 한다.

자기암시 자기 최면을 걸어 원하는 일이 이루어지게 되는 것이다. 생활은 쪼들려 내핍생활을 하였고 돈이 되는 일은 무엇이든지 해야 했다. 위기감에서 초조해지고 아르바이트라도 하여 이자라도 부담하기 위해 돈이 되는 일은 해야만 했다. 그래도 난 슬퍼하지 않고 절망하지 않았다. 잘 될 거라는 확신을 갖고 삶과 싸웠다. 나의 삶을 변화해 놓을 자신이 생겼다.

갈림길에서 방황하다

교직생활의 외도로 늦어진 승진

나는 교사 초년 시절에 벽지 근무로 가산점이 있었고 승진하기 위하여 연구발표로 가산점도 충분히 취득한 상태였다. 교사 초기에 개인 점수를 잘 확보해 놓았는데 주식에 손을 대는 바람에 중년에 박차를 가해야 할 시점에 점수 관리를 하지 못하고 외도를 한 셈이었다. 교장, 교감 근평 한 번만 1등을 받았으면 금방 승진을 했을 텐데 근평에 신경 쓰지 않고 나의 방황이 시작된 것이었다.

그 당시는 승진보다도 빚 청산을 하고 주식으로 날린 원금 회복이 급선무였다. 뉴스에 주식실패로 자살을 하였다는 이야기가 공감되었고, 생활고에 은행을 턴 강도 이야기도 공감되었다. 내 심정이 그들과 다를 바 없었다.

나는 나의 미래가 궁금하여 가끔 찾아간 곳이 점집이었다. 한결같이 주식 점은 쳐주지 않으려 했다. 사실 그 들이 주식 점을 치거나 로또 번호를 맞힌다면 그들이 먼저 하여 큰 부자가 되지 다른 사람을 돈 벌게 할 필요가 있겠는가? 원리는 알면서도 혹시나 하는 기대감과 위로를 받기 위하여 다급한 사람은 점집을 찾아가게 된다. 시쳇말로 점쟁이는 들어오는 사람을 보고 자식 문제, 남편 문제, 돈 문제, 이성 문제 중 한 가지를 말하면 다 맞는다고 한다. 한동안 로또에도 집중하였다. 회원이 되어 번호를 받아 일확천금을 벌게 해준다는 업체에 회원이 되어 보았지만 역시 꽝이었다.

마지막 무기인 명예퇴직을 하고 명예퇴직 수당과 퇴직금 일시금으로 빚을 갚고 다른 일을 할까 고민하던 차 내가 찾아간 곳이 영등포 지하상가의 타로점 보는 곳이었다. 무슨 일을 할 것인가? 결혼상담소의 매니저를 생각해 보고 부동산 공인중개사도 생각해 보았다. 생각은 복잡하게 엉켜 갔다. 지푸라기라도 잡고 싶은 심정에 타로점을 찾아갔다. 사표를 내고 다른 일을 하면 부채가 해결될 것 같아 갈등을 하였다.

나의 고민이 시작되어 잠도 오지 않게 되었다. 가족에게 미안하여 죽을까 하는 고민까지 하게 되었다. 기왕 죽으려면 어떻게 죽을까? 순직이 가장 좋은 방법인데... 이런저런 고민이 깊어갔다.

내 인생의 멘토 '강' 타로마스터

주식으로 돈을 잃고 잠을 이루지 못하는 시점에 지인을 따라 출입을 하게 된 곳이 콜라텍이었다.

주말에 운동 겸 심란한 마음도 추스를 겸 콜라텍으로 운동차 다녔다는데 콜라텍을 가기 위하여 지하상가로 접어드니 타로 안내 배너가 눈에 보였다.

나는 점집을 자주 다녔지만, 그 당시 타로가 무엇인지 참 궁금하였다. 어느 나라 점인가? 궁금하지만 막상 들어가려니 낯설어 용기가 나지 않았다. 그렇게 타로 상담을 하고 싶어 망설이기를 6개월 어느 날 용기를 내어 상담하러 들어갔다.

50대 후반 여자 강 선생님이었는데 상담을 아주 잘 하여서 내심 흐뭇하였다. 점보다 잘 맞추는 것 같았다.

내가 처한 상황을 뽑아보니 물구나무서기를 한 카드를 뽑았다. 이 카드는 정신적 물질적으로 아주 힘이 들 때 나오는 카드였다. 철봉에 물구나무를 서면 어떻게 되는가? 주머니에 들어있는 모든 것이 다 쏟아진 상태니 돈도 없고 거꾸로 매달려 있으니 얼마나 힘이 드는가? 이 카드가 나오면 1년간 마음을 비우고 봉사를 해야 한다.

강 타로 마스터는 나에게 이런 운세에서는 조용히 봉사하는 자세로 1년을 눈감고 귀 닫고 입 닫고 조용히 지내야 한다고 하면서 하반기로 갈수록 운세가 풀릴 것이니 직장에 사표를 내지 말라고 하였다.

그 무렵 사표를 내어 다른 일을 할까 고민을 하던 차였다. 강마스터는 현재 직업 외에는 되는 게 없다면서 절대 외도하지 말아야 한다고 주의를 주었다. 현재의 교직에 전념하면 내년 상반기에는 잘 참았다고 할 것이라며 참아야 한다고 하였다.

나는 나의 일정과 모든 일을 강 타로 마스터와 상의하면서 진행해 나갔다. 일종의 내 인생의 멘토로 여기면서 따르니 순조롭게 잘 풀리었다. 내 운세를 역행하지 않은 게 가장 큰 성공 이유가 되었다. 그 당시는 너무 힘이 들었지만, 하반기가 되면서 조금씩 실낱같은 희망이 보이며 풀려나가는 기운을 느꼈다.

정말 다음 해 교감 승진 연수 대상자가 되어 기쁨을 누렸고 연수받고 그다음 해는 교감 발령이 났다. 주식만 아니면 벌써 승진을 하여 교장이 되었을 텐데 주식에 집중하다 승진이 늦어진 것이었다.

인생의 바닥에서 나비의 날개 짓

정말 내가 승진을 하지 않았더라면 아직도 주식으로 날린 돈을 찾지 못한 채 빚에 허덕이면서 고통의 날에서 헤어나지 못하였을 것이다. 내가 돈을 언제 많이 벌겠냐고 하면 강 타로 마스터는 "돈 돈 하지 마라. 승진하면 명예와 돈이 자동으로 따라오게 된다."며 돈 이야기하지 말고 승진에 전념하라고 했는데 정말 나에게 행운의 여신이 찾아왔다.

나의 부하 직원이 자신과 잘 아는 지인을 소개해 주어서 정말 주식으로 대박이 나서 빚을 다 청산하고 원금을 찾았다.

행운의 여신이 점점 다가오는 감을 느끼게 되었다. 내가 인생을 살아보니 내 운세가 하락 운세에 접하면 내 주변에는 나에게 손해를 입히는 사람만 모인다. 그러나 내 운세가 상승 운세를 타면 정말 나에게 도움이 될 사람만 모인다.

이때 마음의 여유도 생기고 경제적으로도 여유가 생기자 신기하게 여긴 타로를 공부하고 싶어 졌다. 강 타로 마스터가 소개해 준 선생님을 찾아 학원에 등록하고 아주 열정적으로 2년을 다녔다. 타로 공부가 참 신기하였다. 타로는 점이 아니라 상담을 하는 카드다. 점쟁이는 예언을 이야기하지만 타로 마스터는 문제 해결을 할 수 있게 한다. 즉 점이 아니라 이런저런 문제시 이렇게 하라는 상담이다.

타로 공부를 하면서 나는 상담을 잘 할 소질을 갖추었다고 자부심을 느꼈다. 직관력이 뛰어나고 표현하는 언어구사력이 뛰어나고 심리 상담에 지식이 있으면 타로 상담을 잘 할 수 있다. 타로를 앞에 두고 상담을 하면 속일 수가 없이 빠져든다. 맨투맨으로 얼굴을 바라보고 상담도 하지만 타로는 마주 앉아 내가 궁금한 것을 내가 카드를 떼어 상담하는 방법이다.

타로는 1400년대 프랑스 궁궐에서 사용하던 상담 기법이다. 초급, 중급, 심화 과정, 리딩 단계를 두 번씩 마쳤다. 배우면서 타로 상담이 내 소질과 적성에 맞는 것을 알게 되었고 퇴직 후 사용할 것 같아 배웠는데 이 타로 상담을 통하여 교감 발령 학교에서 학교폭력과 가정 성폭력 피해자인 5학년 두 여학생의 인생을 구제해 줄지 어찌 알았겠는가?

40여 년 교직 생활에서 가장 잘한 일이다.

어린 생명을 구하다

승진 발령을 받았다.

난 내가 타로 상담도 배우고 유난히 상담에 소질이 있기에 고학년 선생님들에게 생활 지도하기 힘든 학생이 있으면 나에게 보내라고 하였다. 5학년 담임이 여학생 두 명을 보냈는데 중학생과 연계가 된 듯 중학생에게 금품을 상납하는 것 같다는 내용이었다.

진○○은 보기에 아주 건강하고 예쁜 여학생이었다. 나는 첫 질문을 "우리 예쁜 진○○가 요즘 어떻게 지내나 알아볼까?" 하고 떼어 본 카드가 진○○은 악마 카드를 뽑았다. 그래서 나는 "누가 우리 진○○를 구속하지?" 질문하자 진○○는 소리 내어 펑펑 울기 시작하였다. 나는 순간 '아, 진○○에게 무언가가 있구나' 싶어 묻자 친부가 4학년 때부터 1년 동안 진○○를 성폭행하고 있었다. 정말 TV에서 나오는 이야기였다.

진○○는 1년 동안 고민을 털어놓을 사람이 없어 혼자서 괴로움에 폭발하기 직전 상태였다. 왜 담임교사에게 말하지 않았냐고 묻자 진○○는 비밀이 지켜지지 않을 것 같아서 말을 못 하였다고 했다. 그럼 왜 엄마에게 말하지 않았냐고 하자 아버지가 엄마에게 말을 하면 자신은 자살할 것이라면서 칼을 갖다 자신의 목에 찌르는 시늉을 하면서 협박을 해 왔던 것이었다. 그러면서 교감선생님에게 속 시원히 말을 하고 나니 날아갈 듯하다며 평생 은혜를 잊지 못한다는 문자를 보내왔다. 식당에서 일한다는 진OO 엄마를 불러 이야기를 나누고 잘 해결이 되어 살아가는 뒷이야기도 듣게 되어 참 나 자신에게 칭찬해 주었다. 혼자서 고민을 하던 차 나와의 상담에서 발견이 되어 엄마를 불러 구제해 준 경우이다.

또 한 여학생 5학년 김OO는 왕따 피해자였는데 원래 OO는 왕따를 시키는 가해자였다. 그러다 피해자로 바뀐 경우였는데 그러자 학교와 담을 쌓고 무단결석을 하는 학생이었다. 5학년 2학기를 22번 출석하고 나머지는 결석을 하였다. OO를 학교로 불러오는데 전화 10번 이상을 걸어 통사정하였다. 아이들이 있어서 못 온다. 선생님이 계셔서 못 온다. 이런저런 이유를 대며 나오지를 않았다. 어떡해서라도 한 번만 나오면 성공이라는 생각으로 갖은 애교를 부리어서 OO가 엄마와 나왔다.

긴 머리에 손톱은 진한 매니큐어 색을 바르고 완전 날라리 포스가 느껴졌다. OO를 구하지 않으면 학교를 졸업하지 못하고 한 생명을 어두운 사회에서 방황하게 할 것 같은 불안감이 엄습해 왔다. 나의 사명이 무엇인가? 진정한 스승이 되어야 하기에 첫날 나온 OO를 꼼짝 못하게 잡기 위해 완전 나에게 빠지게 해 놓았다. 타로 상담을 하면서 OO의 마음을 사로잡았다. OO는 내가 생각한 것 보다 훨씬 가능성이 보였다.

나와 래포가 형성이 잘 되어서 나의 질문에 성실하게 임하였다. OO는 카드에 관심이 많았고 자신의 속마음을 솔직하게 열어 보였다. 상담을 5회 하고 OO는 학교에 잘 다니겠다고 약속을 하였다.

그래도 OO 엄마는 교육에 관심을 두고 있었고 OO 결석에 걱정하며 엄마 힘으로 등교를 시키려 하였지만, 실패한 상태였다. 나는 일단 자존감을 높여주고 자기 효능감을 넣어주는 상담을 한 후 다음 6학년 3월에 등교하겠다는 다짐을 받은 결과 정말로 OO는 6학년 1년 동안 아파서 한 결석 1회만 제외하고 개근한 상태였다. 내 교직 생활 중 가장 잘한 일이 두 명의 어린 여학생을 구제한 일이다. 한 명은 성폭력에서 한 명은 무단결석에서 정상인으로 돌려놓은 일이 얼마나 장한 일인지, 타로 상담을 배운 덕분이었다.

진OO는 엄마에게 사실을 털어놓아 고민을 해결해 주니 문자로 "선생님 이제 속이 시원해서 살 것 같아요. 선생님은 제 인생의 은인입니다. 감사합니다."인사를 보내왔다.

어린이답지 않게 아주 성숙한 멘트로 고마움을 보내온 것을 읽으니 참 성숙한 아이구나! 이렇게 예쁘고 예의 바른 아이를 어른의 욕심으로 구렁텅이 속으로 빠뜨릴 뻔 했구나 내가 참 대견스러웠다. 타로 배우기를 참 잘했다고 생각하였다.

나에게도 행운이

주식으로 돈 벌다

주식으로 날린 돈은 주식으로밖에 회복할 수 없다.

주식은 돈 잃기도 쉽지만 돈 벌기도 쉽기 때문이다.

왜냐하면, 주식으로 인하여 자살하고 싶은 충동이 일었다는 것은 금액 면에서 감당하기 어려운 큰돈이기에 큰돈을 회복하려면 역시 투기성이 강한 방법이어야 하고 그건 주식밖에 없다. 주식 한 종목으로 대박이 나면 대대손손 편안히 먹고살 수 있다고 주식에 투자하는 사람들은 이야기한다.

다행히 나는 주식으로 성공을 하여서 손실 본 원금을 다 찾았고 여윳돈도 생겼다. 우선 자존감이 살아났고 가족으로부터 명예회복을 하였고 걱정 근심이 없으니 잠도 잘 자서 심신이 건강해졌다.

경제적으로 여유가 생기자 내 생활에 변화가 찾아왔다. 활기찬 생활을 하고 있다. 역시 자본주의 사회는 돈이 피와 같은 혈기를 제공해 준다. 경제적으로 힘든 시기를 거치고 이제는 경제적으로 안정기에 들어선 상태다. 주식만 아니었으면 아주 안정된 생활을 하였을 텐데 주식 때문에 중년에 정신적으로 아주 힘든 생활을 하였다.

'주식으로 돈을 잃기도 쉽지만, 주식으로 돈을 벌기도 쉽다'가 내 주식관이다. 아슬아슬 위태롭게 살던 기억이 나를 반성하게 한다. 현대 자본주의 사회에서 주식은 많은 사람이 하고 있다. 직접투자가 아니어도 간접투자인 펀드를 포함하면 두 집 건너 한 집은 하고 있다는 통계를 본 적이 있다.

개미투자자는 돈이 짧고 정보가 약하고 심적으로 공포감을 느끼기에 주식에서 실패하는 것이다. 세력은 돈이 풍부하고 시간이 많아서 초조하게 운용하지 않는다. 개미가 당하는 게 바로 이 점이다. 개미투자자 95%는 손해를 보고 겨우 5%가 살아남는다고 한다.

주식은 서울대 상대를 나와도 수익 내기가 힘들고 하버드 대학교를 나와도 수익을 내기가 힘이 든다. 주식의 기본 원리가 남는 여유자금을 갖고 하라는 것은 알고 있지만, 막상 여유자금을 잃고 나면 손을 떼는 게 아니라 이젠 다른 곳에서 빌린 자금으로 하게 되는 것이 주식의 생리다. 주식은 중독성이기에 자기 마음을 컨트롤을 잘 해야 수익을 낼 수가 있으니 마인드 컨트롤을 하지 못하면 패가망신을 하게 되는 것이다.

내가 주식 실패로 10여 년 이상을 고생고생하고 이제는 주식으로 성공을 하여 여유 있고 안정된 생활을 하게 되었다.

지금의 아파트를 전세 놓고 나간 지 8년 만에 들어와 살게 되니 대궐에서 사는 기분이다. 49평 아파트를 전세 놓고 그 전

세금을 투자하였다 손실을 봐서 아파트에 들어오지도 못하고 작은 평수 빌라에서 8년을 살다 원래의 아파트에 들어와 신혼 기분으로 잘살고 있다.

나 자신을 위하여서 하고 싶은 투자도 아끼지 않고 있다. 미를 가꾸기 위하여 아낌없이 투자하고 집안일은 도우미 아주머니의 도움을 받아서 하고 있다. 지금의 이 생활을 과거에는 꿈도 꾸지 못하던 일이다. 얼마나 행복한지 모른다.

나는 교장 연수도 받았지만, 정년 기간이 짧아 발령이 힘들 수가 있어 정년 퇴임 후 멋진 제 2 인생을 펼치기 위하여 준비하고 있다. 내가 춤에 관심이 크고 행복한 노년 생활을 위하여 여가활동을 해야 하는 데 가장 좋은 여가 활동이 춤이기에 춤에 관한 강의를 하려고 준비 중이다.

공무원연금공단에서 퇴직자 연수 강사 일을 하고 싶어서 열심히 자격 준비에 심혈을 기울이고 있다. 명강사가 되기 위하여 아코디언도 열심히 배우고 이런저런 많은 다양한 경험을 하여 나만의 스토리를 만들기 위하여 전력 집중하고 있다. 사회복지사 2급 자격도 취득하고 노인 실버레크레이션 지도자 1급도 취득한 상태다. 행운은 열심히 준비한 자에게 돌아온다는 신념으로 준비하고 때를 기다리고 있다.

일이 있어야 젊게 살 수 있기에 일이 없는 내 삶은 생각할 수도 없다.

춤을 추게 된 동기

한 번 찐 살은 빠지지 않더라

나는 원래부터 마른 체형은 아니었다. 그렇다고 생활이 불편할 정도로 뚱뚱한 체형 또한 아니었다. 적당히 보기 좋은 정도의 통통한 체형이었다. 사실 어릴 적부터 통통한 체형이라고 하면 흔히 말하는 '살이 쉽게 찌는 체질'이라고 할 수 있다. 워낙 노는 것을 좋아하고 몸을 움직이는 것을 좋아하기 때문에 비만까지는 가지 않았을 뿐이다. 운동량도 많았지만, 워낙 식성이 좋아 안 가리고 많이 먹은 탓이 크다.

이렇게 통통했던 나의 체형은 출산하자 이제 비만으로 변하여 고도 비만에 이르렀다.

나는 키도 큰 편이고, 얼굴의 이목구비가 아기자기한 편이라 어릴 적부터 예쁘다거나 인상이 좋다는 얘기를 자주 듣곤 했다. 출산 후 살이 많이 쪘을 때도 주변에서는 살을 흉보기는커녕 여전히 예쁘다고 얘기를 했다. 살이 쪄도 예쁘다는 자만심에 빠져 체중 줄이는 것에 대해서만은 절실하게 여기질 않았다.

당장 생활에도 불편이 없으니 괜찮다고 생각한 것이다. 그러나 차츰 다리가 아프고 허리가 아프기 시작하여 관절이 아프기 시작했다. 관절에는 비만이 가장 큰 적이기에 의학의 도움을 받거나 다른 사람의 힘을 빌려서라도 다이어트를 하기로 마음먹었다. 미용 차원이 아니라 건강 차원에서 즉 성인병 예방 차원에서 체중을 감량해야 할 필요성에 의하여 다이어트를 하기로 마음먹었다.

나이가 들어도 여자는 여자

나이가 들어도 나는 곱게 나이가 들기를 원한다.

인위적인 성형을 원하지는 않지만 가꾸어서 곱게 늙기를 원한다. 눈가에 잔주름이 연하게 있으면 세월을 잘 산 것 같아 보기 좋다. 세월에 잘 익어간 느낌이랄까? 어색하게 얼굴에 보톡스나 맞고 눈 확장 수술이나 턱을 잡아당겨 얼굴 피부가 바람을 빵빵하게 넣은 배구공처럼 어색하게 인위적으로 젊게 하고 싶지는 않다.

얼굴 모습과 나이가 닮은 우아하고 아름다운 여자이고 싶다. 자신을 팽개치지 않고 잘 다듬고 가꾼 여자의 모습을 좋아한다. 건강하게 나이 들기를 갈망하였다.

그러나 비만이 문제였다. 비만은 질병이었다. 키 164cm에 몸무게가 보통 80kg이 넘으니 방치하면 혈압과 당, 관절이 가장 염려스러웠다. 관절에 신호가 오기 시작하여 무릎이 아프기 시작하니 강한 의지를 보여야겠다 싶어 다이어트에 전념하였다.

녹록지 않은 중년의 체중 관리

그러나 가장 힘든 게 식욕을 억제하는 일이었다.

나는 성격이 집중력이 뛰어나고 추진력이 뛰어나서 한 번 마음먹은 일은 꼭 해내는 성격인데 식욕만큼은 힘이 들었다. 가장 손쉬운 방법이 덜 먹고 운동하는 일인데 식욕을 줄이는 일이 가장 어려운 일이었다. 담배 중독자에게 담배를 끊으라고 하는 일과 같았으리라. 원인은 내 의지가 약한 탓이었다.

아무리 생각해도 음식량을 줄이고 운동량을 늘리는 건 자신이 없어서 의학의 도움을 받기로 마음먹고 몇 가지 방법을 이용해 체중 관리에 도전해 보았다. 내가 살아오면서 다이어트에 좋다는 방법은 다 적용을 하였고 시중에 통행 되는 일은 다 해보았다.

하지만 살을 쉽게 단기간에 빼려니 경제적으로 부담스러웠고 요요현상이 심했다. 조금은 더디지만 건강하게 체중을 관리하는 방법을 생각하게 되었다. 그래서 나의 취미와 적성에 맞는 운동을 찾고 있었다. 경제성이 좋아 부담스럽지 않고 지속적으로 해도 즐거운 운동이 무엇이 있을까? 고통스럽게 하는 게 아니라 즐거워서 오랫동안 하고 싶은 운동을 찾고 있었다.

이런저런 운동을 해 봐도 결국 요요 현상으로 그때뿐이고 비용도 많이 들고 혼자서 할 수 없는 누군가의 도움을 받아야 할 수 있는 운동밖에 없었다. 운동을 하자니 힘든 게 많고 안 하자니 비만에 대한 스트레스가 이만저만이 아니었다. 운동은 내 삶의 일부였다. 해야 한다는 강박관념에 짓눌렸다.

그리고 운동도 유행이 있었다. 등산 바람, 수영 바람, 골프 바람 등 이렇게 운동도 바람을 타고 있었다.

사교춤으로 시작하다

내가 이것저것 체중관리에 좋다는 것을 다 해보고도 별 재미를 느끼지 못하고 난항을 겪을 때쯤 만난 것이 바로 춤이었다. 사람들이 춤이 살을 빼는 데 좋다고 하여 동네 스포츠 댄스 학원을 찾아가 결재를 했다. 거금 45만 원을 결재를 하고 나니 원장이 자신은 스포츠 댄스 원장이 아니라 사교춤 원장이라고 하였다.

영업이 안 되어 스포츠 댄스, 사교춤 각각 원장이 한 공간에서 춤을 가르치는데 하필이면 사교춤 원장에게 결재한 것이었다. 당장에 결재를 취소하고 싶었지만, 시골 상권이 활발하지도 않은데 취소하자고 하기 미안해서 그냥 배워보기로 하였다. 원장은 사교춤이 스포츠댄스보다 오히려 다이어트에 효과적이라고 호들갑을 떨었다. 배워놓으면 언젠가 활용하겠지 싶어 배워 놓은 것이었다.

원장은 한 달 동안 지도하면서 나의 소질과 재능에 감탄하였다. 어디서 배운 적이 있느냐? 리듬감 박자감이 좋다고 칭찬하였다. 나는 얼마나 성실하게 춤을 배웠는지 한 달 동안 한 번도 결석하지 않고 다녔다. 그도 그럴 것이 교직 생활 30년을 넘게 하였으니 그럴 수밖에 없었다.

원장은 다 가르쳐 주고는 콜라텍을 다니면서 실전에 임하라고 하였지만 나는 콜라텍에 가면 품위가 떨어지고, 소위 제비나 양아치가 많아 사기당할 수 있을 거라는 부정적인 생각에 출입하지 않았다.

춤을 배운 후 한 번도 가지 않다가 5년이 지난 후에 출입한 것이었다.

콜라텍을 가게 된 동기

'동경'에 첫 발을 내딛다

콜라텍에 출입하기까지는 5년이란 세월이 흘렀다.

춤을 배우기는 다이어트 차원에서 배웠지만, 막상 실습 차원에서 콜라텍을 출입해야 하는데 영 용기가 나지 않았다.

우리 사회에서 콜라텍이라는 곳에 편견이 있었기에 나 역시 콜라텍을 불륜의 온상이라고 생각하였다. 허접스러운 곳, 저급문화 장소, 출입하는 사람은 저질인 사람들이라고 치부하였기에 정말 가기가 싫었고 용기가 나지 않았다.

춤 이야기만 해도 저급해 보여서 춤이란 단어를 입에 담지도 않던 시절이었다. 만약 춤을 춘다면 불륜을 연상하고 파트너가 있을 것 같고 아무튼 좋은 이미지는 아니었다. 더구나 콜라텍은 왠지 수준이 떨어지는 사람들이 올 것 같았고 직업이 없는 가난한 사람, 성에 용감한 사람들이 올 것 같은 선입견이 들었다.

동네 언니를 따라 들어간 콜라텍 안 풍경은 참 신기하였다. 희미한 조명 아래 60대 실버들이 잔뜩 음악에 맞추어 춤을 추는 데 어디서 춤을 배웠기에 실버들이 이렇게 춤을 잘 추는 것일까? 한 사람도 같은 춤을 추지 않는 모습이며 행복해하는 모습이 참 좋아 보였다.

마치 천상세계 같은 곳이란 생각을 하였다. 걱정 근심이 없는 곳 무릉도원 같기도 하고 아무튼 현실을 도피하여 새로운 신천지에서 살고 있는 사람들 같아 보였다.

왜 나는 진작 오지 못했을까?

그 시절 주식으로 힘이 들어 잠을 이루지 못한 날이 많았는데, 아무 걱정 근심이 없어지는 마약과 같은 곳에서 즐겁게 보낼 수 있었는데, 오지 않은 게 아쉬웠다. 첫날 스텝을 밟아보니 전혀 생각이 나지 않아 5년 전 기억을 더듬으며 한 발 한 발 디뎌보았다. 아주 조금 생각이 나기 시작하였다. 나는 시간이 되는 대로 열심히 다닐 것이라고 마음을 먹고 돌아왔다.

콜라텍에서 근심을 덜다

이 무렵 나는 경제적 심적으로 무척 힘이 든 상태였다.

밤에는 잠도 오지 않고 주식으로 손해 본 원금을 어떻게 회복하나 밤낮으로 주식 공부에 전념하던 때였다. 유명 애널리스트가 발행한 책과 테이프를 사서 수없이 차트 공부를 하고 대박 종목 분석 차트도 공부를 하여 제법 주식 이론에 깊이가 생길 정도였다.

교감 승진 공부를 해야 하는데 주식 공부를 하고 있으니 완전 외도를 한 셈이었다. 사람이 돈을 잃으면 장점도 있다는 것을 체험하였다. 돈을 잃으니 가족에게 얼마나 미안한 마음이 드는지 내가 무척 겸손해진 자신을 발견하였다. 항상 나 잘났다는 자신감을 넘어 교만하였던 자신을 반성하게 되고 가족에게 미안하였다. 주식에 투자하기 전에는 백화점에서 물건을 사서 매달 수십만 원씩 지출하던 여유로움이 있었다. 그런데 지금은 백화점 간지가 얼마나 오래되었는지 생각이 나지 않았다.

나는 시간이 되는 대로 콜라텍에 가서 춤을 추니 모든 근심이 사라졌다. 이렇게 힐링이 잘 되는 곳을 왜 몰랐었나 안타까웠다. 콜라텍에 가서 운동하니 밤에 잠도 잘 오고 운동하는 순간만은 무념무상으로 주식으로 손실 본 생각은 전혀 나지 않아 힐링이 되어 편안하였다.

이곳에서 춤을 추는 사람들은 아무 근심 걱정이 없어 보였다. 모두가 즐거운 얼굴이었다. 콜라텍에 입문한 초기에는 연세가 지긋한 사람을 선택해야 한다는 이야기를 듣고 주로 노년층과 춤을 추었다. 당연히 너그러운 마음을 이용하는 전략이었다. 노년층의 눈에는 젊은 내가 춤을 못 추어도 예쁘고 사랑스럽게 보였던지 나에게 무척 친절하였다.

할아버지와 파트너가 되어 춤을 추었고 내 실력이 향상하면서 차츰 젊은 사람들과 춤을 추었다. 내가 춤을 잘 출수록 젊은 파트너로 이동을 한 셈이었다. 춤을 못 추면 상대가 면박을 주는 경우도 있기 때문이다. 지금 뭐 하는 거냐? 춤도 안 배우고 나왔느냐 등 까칠한 파트너는 면박을 주기 일쑤였다. 나는 마음의 상처를 입지 않으려 내가 잘 출 수 있을 때까지는 나이가 지긋한 분들과 파트너 하여 추었다. 처음에는 마음을 비워야 한다. 나이도 얼굴도 아무것도 보지 말고 내 손을 잡아주고 친절하게 가르쳐 주는 사람이면 최고의 파트너 조건이었다. 콜라텍의 암묵적인 룰(Rule)이 실력이 없는 초보 시절에는 나이가 많은 사람과 손을 잡고 상대에게 음료라도 선물을 해야 춤을 빨리 습득할 수 있다는 것이다.

주말에는 콜라텍에서 취미생활을

춤의 맛에 빠지다

주중에는 열심히 근무하고 주말에는 콜라텍에서 춤을 추면서 다이어트를 하였다. 주말에 막상 콜라텍을 가려니 남편에게 콜라텍 간다고 말할 수 없었다. 궁리 끝에 예식장에 간다. 상갓집에 간다. 둘러대고 다녔다.

거짓말도 한두 번이지 매번 거짓말을 할 수 없어서 남편과 허심탄회하게 속마음을 열어나갔다. 노후에는 건강이 최고이니 각자 자식에게 폐 끼치지 않게 자신의 건강은 자신이 책임지자며 나이 들수록 자신이 좋아하는 운동을 하자고 합의를 본 후 나는 춤을 추겠다고 선언을 한 후 주말이면 당당히 여가생활을 하러 다닌다. 남편은 내가 조심스러운 듯 사람 조심을 하라고 당부를 하였다. 나는 남편에게 내 신분을 잊지 않고 단정하게 춤을 출 것이니 걱정하지 말라고 안심시켰다. 딸에게도 춤을 춘다고 이야기를 하였다. 딸은 자신이 클럽에 다녀서인지 나를 잘 이해해 주었다. 이렇게 가족의 도움을 받고 춤을 추게 된 것이었다.

나는 춤을 추는 게 그렇게 즐거울 수가 없다. 보통 2시간 정도 춤을 추면 땀이 비 오듯 흘러내렸다. 춤은 음악이 있어서 지겹다는 생각이 들지 않는다. 내 신체 조건이 허락만 하면 2시간이든 3시간이든 춤을 출 수 있다. 우리가 산책을 한다면 1시간 정도 공원을 걸으면 힘이 들어 쉬게 된다. 빠른 걸음이 아닌 느린 걸음으로 산책하게 된다. 그러나 춤은 빠른 걸음으로 걷기에 에너지 소모가 엄청 크다. 당뇨병 환자가 춤을 추고 가서 재면 당 수치가 확 떨어진다. 보통 만 보 이상 걸어야 건강하게 생활할 수 있다고 하는데 춤을 추면 온종일 이만 보 이상 걷는 효과가 생긴다. 춤이 아닌 다른 운동으로는 노년기에 도저히 불가능한 수치이다.

춤은 운동량이 많고 지루하지 않기에 가능한 것이다. 뭐니 뭐니 해도 춤이 노년에 가장 좋은 운동이고 즐거운 운동이다. 다이어트를 한다고 이런저런 운동을 다 해보았지만, 효과는 미미하였다. 왜냐하면, 살을 빼는 게 목적이다 보니 즐거운 마음으로 하는 게 아니라 노동처럼 목적 달성을 위하여 운동하였기에 즐겁지 않았고 체중 감량 목표에 도달하면 방심하게 되고 그만두게 된다.

즉 지속성이 없었다. 그러나 춤은 내가 정말 즐거워서 하다 보니 하루에 3시간 이상을 하여도 지겹다거나 힘이 든다는 생각이 들지 않았다. 언제나 즐겁고 다시 가고 싶은 곳, 콜라텍은 나를 시간만 있으면 끌어들였다. 다양한 연주와 노래의 생음악이 있었기에 생음악을 듣는 즐거움 덕분이었다.

그리고 파트너가 인간이다 보니 싫증이 나지 않고 그 상대가 고정되어 있지 않아서 춤이 더 즐거운 운동이 될 수 있었다. 그러나 춤도 슬럼프에 빠지게 되는 시기가 온다. 상대에게 배신감을 느꼈다거나 단조롭다고 생각이 들 때는 슬럼프에 빠지고 콜라텍에 그만 다니고 싶어진다. 그러면 횟수가 당연히 줄어들게된다.

그러나 춤은 내 체질에 맞고 취향에 맞는 안성맞춤 운동이다. 나는 내가 춤을 그렇게 잘 추는 잠재력이 있는 줄 몰랐다. 나는 음악에 민감하고 정서가 예민하다. 항상 클래식을 들으면서 감성을 갈고닦는 생활을 해 왔다. 희로애락 표현을 잘할 수 있고 그 감정을 춤으로 잘 표현한다.

나는 춤을 출 때 제비와 춤을 추면 더 신이 났다. 제비 정도되려면 춤을 잘 춰야 하기에 일반인보다 제비하고 춤을 추면 기술이 현란하여 더 재미가 있었다.

춤이 즐거우려면 춤을 잘 추는 사람하고 파트너를 해야 한다. 춤을 잘 추는 사람과 파트너를 하면 시간이 가는 줄 모르고 춘다. 춤을 잘 추면 힘이 들지 않고 신명이 계속되고 발이 엉키거나 밟히지 않고 미끄러지듯 춤을 출 수 있기 때문이다.

콜라텍의 궁금한 것들

처음 콜라텍에 입문할 때는 궁금한 것도 무척 많았다.

드라마 정도에서 콜라텍이라는 이름을 들어보았지 내 주변에는 콜라텍에 드나들거나 잘 아는 사람이 없었다. 아니 속으로는 알아도 드러내지를 않던 시절이었다. 마치 콜라텍에 드나들면 신상에 좋지 않은 이미지를 부여할 것 같아 자진해서 콜라텍을 이야기할 사람이 없었다.

왜 이름이 콜라텍인가? 콜라를 마시며 놀아야 하나?★

콜라텍에는 제비족과 꽃뱀족이 많다고 하는 데 정말 있을까?

그러면 제비족은 누구를 지칭하나? 제비족의 사전적 정의는 말쑥한 차림새와 세련된 매너로 여자의 환심을 사서 여자를 유혹한 후 몸을 빼앗고 그걸 남편에게 폭로한다고 하여 금품을 뜯어내는 남자를 의미한다.

꽃뱀족은 누구를 지칭하나? 사전적 정의는 화려하고 야한 차

★ 원래 콜라텍은 청소년들이 디스코텍에서 술을 마시지 못하니 콜라나 사이다를 마시며 노는 청소년을 위한 디스코텍을 의미한다.

림새와 몸을 미끼로 남자를 유혹하여 정말 사랑에 빠진 척하며 남자의 돈이 모두 탕진될 때까지 물고 늘어져 돈을 뜯어내는 여자를 의미한다.

참고로 제비족과 꽃뱀의 실상을 뒷부분에서 다루었다.

양아치족은 누구를 지칭하나? 사전적 정의는 해야 할 일을 하지 않고 나쁜 짓을 하는 사람을 양아치 날라리라고 하는데 콜라텍에서 양아치라 하면 술이나 음식을 얻어먹기를 일삼는 사람을 의미한다.

예를 들어 친구를 따라가서 술을 얻어먹으면서 안주는 이걸로 해라, 술을 한 병 더 먹자 등 얻어먹으면서 뻔뻔스럽게 주문을 하는 경우가 많다. 술을 사는 이 자신의 주머니 형편에 맞게 사면 감사한 마음으로 얻어먹는 게 도리인데 오히려 안주 타령 술 타령 하는 사람을 의미한다. 콜라텍에는 의외로 양아치가 많다. 또 이런 경우도 있다. 자신이 술을 살 것처럼 술 한잔하자고 하여 따라가면 음식을 주문하여 실컷 먹고는 계산 시점에 자신이 카드를 안 가져왔다면서 돈을 내라고 하는 사람도 있다. 이런 사람도 일종의 양아치 부류다.

내가 처음 콜라텍 '동경'에 들어갔을 때 많은 사람의 춤추는 모습을 보니 정말 신기하였다.

연령대는 평균 60대 같았는데 저 많은 사람들이 언제 춤을 배웠을까? 그리고 같은 춤이 한 명도 없는 게 신기하였다. 춤에 몰입한 사람들 표정도 재미있었다. 한마디로 표현하면 너무 행복해 보였다.

나이가 들면 행복하고 즐거운 일이 없어진다. 소녀 시절에는 굴러가는 소똥을 보고서도 박장대소를 하게 되는데 나이가 들면 웬만해서는 웃지 않는다.

그만큼 감정이 메말라 있기 때문이다. 웃으면 엔도르핀이 팍팍 나와 젊어지고 질병에 대한 면역력도 강화되어 건강하게 살 수 있는 데 말이다. 웃어야 표정도 밝아져서 인상도 좋아진다.

미국 볼 메모리얼 대학병원에서 외래환자를 실험한 결과 15초를 큰 소리로 웃으면 엔도르핀이 나와 수명이 2일 연장이 된다는 보고 결과가 있다. 15초 웃을 때 나오는 엔도르핀을 금액으로 환산하면 200만 원이 된다고 한다.

우리는 춤을 추면서 즐거워서 웃으며 생활하니 하루에 최소 150초만 큰 소리로 웃는다 해도 엔도르핀이 나와 수명이 20일 연장이 되고 엔도르핀 값을 돈으로 환산하면 하루에 2천만 원씩 버는 셈이다. 춤을 추면 건강해서 좋고 수명이 연장되어서 좋고 아무튼 최고의 운동인 셈이다.

이 많은 실버들이 춤을 배울 시절에는 음성적으로 배웠을 것이다. 누허가 집에서 시장 간다고 시장바구니는 옆에 놔두고 숨어서 배웠을 것을 생각하니 웃음이 나왔다. 세련되지도 않은 실버를 쳐다보면서 예전 우리 할머니처럼 수수하고 연세도 많은데 박자를 맞추고 리듬을 잘 타는 게 신기하였다.

음표를 볼 줄도 모르고 박자에 대한 개념이 없을 연세인데 어떻게 저렇게 춤을 잘 출 수 있을까? 신기하였다. 트로트, 지르박, 블루스를 추는 모습에 대단하다는 생각이 들었다.

내가 결혼 초 D에서 단독주택에 사는데 뒷집에서 항상 쿵쿵 음악 소리가 들려서 담벼락으로 살짝 방안을 엿보니 나이가 지긋한 아주머니들이 춤을 추고 있었다. 아마 지금 70대 실버들이 그렇게 배운 춤일 거라 생각하니 그 당시도 춤은 많은 사람에게 인기가 좋았었다는 생각이 들었다.

춤을 추는 사람들의 모습은 서민적이었지만 표정은 참 행복해 보였다.

걱정 근심이 없는 표정이 부러웠고 차츰 나도 걱정 근심이 사라지는 표정으로 변해갔다. 내 생활도 춤을 통하여 즐거운 주말을 보낼 수 있었다. 다행히 주식 원금도 찾게 되어 나의 생활은 밝고 활기차게 변해갔다.

살아있는 표정이 되어 갔다. 모두가 콜라텍에서 얻은 행복이고 즐거움이었다.

3장

콜라텍 이야기

콜라텍을 노인대학이라고 부르고 싶다. 학생들처럼 등교해서 재미있게 춤 공부하고 친구들과 어울려 하루 종일 행복하게 보낼 수 있는 곳이다.

콜라텍의 특징

콜라텍에는 수많은 사람이 있다.

내가 다닌 곳은 영등포인데 영등포는 과연 콜라텍의 메카라 불러도 손색이 없다. 규모 면과 이용자 면에서 과연 영등포를 따라 올 곳이 없다. 규모가 큰 콜라텍이 세 곳, 중(中) 규모가 3곳이 있는데 주말 이용자 수가 한 곳에 3,500명 이상이 출입한다. 주말이 되면 콜라텍 주변 거리는 남녀 커플이 즐비하다.

사방을 둘러보면 남, 녀의 모습이 대학가에서 강의가 끝나고 나오는 젊은이들처럼 많다. 콜라텍 엘리베이터는 기다리는 사람들로 줄을 서 있고 지하에서 올라올 때 이미 만원이 되어 올라오는 경우가 허다하다.

보관소도 엄청 붐빈다. 보관소에 근무하는 직원이 서너 명인데도 정신이 없다면 얼마나 많은 사람이 오는지 알 수 있을 것이다. 옷을 맡기거나 찾기 위하여 보관소를 찾는 데 보통 10분은 기다려야 한다.

플로어에는 춤을 출 자리가 없다. 그야말로 입추의 여지가 없다. 틈새를 비집고 들어가 자리 확보 후 정신 차린 후 춤을 춘다. 동작을 크게 할 수 없을 정도로 비좁다. 자리가 생기면 춤을 추다 곧장 빈자리로 이동을 한다. 틈새가 조금이라도 있으면 끼어들기를 하는 차량처럼 번개처럼 끼어든다.

매점에도 식당에도 앉을 자리가 없어 기다려야 자리를 간신히 얻는다. 식탁 위 손님이 먹고 간 음식을 종업원이 치워 줄 시간이 없어 손님이 식탁을 치우고 기본 음식을 날라와 먹는다. 이렇게 콜라텍에는 시간이 갈수록 춤 인구가 늘어 많은 사람으로 인산인해를 이룬다. 그런데 사람들 심리가 아무리 많은 콜라텍이 있어도 자신이 찾아가는 곳만 가는 습성이 있다.

단골 콜라텍이랄까? 사람 심리가 꼭 가는 곳만 가게 된다. 콜라텍의 인기 조건은 시설보다 음악이다. 연주자의 음악이 어떤가에 따라 손님은 콜라텍을 선택하게 된다. 자기 스타일의 가수가 있고 가수는 팬을 데리고 다닌다. 규모가 큰 콜라텍에는 연주자가 2명이 있어 40분씩 번갈아 연주한다.

나는 처음에는 주로 가는 곳이 '동경'이었는데 요즘은 옮겼다. 동경에 있던 주방장이 다른 곳으로 옮겨서 맛있는 음식을 먹기 위해 그 주방장이 옮긴 곳으로 다니는데 음악도 처음보다 좋아졌다. 사람들은 사람이 많이 모이는 곳을 좋아한다. 너무 많아서 발을 들여 놓을 자리가 없다. 대박이 났다.

'동경'은 내가 처음 발을 들여놓은 곳이기에 애착이 많이 간다. 그리고 이용하는 사람들도 다른 곳보다 연령이 젊은 편이다. 시설은 낙후되었지만, 동경을 좋아하는 사람들은 동경만 찾는다.

동경이 젊은 사람이 많은 이유는 음악 템포가 빠른 편이어서 그렇다. 그러면 나이가 많은 사람은 적응하기 힘이 들어 자연스레 오지 않게 된다. 시쳇말로 콜라텍 물을 젊게 하려면 빠른 음악으로 바꾸면 된다고 한다. 여기 오는 실버 세대들의 인생관은 자신들이 서 있는 지금 여기이다. 지금 여기에서 행복하면 그만이라는 생각이다. 내일을 기약할 수 없기에 오늘에 충실한 것이다. 다른 곳에서 행복을 주는 게 아니라 바로 이곳에서 행복을 준다고 생각하기에 현재에 충실해야 한다는 사고를 갖고 있다. 지금 여기가 그들의 안식처이고 낙원인 셈이다.

지금(Now) 여기(Here)의 삶

이 세계에 오는 사람들의 나이가 많다 보니 실버들의 인생관이 오늘 실컷 먹고 마시고 놀아야 한다는 생각이다. 하고 싶은 일 원하는 대로 하고 살아야 한다고 이야기한다. 우리에게는 내일은 없다며 살아가는 사람들이다. 내일 어떻게 될지 모르는데 오늘 하고 싶은 일은 오늘 한다는 오늘 주의다. 지금(Now) 여기(Here)가 실버들의 인생관이다. 이런 말이 있다. 늘 보이던 실버가 어느 날 안 보이기 시작하면 세상과 이별을 한 것이라고. 정말 연세가 있다 보니 이 말이 진실이다. 어제까지 정정했던 분이 가는 일이 허다하다. 그러다 보니 술을 지나치게 많이 마시고, 좋아하는 사람이 나타나면 연애를 실컷 해야 하고 아무튼 하고 싶은 일을 다 하려고 한다. 내일이 없는 삶을 살고 있다고 노래하는 사람들이 많다. 나이가 많다 보니 아무래도 비상식적인 행동들이 많이 일어나게 된다. 오늘이 마지막이기에 비전도 희망도 없고 오로지 현재에 충실하자는 인생 모토인 것이다. 어찌 보면 현실주의자이고 현명한 방법인지도 모른다.

과일이 있을 때 썩은 것을 먼저 먹는 게 아니라 싱싱한 것부터 먹어야 하는 이유일 것이다. 기다릴 시간이 없다고 생각을 하는 것이다.

인간시장

나는 이 세계를 인간시장이라고 부른다.

여기는 달라도 너무 다르다. 사람 환경 수준을 10등급으로 본다면 정말 1에서 10까지 다 존재한다고 보면 된다.

우리가 운동을 하다 보면 동호인들의 수준이 비슷한 걸 알 수 있다. 나이, 학벌, 경제력, 하는 일, 사회적 수준 등이 비슷하다. 그러나 여기는 달라도 너무 다르다. 극과 극이라고 보면 된다. 편차가 큰 것을 알 게 된다. 나이를 보면 40 후반에서 80 중반, 직업에는 귀천이 없다고 하지만 막노동에서 전문직이나 사업하는 사람이 함께 어울리고 퇴직을 한 사람, 실직인 사람, 현직인 사람 등 다양하다. 그러나 이곳에는 퇴직하였거나 실직인 사람이 많아서 남자의 경우는 무직이 60%는 된다.

남자의 경우 유직도 건물 주차요원, 아파트 경비 등이 많고 임대업, 의사, 공무원, 사업가 등 천차만별이다. 여자의 경우 청소부, 식당 보조에서 전문직 자영업 임대업 등 다양하다. 다양한 외모, 다양한 연령층, 다양한 학벌, 다양한 직업, 다양한 삶의 형태, 그리고 가장 중요한 것은 하는 행동의 다양성에서 정말 인간 시장이라는 표현을 하고 싶은 곳이다.

행동이 매너 있고 말도 점잖게 하는 사람이 있는 반면 매너 없는 행동에 무식한 티를 내는 사람들도 많다. 성향도 편차가 크다. 점잖은 사람, 막돼먹은 사람, 조폭 기질이 있는 사람, 꽃뱀 같은 여자, 제비 같은 남자, 양아치처럼 얻어만 먹는 사람 등 정말 수많은 형태의 사람들로 재미있는 곳이다. 그러기에 나는 이곳을 인간 시장이라 부른다. 다양한 인간들이 살아 숨 쉬는 곳, 신비하고 흥겨운 인간 시장이라고.

마약시장

콜라텍은 드나들다 보면 중독이 되는 곳이다.

매력이 있다고 할까? 한번 발을 들여놓으면 뺄 수 없는 마력이 있는 곳이다. 마약 주사를 흡입한 것처럼 한 번 드나들면 시간만 있으면 매일 오고 싶고 오게 되는 것이다.

예를 들어 등산을 아주 좋아하는 사람이 있다고 하자 주말이면 등산에 전념하였는데 어느 날 콜라텍에 오게 되었다. 그러면 그 사람은 등산을 접게 되고 이상하게도 콜라텍으로 자신의 발길이 옮겨가는 것을 알게 된다. 아무리 재미있는 운동이라 할지라도 콜라텍을 이길 수 없다. 왜일까? 내가 생각하기로는 첫째 다양한 이성이 있고 신나는 음악이 있어서 그렇다고 본다. 춤만이 갖는 매력이 있기에 춤 이상의 것은 없다.

맞춤형 춤

콜라텍에서 주로 추는 춤은 예전부터 전통적인 일자 춤이다.

우리가 보통 춤이라고 하는 게 일자 춤인데 일자 춤은 6박에 맞춰서 춤을 춘다.

일자 춤의 종류에는 트로트, 지르박, 블루스, 탱고 등 다양한 춤이 있다. 옷에도 유행이 있고 머리에도 유행이 있듯이 춤도 유행을 탄다. 기본은 일자 춤이고 잔발이나 2, 4, 6 춤은 변형 춤이다.

일자 춤만 추니 지루하기도 하고 나이가 들면 박자가 빠른 일자 춤을 추기가 힘이 들어 2, 4, 6이라는 변형된 춤을 추게 된다. 2, 4, 6 춤은 3박자에 왼발을 오른발에 붙이는 춤인데 동작이 크지 않아 박자가 빠르지 않고 파워풀하지 않아 실버들에게 편한 자세로 춤을 추기에 좋다.

옷으로 말하면 두 벌이 있어 이 옷 저 옷 골라 입는 재미가 있듯 춤도 이 춤 저 춤 골라 추면 더 재미가 있고 지루하지 않고, 두 가지 춤 맛을 느낄 수 있어 좋다.

연중무휴인 전천후

콜라텍은 연중 하루도 쉬는 날이 없다.

명절에도 문을 연다. 추석이나 구정에는 콜라텍에 오는 사람들이 다르다. 명절 전날에 가장 손님이 없다. 특히 여자 전멸인 경우가 많다. 명절 전에는 여자들이 명절 준비 관계로 나오지 않아 남자들만 나오는 경우가 많다.

그래서 명절 전에 여자가 나오면 외모 관계없이 가장 인기가 좋은 때이다. 파트너가 있는 사람은 파트너와 다니기 때문에 별로 어려움을 느끼지 못하지만, 명절 전날에는 여자가 없어서 애로사항이 많다.

그런데 명절 당일에는 오히려 여자가 많다. 이유는 명절에 음식을 해서 가족들 주고 방문한 친척 여자를 같이 데리고 오기에 여자가 많아 부킹해주는 언니가 힘들다고 한다. 여자가 많으면 더 부킹하기 쉽지 않으냐고 물으면 남자들이 자신의 주제를 모르고 젊고 예쁜 여자와 추고 싶어 부킹 해주면 거절을 한단다. 그러다 보니 자꾸 여자들만 대주게 되고 성사는 되지 않는다고 한다.

명절 당일에는 여자들이 남자 파트너가 없어서 애를 먹는다.

유유상종(類類相從)

콜라텍에서 만나는 커플을 보고 있노라면 참 신기하게도 둘이 잘 어울린다는 점이다.

커플이 되기 위해서는 감정 코드가 맞아야 하고 자신이 처한 상황과 비슷해야 커플이 되기에 즉 수준이 맞는 사람끼리 인연을 맺다 보니 잘 어울릴 수밖에 없을 것이다. 난 부부만 인연이 닿아야 부부가 되는 것이 아니라 커플도 인연이 되어야 커플이 된다고 생각을 한다. 얼굴 모습도 비슷하고 성격도 비슷하고 사는 형편도 그렇고 생긴 분위기도 그렇고 하는 행동도 비슷하다. 다른 모습의 커플은 보지 못하였다. 춤을 추다 만났지만 어쩌면 그렇게 잘 만났는지 모른다. 천생연분이라는 생각이 든다. 끼리끼리 어울린다 하여 유유상종이라 하는 데 사람은 자기와 기질이 맞고 코드가 맞아야 좋아하기에 그런가 보다.

나이는 숫자일 뿐

이곳에서 나이는 숫자에 불과하다.

나이가 많은 데도 어떻게 그런 일을 할 수 있을까 놀랄 때가 많다.

우선 외모에서 놀란다. 자기 실제 나이보다 10여 년은 젊어 보인다. 항상 건강하기 위하여 노력하고 운동을 하고 가꾸기에 실제 나이보다 10여 년 젊어 보이는 것 같다.

옷차림에 놀란다. 이 세계에 드나드는 실버들은 옷차림이 과감하다. 도저히 실제 나이에 어울리지 않는 옷을 다른 사람 신경 쓰지 않고 입는다. 70대도 30대처럼 진 바지나 스키니진에 부츠를 신고 다닌다. 액세서리는 주렁주렁 여러 겹을 하고 다니는 폼이 마치 젊은이 같다.

강한 성에 놀란다. 70대가 넘어도 의학의 도움 없이 성생활을 하는 사람이 너무 많다. 춤을 추면서도 여성에게서 성적인 매력을 느껴 자신의 신체 변화가 오는 것을 참느라 힘들다는 남성들이 많다. 70대에도 파트너가 있어서 항상 붙어 다닌다. 가장 늦은 나이의 커플인 실버는 83세 커플이고 연애하는 가분으로 콜라텍을 다니면서 매일 데이트를 하고 즐기며 살고 있다. 일반 사회에서는 직장 스트레스 등으로 40대에도 성 기능이 약화된다는 이야기가 많은 데 이곳에서는 70대에서도 젊은이처럼 활발하게 활동한다.

자기표현에 놀란다. 실버들의 애정표현을 보면 과감하다. 춤을 출 때도 꼭 안고 스킨십을 하고 뽀뽀도 한다. 어떤 실버는 진한 스킨십을 한다. 상대 가슴을 만지기도 하고 엉덩이를 만지기도 한다. 도저히 유교 사상에 젖은 세대들의 행동이라고는 보기 어렵다. 마치 대학생 같다. 길거리를 팔짱을 끼고 걸어가고 할아버지 실버는 할머니 핸드백을 메고 다닌다. 마치 대학로에 온 듯한 착각을 일으킨다. 영등포 거리는 커플들이 많아 이상하게 바라보는 사람도 없다.

매일 보통 점심때 만나서 저녁에 헤어지니까 6시간 이상 춤추고 식사하고 쇼핑하고 일과를 파트너와 함께하고 헤어진다.

노인대학

콜라텍을 노인대학이라고 부르고 싶다.

학생들처럼 등교해서 재미있게 춤 공부하고 친구들과 어울려 수다 떨고 맛있는 음식 먹고 온종일 행복하게 보낼 수 있는 곳이다. 콜라텍을 다니는 실버는 심심하거나 무료하거나 따분할 시간이 없다.

개근하는 학생처럼 매일 등교를 하여 열심히 춤 수업을 받는다. 하루라도 거르면 찜찜하다고 한다. 무언가 빠진 느낌이 든다고 한다.

무슨 매력이 사람들을 잡아놓는 것일까?

춤을 배워 추게 되면 계속 추고 싶은 마음이 든다.

보통 노년의 삶이 지루하고 따분하고 자신을 위한 게 아니라 손주나 봐주고 뒷바라지나 할 세대인데 이 세대들은 자신을 첫째로 생각을 한다.

내가 주체가 되어 자기중심적인 생활을 하고 있다.

좋은 콜라텍이란?

내가 생각하는 좋은 콜라텍이란 음악과 이용하는 이용객에 의해 좌우된다.

첫째, 음악이 좋아야 한다. 보통 대(大) 규모 콜라텍에는 건반 연주자가 2명 정도 있고 최소 한 명은 있다. 연주자의 음악의 질에 따라 사람이 몰린다. 건반도 잘 치고 노래도 잘 부르는 연주자가 최상급이다. 이런 콜라텍은 사람이 항상 많다. 그리고 연주자도 교체되지 않는다. 그러나 건반은 잘 치는데 노래가 부족한 연주자 거나 노래는 괜찮은데 건반이 약한 연주자는 자꾸 교체가 된다.

둘째, 이용하는 이용객의 질이다. 이용객이 젊고 수준이 있는 곳이면 최상급이다. 사람들은 자기는 나이가 들었어도 파트너는 젊은 사람과 추기를 원한다. 그러다 보니 실버세대들이 이용하는 곳이지만 그래도 젊은 중년들이 많고 옷차림이 단정한 사람이 많은 곳을 선호한다.

셋째, 사람들이 많아 북적거리는 곳이 좋다. 참 이상하게도 사람이 많아야 흥이 나고 신바람이 나고 춤을 출 기분이 난다. 사람이 적어 공간이 많으면 춤출 맛이 나지 않는다. 좀 비좁은 듯해야 사람에 취해 노는 맛이 난다.

이 사람 저 사람 노는 것도 구경하면서 춤출 맛이 난다. 그래서 사람들이 한 콜라텍에서만 추지 않고 이곳저곳 옮겨 다니면서 추는 이유가 음악을 바꿔가면서 들으려고 옮겨 다닌다. 보통 두 곳은 옮겨 다닌다.

넷째, 음식이 맛이 있어야 한다. 맛도 좋고 값도 저렴해야 성공을 한다. 식당에 오는 손님의 입맛은 가히 예술이라 말할 수 있다. 주방장이 바뀌면 금세 알아차린다. 그리고 주인에게 불평한다. 음식이 맛이 없어서 행복하지 않았다고 주방장 교체하라고 압박을 가한다.

심지어 노는 것은 다른 곳에서 놀고 음식은 맛이 있는 곳에 와서 먹고 가기도 한다.

콜라텍의 필수품

콜라텍을 이용하는 여자의 경우 필수품을 보면 무척 화려하다.

나이가 들어도 속눈썹을 붙이고 다닌다. 여자의 경우는 속눈썹이 길면 여성스러워 보이고 젊어 보인다. 그런데 70대가 속눈썹을 붙인 것을 보면 아름답다기보다는 나이와 너무 동떨어진 것 같아서 징그러울 때도 있다.

실버들은 보정 옷을 입고 다닌다. 젊은 여성들도 잘 입지 않는 보정 옷을 입고 다니는데 보정 옷값이 만만치 않다. 보정 옷을 입으면 우선 몸매를 탄력 있게 유지해 주고 보디라인을 아름답게 조정해 줘서 실루엣이 살아난다. 춤을 출 때 자연히 상대 파트너와 스킨십이 이루어지기에 물렁물렁한 느낌이 아닌 단단한 몸을 느끼게 하기 때문에 자기 관리를 잘 하는 실버로 보인다. 보정 옷을 입은 실버들에게서 자신감을 느끼게 된다.

실버들은 손 마사지와 아트 네일을 받아 손 맵시가 곱고 손톱을 곱게 다듬어 아름답게 칠하고 다닌다. 여자의 경우 손톱을 정리하여 매니큐어를 바르면 손이 아름답게 보여 나이가 젊어 보인다. 노년기가 되면 퇴행성관절염이 와서 손가락이 틀어지고 살이 없어서 가죽만 늘어지고 단단한 손가락뼈로 인해 노년기 느낌이 나는데 매니큐어만 발라도 손가락 선이 아름답게 보인다.

실버들은 화려한 반짝이 옷을 입는다. 가급적 화려할수록 춤을 추면 아름답게 보인다. 춤 자체가 화려한 스포츠이기에 의상도 화려할수록 춤이 화려해 보인다. 실버여성들이 좋아하는 의상은 레이스가 달린 옷에 속이 비치는 옷을 좋아한다. 그리고 옷이 몸에 딱 붙는 옷을 입어 자신의 몸매를 드러내기에 좋은 옷을 선호한다.

실버들은 액세서리를 좋아한다. 진품을 지니고 오면 가끔 사람이 많아 알이 빠지는 경우도 있다. 그래서 잃어 본 적이 있는 사람은 절대 진품을 지니고 오지 않는다. 어쨌든 진품이든 이미테이션이든 목걸이 귀걸이 반지는 기본이고 팔지 등 있는 대로 치장을 하고 나온다. 여자가 액세서리를 걸치면 안 걸칠 때보다 생활이 부유해 보이는 효과가 있다.

선글라스를 착용한 사람이 많다.

나는 처음에는 희미한 조명에서 왜 선글라스를 착용하는지 알 수 없었다. 금의야행(錦衣夜行)★ 격이지 왜 잘 보이지 않는 실내에서 안경을 쓰고 다니는지 멋내기용으로 착용을 하는 줄 알았다. 그러나 시간이 지나면서 선글라스를 착용한 사람을 관찰한 결과 위장술로 착용을 하는 경우가 대부분이었다. 자신의 얼굴을 드

★ 비단옷을 입고 밤길을 간다는 뜻으로 아무 보람 없는 행동 뜻함

러내지 않고 감추기 위하여 선글라스를 착용하였다. 소위 뒤가 꿀리는 사람이 많았다.

여자가 남자보다 착용자가 많다. 자신의 과거 전력을 속이기 위한 위장 전술이라는 것을 알게 되었다. 당당하면 얼굴을 자신 있게 비친다.

여기서 뒤가 꿀리는 경우는 파트너 문제다. 파트너가 변경되었다거나 과거 파트너와 만나게 되는 것을 우려해 자신의 존재를 감추기 위하여 선글라스를 착용하는 것이다. 하지만 선글라스를 착용해도 몸매와 헤어스타일을 보면 금세 알 수 있다. 눈 가리고 아웅 하는 격이다.

콜라텍의 이용 나이

콜라텍 출입은 실버 세대가 오는 게 가장 이상적이다.

젊어서 사회생활을 열심히 한 후 노년시대를 이곳에서 보내면 건강한 노년 삶을 보낼 수 있다. 중년까지, 즉 은퇴 전까지는 경제활동을 열심히 하고 은퇴 시기에는 콜라텍에서 운동을 하면서 이성 친구도 사귀고 사랑도 하며 혼자된 외로움을 삭이면서 행복한 노년을 보내니 참 이상적이다.

열심히 번 돈 이곳에서 용돈으로 쓰면서 마음에 맞는 사람들과 같이 어울려 식사도 하고 술도 마시고 친구들도 사귀면서 행복한 노년을 보내기 참 좋은 곳이다.

그러나 가끔 너무 젊은 남자와 여자들이 다니는 것을 보면 의아하다. 한참 경제활동을 해야 할 나이에, 한참 자녀를 돌보아야 할 나이에 매일 콜라텍을 출입하면 가정은 어떻게 꾸려나가는지, 저 사람들은 어떤 생각으로 가득 찼을까 하는 걱정이 든다.

젊은 남자가 자신보다 나이가 많은 여성들과 파트너가 되어 춤을 추는 것을 보면 불순한 생각이 든다. 이곳 콜라텍을 젊어서는 열심히 일하고 실버세대에 취미로 운동하기 위하여 이용한다면 가장 이상적일 것이다.

콜라텍의 오해

 우리가 콜라텍 하면 편견을 갖고 있다.

 허접하다느니 저급하다느니 이용하는 사람들이 수준이 낮다느니 불륜의 온상이라느니 안 좋은 이미지를 갖고 있는 게 사실이다. 사람들 기억 속에는 카바레에 대한 인식이 있어서 그럴 수밖에 없는 게 과거엔 춤을 숨어서 배우고 숨어서 추러 다니고 음성적으로 행동을 하였기에 그렇다.

 그러나 지금은 춤이 대중화가 되어 춤 인구가 어느 스포츠보다 가장 많지 않나 싶다. 나이 불문하고 많은 사람이 춤을 추고 있다. 콜라텍에 드나들지 않고 춤을 출수 있는 잠재 인구까지 합산하면 우리 인구의 절반은 춤을 출 수 있다고 본다. 영등포에 평일 한 곳에 출입하는 춤 인구는 주중에는 2,000명 정도 주말에는 3,300명 정도가 된다.

 얼마나 사람이 많은지 엘리베이터를 타기 위하여 줄을 서서 기다리고 보관소에 옷을 맡기기 위하여 보통 10분 이상 기다려야 순서가 오고 여자의 경우 화장실을 이용하기 위해서는 보통 20분은 기다려야 차례가 온다. 식당에서 음식을 먹기 위하여 줄을 서야 하고 자리가 나면 정신없이 앉아 손님이 식탁을 치우는 게 일쑤다. 매일 이런 전쟁을 치르면서도 콜라텍을 향하는 발걸음은 계속 이어진다.

지금도 춤 교습소에는 나이 든 실버 세대들이 개인 교습을 받느라 분주하다. 연세 드신 분들이 박자를 맞추기 위하여 리듬을 타기 위하여 애쓰는 모습을 보고 있노라면 참 열심히 새로운 일에 도전하는 모습이 보기 좋다.

간혹 파트너 없이 혼자 나와서 열심히 스텝을 밟는 실버들이 있다. 어떤 경우는 춤은 추고 싶은데 아는 게 하나도 없으면 그냥 혼자서 막춤을 추는 실버들도 있다. 지금 열심히 춤에 열을 내는 실버들은 주위에서 나이가 들면 노인 신체 구조상 노후까지 운동할 수 있는 운동은 격렬하지 않은 춤밖에 없다는 주위 사람의 권유로 배우게 되는 경우가 많다.

주말에 영등포에 춤을 추러 오는 실버들을 보면 추석 귀성인파를 연상하게 한다. 콜라텍으로 향하는 지하도 출입구부터 콜라텍 들어가는 입구까지 사람들로 인산인해를 이룬다. 사람이 하도 많아 출입구를 나오고 들어가는 사람들로 북적여 한참을 기다려야 한다. 이 많은 사람을 보면 도대체 어디서 다 모이는 것일까? 그리고 어느 시절에 춤을 배워 나이가 든 이 시점에 춤을 자유자재로 출 수 있단 말인가 궁금하기 그지없다.

영등포에 모이는 이 실버들은 정말 수도권의 다양한 지역에서 온 사람들이다. 편리한 전철에 무료로 승차하여 멀리는 천안, 수원, 동탄, 구리, 의정부, 안양, 부천, 분당, 일산, 강화도, 서울

시내 정말 여러 곳에서 온 사람들이다. 그만큼 춤이 생활화가 되었다는 이야기다.

콜라텍의 부정적인 면?

콜라텍에서는 일반 사회에서는 도저히 있을 수 없는 일이 일어나는 것이 사실이다. 처음에는 부정적인 면만 눈에 들어왔는데 긍정적인 관점으로 보려고 노력을 하자 실버들에게는 너무 매력적인 곳이라는 생각이 들었다.

실버의 관점에서 보았다. 여기에 출입을 하는 세대는 젊은 시절 연애다운 연애를 해보지도 않고 부모님이 정해 주어서 결혼을 하였거나 중매로 결혼한 연령층이 많다. 그러다 이곳에서 춤을 추면서 남성을 알게 되어 사랑하고 사랑을 표현하는 방법이 익숙하지 않아 자기감정대로 표현하다 보니 이 광경을 처음 보는 사람에게는 낯설고 어색하게 보인 것이다.

실버라는 선입견을 갖고 바라보니 이상한 것이고 노인도 사랑을 한다는 것에 의아하게 생각하다 보니 장면 장면이 이상하고 낯설게 느껴지는 것이다. 나이 든 사람이 웬 사랑을? 사랑은 젊은 사람만 한다고 믿는 잘못된 인식이 콜라텍 문화를 저급하다고 믿는 것이다.

실버들도 젊은 사람과 똑같이 사랑 하고 싶어 남은 인생 불꽃을 태우면서 마지막 사랑을 하는 것이다. 자식 다 키워 결혼시키고 배우자를 먼저 보냈거나 아니면 홀로 된 자신에 외롭던 차 취미가 같고 대화가 통하다 보니 한 번 두 번 춤을 추다 파트너가 된 경우가 많다.

이곳만의 특성인 남자와 여자가 밀착된 상태에서 춤을 추다 보니 성적인 면에서 건전하지 않은 면이 있는 것은 사실이다. 남녀가 모이는 곳이기에 우리가 젊은 세대를 이해하듯이 노인의 성 또한 인정하는 노력을 해야 한다.

노인도 젊은 세대와 다를 바 없고 감성도 같다. 젊은이들이 하면 로맨스고 실버들이 하면 스캔들이 아니란 말이다. 사랑은 젊은 사람들의 전유물이 아니다.

개방적이고 관대한 성

어떤 이들은 콜라텍은 불륜의 온상이라고 표현하기도 한다.

그러나 이 논리는 모순이다. 남녀가 만나는 곳은 불륜이 있기 마련이다. 양과 음이 만났으니 당연한 일이 아닌가? 비단 이곳만 불륜이 있는 것은 아니다. 남녀가 모이는 곳에 불륜은 기본이라 생각한다. 골프 치는 곳에도 불륜이 있고 등산하는 모임에도 불륜이 있다. 남녀가 만나는 곳에는 당연지사다. 춤 자체가 서로 스킨십하면서 운동을 하기에 불륜이 좀 더 일어나긴 하겠지만 콜라텍만의 문제는 아니다.

어쨌든 운동 자체가 자신의 감정을 있는 그대로 솔직하게 표현하는 춤이다 보니 더욱 썸 타기에 좋은 곳이다. 이곳은 다른 사람의 시선을 의식하지 않는다. 느끼는 대로 표현하고 하고 싶은 대로 표현하는 곳이다. 춤을 추는 모습을 보면 알 수 있다. 사랑스러우면 사랑스럽게 표현하는 곳이다.

이곳이 성이 개방된 것만은 사실이다. 간혹 신분이 확실하고 양식이 있는 사람은 자신의 양심을 지키면서 체면에 벗어나지 않는 행동을 한다. 약 20%의 사람들이 모범적이고 성에 대한 바른 생각과 행동을 하고 있다고 본다.

춤을 추는 사람들을 보면 콜라텍을 운동 삼아 온 사람들의 춤은 비교적 건전하다. 템포가 빠르고 파워풀하게 춤을 춘다. 이유는 운동하러 왔기에 가능하다. 그러나 끈적끈적하게 춤을 추러 온 사람의 춤은 그렇지 않다. 파워풀한 게 아니라 서로 붙잡고 느끼는 동작을 많이 한다. 블루스 타임도 아닌데 블루스를 추는 타입이다. 그리고 오히려 연령이 높을수록 비교적 야한 춤을 춘다. 이유는 젊은 시절에 연애다운 연해 한 번 제대로 해보지 않아서일 것이다. 그리고 살아온 날이 많아서 즉 살 날이 얼마 남지 않아 안타까운 마음에 마지막 불꽃을 태우고 싶은 것이다. 몸은 나이가 들었어도 마음은 십 대 같은 느낌으로 춤을 춘다. 감정까지 늙지는 않았음을 보여주는 것이다.

간혹 끼가 있는 어른들은 춤은 추지 않고 보기 힘들 정도의 야한 스킨십을 진하게 하는 모습이 포착된다. 나이에 어울리지 않게 유난히 성을 밝히는 사람이 있다. 자신들의 젊은 시절에

누려보지 못한 성에 대해 그리움과 아쉬움이 있어서일까?

이곳에서는 파트너가 많이 있다. 약 70%는 있어 보인다. 비교적 괜찮다 싶은 사람은 거의 파트너가 있다. 어떤 경우는 양다리를 걸치고 만나는 사람도 있다. 심지어는 남자에게 여자 파트너가 있는 것을 알면서도 여자가 아주 대담하게 대시하여 자기 남자로 뺏는 경우도 있다. '골키퍼가 있다고 골 못 넣느냐?'는 생각으로 자신이 마음에 들면 마구 골을 차는 사람들이 많다. 남자보다 여자가 이런 생각으로 대시하는 경우가 많다. 심지어 유행어가 '뺏는 게 임자.'라는 말이 있을 정도다. 파트너 있는 남자를 뺏어도 일말의 죄책감이나 미안함이 없이 당당하다. 파트너와 헤어지고 다른 파트너를 데리고 전 파트너와 다니던 장소로 당당하게 출입을 하는 사람 등 다양하다.

파트너가 바뀌어도 부끄러워하지 않고 파트너가 바뀐 것을 알고도 아무도 아는 체하지 않는다. 상대의 사생활이 어떻든 가십거리가 되지 않는 매너 있는 관대한 곳이다. 성에 대해서 무척 관대하다.

쉬운 만남 쉬운 이별

여기서는 만남도 이별도 쉽게 하는 사람들을 볼 수 있다.

가장 초스피드는 만나자마자 처음에 파트너가 되어버린 경우이고 이별도, 잠깐 만났는데 즉 정이 들기 전에 이별하는 일이 많다. 어떤 사람들은 의도적으로 세 번 이상 만나지 않는다고 한다. 정이 들지 않으려고 하다니 사람과 인간적인 정으로 만나는 게 아니라 기계적인 관계로 만나고 있다는 뜻이다.

또 상대를 만나면 상대 입장에서 배려하고 이해하려는 사람이 부족하고 오로지 자신의 입장에서만 생각을 하니 오래 사귀지 못하고 자주 헤어지게 된다는 이야기도 된다. 그래서 이곳에서 유행하는 말은 오랫동안 만나보다 파트너가 돼야 오래간다고 한다.

파트너로 오랫동안 만나는 사람들을 보면 20년 이상도 많다. 정말 부부 이상 길게 만나는 사람들 이야기로는 3년까지는 파트너와 엄청 싸운다고 한다.

상대와 기 싸움을 한다고 보면 된다. 상대를 만나 상대를 나에게 맞추려 하다 보니 대수롭지도 않은 일로 싸우고 나중에는 상대를 변화시키려는 게 아니라 자신이 변화해야 관계가 편하다는 것을 알고 자신이 변하게 된다.

그리고 이 세계는 자신의 위치를 그럴싸하게 거짓으로 포장을 하는 사람이 많다. 금방 사실이 밝혀질 일을 임시방편으로 거짓말을 한다. 진실인 줄 알고 만나보니 거짓임을 알게 되면 바로 헤어지게 되는 것이다. 그리고 진실로 말을 해도 믿지 않는 경우가 많다. 설마 사실이겠냐고 의심을 하고 색안경을 끼고 바라본다. 그동안 얼마나 거짓이 난무해서일까? 진실을 거짓이라고 우겨대는 일을 보면서 참 한심한 생각이 들 때가 많다.

상대 입에서 나오는 소리는 진실이 없는 거짓으로 보는 경우가 많다. 이곳에서 만난 사람들은 일시적이고 진실성이 없어서인지 만나는 사람에 대한 정확한 정보를 원하지도 않고 알고 싶어 하지도 않는다.

자신의 속마음은 드러내지 않고 겉 이야기만 하기에 때로는 허풍이 세고 거짓이 난무하며 과대포장이 많이 이루어진다. 들킬 경우 들킬지라도 생판 모르는 사람들이니 편하게 위장하는 사람이 많다. 특히 남자가 마음에 드는 여자를 만났을 때 자기 파트너로 만들고자 할 때 거짓은 심해진다.

제비가 많다?

내가 이 세계에 발을 들여놓기 전 가장 걱정을 한 게 제비가 많다는 이야기였다.

제비는 어떻게 생겼을까? 나름대로 생각을 해 보았다. 보통 제비라고 하면 TV 드라마에서 많이 접한 모습이 연상될 것이다. 단정한 양복 차림에 머리 가르마를 8:2로 타고 입에서 나오는 소리는 상대 비위를 아주 잘 맞춰 립 서비스의 말이 유창하게 나오는 남자를 연상할 것이다. 그 대신 여자 꽃뱀은 젊고 예쁘고 날씬한 여자가 꽃뱀일 거라고 생각을 할 것이다.

이 세계는 어떡하면 돈 많은 남자 좀 만나서 용돈이나 얻어 쓸 수 있을까? 어떡하면 돈 많은 여자 만나 돈 좀 빼낼까? 궁리

하는 사람이 너무 많은 게 사실이다. 자신이 힘들게 일을 하고 그 대가로 수입을 얻으려 하지 않는다. 머릿속에는 쉽게 돈을 벌어 볼 생각으로 가득 찼다.

하지만 제비나 꽃뱀으로 소문이 나면 암암리에 모든 사람이 알게 된다. 발 없는 말이 영등포 콜라텍 모든 곳에 퍼지게 된다. 콜라텍에 오는 사람이 그렇게나 많아도 다 알게 된다. 소문이라는 게 참 무서운 것이다. 그리고 영등포 콜라텍을 이용하는 사람은 절대 다른 곳에 가지 않는다. 이상하게 낯설어서 다른 곳에 가지 않고 자신이 다니는 곳만 다닌다. 그래서 자신에게 붙는 꼬리표를 신경을 써야 한다. 꼬리표를 달고 영등포 콜라텍을 이용하면 영등포 어디를 가나 소문이 안 좋아 영등포에 다니는 한 꼬리표를 달고 다니게 되는 것이다.

그런데 의외로 이곳 사람들은 어떤 사람에 관한 좋지 않은 내용을 알아도 거론하지 않고 묵인하는 문화가 있다. 쉬쉬하면서 뒷담화 정도만 하지 노골적으로 드러내지는 않는다. 그 사람이 가진 소문은 나도 가질 수 있기에 조심해야 한다. 가장 좋지 않은 소문은 꽃뱀이라는 말, 제비라는 말, 양아치라는 말이 가장 좋지 않은 꼬리표다. 우리가 보통 다른 사람의 단점을 이야기하지 장점은 잘 이야기하지 않기에 꼬리표 내용은 단점이 많다. 흉보는 이야기들이다.

저 사람 꽃뱀이야, 제비야, 여자관계가 복잡한 바람둥이야, 저 여자 애인이 수도 없이 많아. 등 이런 이야기들이다.

콜라텍의 반전

작은 고추가 맵다

이 세계는 유난히 키가 작은 사람들이 많다.

남자 여자 모두 어쩌면 키가 그렇게도 작은지 초등학생 수준의 키를 가진 사람들이 많다. 왜 그럴까? 생각해 보니 여기 콜라텍 출입하는 연령이 실버세대이다 보니 그 당시 영양 상태가 좋지 않아 발육이 좋지 않아서 키가 작은 것 같다.

춤을 추면서 느낀 점은 키가 작은 남자, 키가 작은 여자가 비교적 춤을 잘 춘다는 점이다. 키가 큰 남자의 춤을 맛으로 표현할 때 왠지 싱겁다면 작은 남자는 기교를 부리면서 파워풀하게 움직이는 게 맵고 달고 신 다양한 맛을 내는 오미자 맛이다. 몸이 가벼워서인지 살랑살랑 여자 파트너 비위를 맞추면서 애교스럽게 잘 춘다. 또 여자 입장에서 키가 작은 사람과 추면 답답하지 않고 가벼워서 놀기가 쉽다. 덩치가 있는 사람과 추면 큰 바위 앞에 내가 서 있는 느낌이 든다. 그래서 나는 덩치가 있는 사람을 싫어한다. 시쳇말로 갖고 놀기가 좋은, 내 키보다 약간 크거나 같은 상대가 좋다.

여자도 큰 여자보다 작은 여자들이 많다. 내 생각에 키가 작은 사람들의 콤플렉스를 다른 어느 곳에서 커버하거나 자신들의 위상을 높일 다른 운동보다 춤이 자신들 체격에 맞기에 춤을 선호하는지 모른다.

이 세계에서 가장 중요한 것은 춤 실력이다. 아무래도 기능을 따지는 것이라 실력이 최고다. 외모가 멋진 사람보다 춤을 잘 추면 그 사람이 인기가 좋다. 외모에 콤플렉스가 있는 사람들이기에 열심히 춤을 배운 것을 알 수 있다.

자신을 드러내기 위한 게 춤이라는 걸 잘 알기에 키가 작은 사람들이 춤을 잘 춘다. 자신의 외모에 신경 쓰지 않고 아주 열심히 추는 모습을 볼 수 있다.

자신의 키가 작은 것을 승화시켜 발전시킨 것이어서 좋다고 본다.

뚱뚱한 나비

우리가 보통 춤을 잘 출 것 같은 외모는 날씬해야 할 것 같지만 의외로 외모가 뚱뚱한데 춤을 잘 추는 사람이 많다.

끼가 있어 리듬 박자가 정확하고, 음악을 몸짓으로 아주 잘 표현한다. 보는 것만으로도 즐겁다. 음악을 들으며 자신의 감정 표현을 잘 하며 아주 유연하게 날아다니는 한 마리 나비와 같다. 외모와 전혀 다른 남자, 여자들을 보면서 춤은 키나 체격과 아무 상관관계가 없다는 것을 알게 되었다. 음악을 듣고 감정이

입을 잘 하고 공감하는 음악성, 자신의 감정 표현을 잘 하고 리듬감, 박자감 등 음악적인 감각 여부에 의하여 춤의 성패가 좌우된다는 것을 알게 되었다.

날씬한 통나무

보통 날씬한 사람이 춤을 잘 출 것 같지만 의외로 통나무처럼 뻣뻣한 여자가 많다.

춤을 추는 모습을 보면 키가 크고 날씬한데 춤은 영혼이 없는 춤을 추고 있다. 음악에 몰입하여 음악과 춤이 혼연일체가 되어야 아름다운데 외모상 날씬하여 조건은 갖추었지만 마치 토막나무처럼 뻣뻣하게 움직이는 사람들을 보면 안타까운 마음이 든다.

오히려 체격이 좋은 사람이 유연하게 잘 춰서 보기 좋다. 이런 경우는 반전이다. 날씬한 체격 조건을 가지고 있어도 음악을 듣고 리듬과 박자에 맞추는 능력이 부족해 마치 통나무가 움직이는 모습처럼 딱딱하다.

환영받지 못하는 사람들

지나친 체격

이곳에서는 외모가 그렇게 중요하지 않다.

춤을 잘 추면 대우를 받기에 나이가 많다고 키가 작다고 옷차림이 수수하다고 무시당하는 곳은 아닌 편이다. 그리고 그렇게 비만인 사람을 보기도 힘들다.

그러나 간혹 지나치게 체격이 비대하거나 몸이 비만인 경우가 있다. 이런 사람들은 상대들이 손을 잡으려 하지 않는다. 지나친 비만은 춤을 출 때 움직임이 둔하고 느리기 때문에 춤의 박자를 맞춰 주려면 짜증이 나고 돌리려면 힘이 들기 때문이다. 또 큰 사람과 같이 서면 답답함을 느낀다. 이 세계는 너무 비만인 사람은 출입하지 않는다. 그래서 다른 운동보다 비만인 사람이 별로 없고, 특히 춤을 오래 춘 사람일수록 날씬하다.

극단적인 성격 소유자

수많은 사람이 모이는데 극단적인 성격 소유자를 어떻게 알 수 있을까 생각하지만 다 알게 된다. 예를 들어서 남자가 여자에게 춤을 권하여 여자가 추지 않겠다는 의사를 표하였는데도 어떤 남자는 계속 추자고 권한다. 여자와 여러 번 실랑이를 벌이고 끝까지 여자가 수락하지 않으면 욕을 하는 남자가 있다. 그러면 그 남자는 꼬리표를 달게 되어 여자들이 춤을 추려고 하지 않는다. 또 어떤 남자의 경우는 춤을 출 때 너무 강하게 휘둘러 여자가 상대해 주기가 힘이 들어 그 남자와의 춤을 피하게 된다.

콜라텍 안에서 그런 소문이 나게 되면 그 남자는 파트너를 구하기 힘이 든다.

춤 실력이 저조한 자

춤을 기본도 익히지 않고 와서 너무 실력이 없으면 상대해 주지 않고 거절을 당한다.

거절을 당하면 자존심이 상해 다시는 춤을 추려하지 않는다. 그래서 콜라텍에서 춤을 배우려고 하면 안 된다. 춤을 배우고서 실전에 참여하러 오는 곳이다. 여자의 경우 최소 스텝은 밟을 줄 알아야 하고 남자의 경우 여자를 리드할 줄 알아야 한다.

이외도 손에서 땀이 흥건하게 나는 사람이 있다. 긴장해서 그럴 수도 있지만, 다한증 환자인 경우도 있다. 손에서 땀이 많이 나는 사람과 춤을 추면 기분이 불쾌해진다. 상대의 땀에 의하여 내 손이 찜찜해져서 춤을 거부하게 된다.

콜라텍의 유의사항

파트너와 돈 거래는 절대 금지

빌려준 돈 받는 게 쉽지 않음은 어디서나 마찬가지겠지만 특히 콜라텍에서는 돈을 빌려주는 일은 받을 생각이 없을 때나 거래를 해야지, 그렇지 않으면 받기 힘들다. 일단 빌려주면 그냥 공짜로 가지려고 하는 게 이곳의 생리다.

보통 파트너 사이에서 간혹 돈거래를 하게 된다.

한 예로 여자가 남자에게 돈을 빌려주었는데 파트너 남자가 다른 여자와 정분이 나서 화가 난 애인이 빌려준 돈을 달라고 여러 사람 앞에서 이야기하였다. 여자는 돈을 빌려주면 자신에게 더 애착을 갖고 사랑스럽게 하리라 믿은 것이었는데 남자는 돈만 받고 다른 여자에게 간 것이다. 돈 빌려준 여자는 화가 나서 빌려준 돈을 달라고 하자 "너같이 못생긴 여자를 왜 1주일에 두세 번씩 사랑해 주었겠냐."며 "그 돈은 당연한 것이지 내가 빌렸겠냐!"라고 망신을 주었다는 이야기가 있다.

이런 식으로 빌려준 돈은 그냥 날로 먹으려 하는 게 이곳의 생리다.

그리고 이곳의 남자 대부분은 힘들게 여자에게 섹스를 해 줄 필요가 없다고 공공연하게 이야기한다. 여자가 보상을 해주면 모를까 힘들게 봉사할 필요가 없다고 생각한다. 즉 섹스를 상대 여자를 위해 봉사한다고 생각을 한다.

무엇이든지 돈으로 환산하려는 이곳의 생리가 있다. 즉 공짜 가 없다고 생각을 한다.

파트너 하고만 춤을 추어야 한다는 편견은 금물

보통 파트너가 생기면 파트너와만 춤을 추는 경우가 대부분이 다.

파트너를 두고 다른 사람과 춤을 춘다는 것은 왠지 순결하지 못한 것 같고 그 사람에 대한 예의가 아니라고 생각하기에 일종 의 난 당신만 사랑한다고 고백하는 의미이기도 하다.

그러나 어떤 커플은 춤만은 파트너하고만 출 수 없다. 답답하 고 지루하다고 생각을 하여 다른 상대와도 춤을 추겠다고 합의 를 하는 커플도 있다. 주로 남자가 그런 편이다. 그럴 경우 여자 가 이해를 해주어야지, 왜 그러냐고 따지면 관계는 끝나게 된다. 춤을 추는 사람의 성향이기에 한 사람 하고만 추면 춤이 늘지도 않고 답답하게 느껴질 수 있으니 여자 파트너는 너그러이 이해 해 주는 게 필요하다.

파트너 춤의 특징

파트너 춤은 다르다고 한다.

춤을 잘 추는 사람은 파트너가 있는 사람과 춤을 춰보면 이 춤이 파트너 춤인지 금세 알게 된다. 파트너 춤은 둘이만 추어서 아주 잘 훈련된 춤이다. 매끄럽고 끊어짐이 없이 얼음판 위에서 댄싱을 하듯이 매끄럽게 움직인다. 파트너는 춤을 출 때 상대가 어떤 동작을 한 후 어떤 동작을 할지 연결 동작을 잘 알고 있기에 자동으로 연결 동작이 나오기 때문이다.

그러다보니 현재 추고 있는 새 파트너를 배려하지 않고 자신의 애인과 추던 동작을 자동으로 하게 된다. 파트너와는 눈 감고도 출 수 있고 아무 생각 없이도 술술 풀리게 되어 신경 쓸 필요가 없다. 내가 이 동작을 하면 내 상대는 저 동작으로 나를 맞춰 주기 때문이다. 춤 동작이 단조로울 수도 있어서 새로운 파트너는 금세 알아챈다.

비용은 더치페이로

콜라텍에서는 여럿이 음식을 먹게 된다.

아는 사람이 술 한잔하자고 하면 그 사람이 사려나 보다 생각하면 안 된다. 이곳은 누가 술 한잔하자고 해도 술은 함께 먹고 계산은 나누어서 하자는 뜻이다. 음식을 먹으면 당연히 사람 수대로 나누어서 계산해야 한다. 매일 음식을 먹다 보니 누구 한 사람이 사기에는 부담스러운 일이다. 그래서 더치페이로 계산하는 일이 당연시된다. 이런 모습은 아주 합리적인 문화라는 생각이 든다. 상대가 자신이 술을 살 때는 내가 살게 한잔하자는 표현을 사용한다. 그때는 안 내도 된다.

이곳은 더치페이가 생활화가 된 아주 멋진 문화를 갖고 있다.

밖에서 만나면 모르는 사람처럼

이 세계에서는 서로 안고 춤을 추다 보니 이름이나 사는 곳은 몰라도 춤을 추러 다니는 사람이라는 건 알고 지낸다.

길을 지나가다가도 콜라텍에 다니는 사람끼리는 말을 건네지도 않고 인사도 안 한다. 춤을 추는 사람들은 항상 그 시간에 학교에 등교하듯이 나타난다. 그래서 춤을 추는 사람은 서로 얼굴을 알고 지낸다. 지나가다 보면 언젠가 같이 춤을 춘 사람이라는 것을 알게 된다. 이름도 성도 모르지만 언젠가 자신과 춤을 한번 춘 사람이라면 금세 알 수 있다.

그래도 콜라텍이 아닌 바깥에서 만나면 전혀 아는 체를 하지 않는 게 예의다. 인사도 안 한다. 모르는 사람처럼 대하는 게 가장 좋은 방법이다. 그저 모르는 사람처럼 내가 언제 너를 아느냐는 식으로 대한다. 만약 상대가 파트너와 같이 있으면 더욱 아는 체하지 말고 이성 간에는 더욱 아는 체하지 말아야 한다.

임금님 귀는 당나귀 귀

콜라텍에서 이루어지는 일은 소문에 의하여 알게 되기도 하지만 누가 이야기해 주지 않아도 내가 눈으로 확인하고 내가 느끼게 되어 분위기로 알게 된다. 특히 다른 면보다는 이성 간의 관계는 더욱 감이 잘 와서 알게 된다. 예전 파트너인지 아니면 새로 바뀐 신상인지를 금세 알아챌 수 있다.

두 사람의 관계 즉 누구와 누가 파트너인지 금세 알게 된다. 시간이 지나면 과거 파트너까지도 알게 된다. 저 여자의 애인은 현재 이 남자가 아니라 다른 남자였었다는 사실, 저 남자의 애인은 저 여자가 아니라 벌써 몇 번째라는 사실 등 이런 정보를 알고 있어도 나만 알고 있으면 되는 일이다.

깊이 아는 정보일지라도 절대로 나만 알고 있고 다른 사람에게 발설하지 않는 게 이곳의 생리다. 임금님 귀는 당나귀 귀라는 비밀을 절대 지켜야 한다.

콜라텍에 나온 지 얼마 안 되어 제비와 파트너로 지내는 사람을 보면 정말 알려주고 싶다. 한 번은 신정화라는 여자를 양아치과 제비인 김경수가 돈을 발라내려고 공을 들인다는 정보를 입수하여 신정화의 친구가 신정화에게 조심하라고 알려주었더니 신정화가 김경수에게 들은 이야기를 전해서 신정화 친구와 김경수가 다툰 일이 있었다. 자신을 위하여 충고해준 말을 일렀다는 것은 참 의리가 없는 분별없는 행동이지만 신정화의 친구는 '임금님 귀는 당나귀 귀' 동화를 한 번 더 생각했어야 했다.

진실이 거짓되어 탄생

이 세계에서 돌아다니는 정보는 대부분이 거짓일 가능성이 크다.

아무리 상대가 진실처럼 이야기하여도 거짓일 확률이 크기에 진실일 거라고 생각하지 말고 거짓일 거라고 믿는 게 좋다. 특히 춤을 추다 만난 상대가 마음에 들면 거짓말을 한다. 최대한 자신을 과대 포장하여 업그레이드시키려 한다.

김대성이라는 사람은 일일 파트너가 마음에 들어 춤 파트너를 하자고 제안한다. 그리고 자신을 우리나라 공기업인 한국전력의 부장이라고 소개를 한다. 여자는 사회생활을 제법 한 여자이기에 신분이 확실한지 알고 싶어서 신분을 묻게 된다. 한전 어느 부서에서 근무하느냐고 묻고 이름도 묻는다. 여자가 낮에 어떻게 나왔느냐고 묻자 자신은 정년퇴직을 앞두고 공로연수 기간이라 나왔다고 이야기한다. 여자가 공로연수가 언제부터 시작하느냐고 물으니 정년퇴직 6개월 전에 시작된다고 하였다. 본사로 알아본 결과 김대성이라는 사람은 없고 공로 연수가 6개월이 아니라는 사실을 알게 된다. 다음에 만났을 때 여자는 아는 체도 하지 않았다. 거짓말을 하는 남자와는 무엇도 말할 필요를 느끼지 못했기에 그저 모르는 사람처럼 대했다.

이곳에서는 상대가 말하는 것에 대하여 진실일까 아닐까 궁금해하지도 말고 알려고도 하지 않는 게 좋다. 자주 하는 거짓말의 경우는 과거 자신이 권력기관에 근무했다고 사칭하는 것이다. 경찰이었다고 하고 청와대에 근무하였다고 하고 검찰에 근무하였다고도 한다. 현재 직업이 방송국 편집국장이라고도 한다. 편집국장인데 어떻게 낮에 나와서 파트너와 운동을 하는지 믿지 못할 거짓말을 하고 있다. 이 말을 믿으려고 하지 말아야 한다.

조명 빛에 속지마라

이곳에서 춤을 추는 사람들을 보면 한결같이 예뻐 보인다.

나이를 가늠하기 어렵다. 진한 화장을 하고 속눈썹을 붙이고 매니큐어를 진하게 바르고 정말 나이를 가늠하기 어렵다. 이곳에 다니는 사람들의 나이는 실제보다 10여 년 젊어 보이는 데다 희미한 불빛에서 춤을 추는 여자를 바라보노라면 더욱 가늠하기가 더 어렵다.

특히 이곳은 불빛이 희미하다 보니 춤을 추고 있는 여자들의 모습은 더욱 아름다워 보인다. 우스운 예로 같이 춤을 추다 보니 상대 여자의 얼굴이 예쁘고 젊어 보이기에 대시를 한다. 밖에 나가 술이나 한잔하자고 같이 나와 엘리베이터 앞에 선 순간 남자는 허탈감에 빠진다. 얼굴이 불빛에서와 너무 다른 모습이다. 주름이 자글자글한 게 나이가 엄청 많아 보이자 남자는 금세 돌변하여 핑계를 대고 헤어졌다고 한다.

불빛에 속았다고 생각을 한 남자는 기분이 찜찜한 채 나오면서 절대 불빛 아래서는 나이를 가늠하기 어려우니 잘 살펴봐야 한다고 한다.

그래서 이 세계에서 유행하는 말이 '조명 빛에 속지 마라'이다. 조명 빛에서 나와 보면 10여 년은 나이 들어 보인다. 실제 나이가 보이는 거다. 그래서 나이는 못 속인다고 하나 보다.

자리싸움

사람이 많아 복잡하다 보니 가끔 자리싸움이 일어난다.

사람의 성향이 참 신기한 것이 자기가 서는 곳만 고수하는 사람들이 많다. 우리가 연수를 받을 때도 처음 앉은자리만 고수하는 경향이 있듯이 콜라텍에 와서도 자기가 서는 자리만 고수하고 절대 다른 곳으로 가지 않으려 한다.

과시욕이 강한 사람은 주로 앞에서 추는 것을 좋아하고, 수줍음이 많은 내성적인 사람은 앞에 서는 것을 좋아하지 않고 중앙이나 뒤에 서는 것을 좋아한다. 그런데 춤을 추다 보면 정말 얄미운 사람이 있다. 이미 자신들이 놀다 나간 뒤라 다른 커플이 들어와 노는 데 꼭 그 자리에 다시 들어가려고 비좁은 곳을 뚫고 들어와 춘다.

한 자리만 뒤로 가면 설 자리가 있는 데도 자기 자리가 정해져 있는 것처럼 절대 양보가 없는 커플이 있다. 그러다 싸움이 일어난다.

우리가 춤을 추다 자리를 비켜주지 않으려 하는 것은 양보심이 없어서가 아니다. 막 음악에 몰입하여 심취한 상태로 춤을 추고 있는데 다른 곳으로 이동을 하면 흐름이 끊어진다. 그러면 클라이맥스에 도달했던 감정이 깨진다. 춤의 리듬이 끊기고 몰입도가 낮아져 춤의 질이 떨어지기에 춤을 추다가는 자리를 옮기지 않으려 한다.

운전으로 말하면 새치기를 하는 경우다. 이렇게 끼어 들어오는 사람을 일반적으로는 양보해 주는 사람이 많다. 하지만 절대 자신이 선 자리를 한 치도 양보하지 않고 비켜 주지 않는 사람도 있다. 절대 사수하는 사람인데 이런 사람의 경우는 이기적이거나 춤을 간섭받기를 싫어하는 사람 즉 자신이 춤 좀 춘다고 생각하는 사람이 많다.

자리로 커플 싸움을 하는 대표적인 사람이 홍명자 커플이다. 홍명자는 춤을 잘 추는 편이어서 내가 먼저 선점을 하였으니 그 자리를 고수하자고 하는 여자다. 홍명자 파트너는 같이 놀자는 입장이어서 다른 커플이 끼어 들어오면 홍명자 보고 다른 곳으로 비켜주자고 한다. 홍명자는 안된다고 하고 파트너는 왜 안 비켜주느냐고 하고 옥신각신하고 다툰다. 그러다 오히려 홍명자와 파트너 둘이서 싸우게 되어 춤을 추지 않고 나가게 된다.

홍명자 이야기도 일리는 있다. 춤을 출 적마다 사람이 끼어

들어오면 왜 매번 비켜주어야 하느냐? 자리 잡고 자리를 고수해야 하지 않느냐? 춤에 몰입하고 추는데 비켜주려고 움직이다 보면 춤추고 싶은 마음이 없어지니 처음 선 자리를 잘 고수하자는 입장이다. 홍명자 파트너는 다 같이 춤추는 공간인데 내 자리가 어디 있느냐? 양보하고 같이 추면 되지 않느냐고 항변한다.

그런데 춤을 비교적 잘 추는 사람은 잘 비켜주려 하지 않는 성향이 있다. 춤을 잘 추지 못하는 사람들이 잘 비켜주는 편이다. 운전 중에도 좋은 차를 타는 사람들이 절대 양보하지 않고 비켜주지 않으려는 경향이 있듯이 춤도 그런 경향이 있다.

그런데 유난히 끼어들기를 좋아하는 커플이 있다. 동경에 가면 60대 초반의 여자와 파트너가 있는데 앞에 서서 춤추기를 너무 좋아하여 절대 앞자리 아니고는 춤을 추지 않는다.

자신들이 춤을 추다 쉬게 되어 밖으로 나가면 다른 사람이 자리 잡고 추고 있는데도 다시 들어올 때 전에 섰던 자리로 뚫고 들어선다. 도저히 다른 팀이 들어올 수 없는 공간인데도 자신들은 앞자리가 아니면 도저히 춤을 못 추기라도 하듯 앞자리만 고수한다.

이 커플 때문에 홍명자 커플이 여러 번 춤추다 자기들끼리 싸우고 춤을 중단한 일이 있다. 자리 때문에 잘 추던 커플이 싸우는 경우이다. 홍명자는 이 얌체 커플이 들어오면 절대 비켜주지 않으려 한다. 하지만 홍명자 파트너가 양보해 주자고 비켜주는 바람에 목적 달성을 이루지 못하고 속이 상한 채 춤을 추고는 한다. 그리고는 홍명자는 자신이 싫어하는 일을 파트너가 왜 하는지 파트너가 미워질 뿐이다.

춤에 빠지지 마라

춤을 배우게 되면 참 신기하고 재미가 있어 처음에는 온통 춤 생각으로 가득하다. 콜라텍에서 들은 가사를 흥얼거리게 되고 걸음걸이가 나도 모르게 스텝을 밟듯 어깨를 들썩이고 엉덩이를 흔들거리며 걷게 된다.

당구를 처음 배우면 밥상 종지가 당구공으로 보이고 누우면 천정이 당구대로 보인다고들 한다. 춤도 마찬가지다. 춤을 어느 정도 추면 콜라텍에 가서 춤을 추고 싶다. 콜라텍은 춤을 시연하는 곳이기에 음악에 맞춰서 자신의 춤이 어느 정도인지 한번 해보고 싶은 것이다.

요즘 얼마나 춤의 인구가 많은지 콜라텍은 인산인해를 이룬다. 해가 갈수록 늘어나는 춤 인구를 보면서 춤이 생활화가 되어가는 모습을 알 수 있다.

콜라텍이 왜 인기가 있나 생각해 보니 음악이 있어서 즐거운 것이다. 그리고 많은 연배의 사람들이 많아서 파트너를 구하는 데 어렵지 않기 때문이다. 그리고 돈이 많이 들어가지 않기에 콜라텍이 인기가 있다. 또한, 날씨에 구애받지 않고 놀 수 있어서 더욱 좋다.

그러나 내가 다녀본 결과 춤은 너무 일찍 추러 다니면 좋지 않다. 한참 일에 몰두해야 할 젊은 시절에는 자기 일에 최선을 다하고 은퇴 시기 즉 쉬어야 할 휴식기인 노년 초기 60대 초부터 콜라텍에 다니면 이상적이라 생각을 한다. 젊은 시절에는 자아실현을 위하여 최선을 다하는 게 아름다운 인생을 만드는 방법이다. 나에게 주어진 인생을 아무렇게나 함부로 살 수는 없다.

인생은 연습이 없다. 한 번 주어진 삶을 내가 원하는 목표를 성취하기 위하여 노력해야 아름다운 삶이 될 수 있다.

삶의 목표를 세우고 목표 실천을 위해 노력을 할 때 즉 자아실현을 한 후 여가활동에 전념해도 늦지 않다. 주어진 삶을 열심히 최선을 다하는 자세가 필요하다. 모든 일에는 시기가 있다. 공부해야 할 시기에는 공부를 하고 일에 전념해야 할 시기에는 일에 전념하고 쉬는 일에 전념해야 할 시기에는 어떻게 멋지게 쉴까 궁리하여 멋지게 쉬면된다.

콜라텍에 젊은 40대 50대가 오면 걱정이다. 한창 일할 시기에 춤이나 추면서 소일을 한다면 소는 누가 키우나? 돈은 언제 벌지 걱정이다.

내 새로운 제2의 인생을 펼칠 시기에 아름답게 펼쳐 나가는 게 인생을 아름답게 마무리하는 과정이라 생각한다.

콜라텍은 내 제2의 인생기에 출입하면서 즐겁게 살아도 늦지 않다. 멋지게 사람들과 어울리며 소통하고 제1의 인생기에서 누려보지 못한 삶을 살아본다.

파트너에 빠지지 마라

이성이 가장 많은 곳이 콜라텍이다.

남자도 많고 여자도 많다. 그래서 놀기에 가장 좋은 곳인지도 모른다. 이곳에는 인적자원이 풍부하다고 이야기한다.

마음만 먹으면 파트너를 쉽게 만들 수 있다. 하지만 정신 차려야 한다. 이곳은 불로소득을 원하는 사람들(소위 말하는 제비족과 꽃뱀족들이 있다)이 너무 많다. 남자도 여자도 많다. 사냥꾼에게는 사냥감이 너무나 풍족하다.

이곳에 운동하러 왔다는 목표를 잊지 말아야 한다. 이성을 사귀러 오지 않은 이상 운동에 전념하고 일일 파트너에 만족하는 자세를 가져야 한다. 단지 파트너가 있어야 운동을 할 수 있기에 파트너는 있어야 한다.

다른 운동은 파트너 없이 나 혼자 하거나 기구만 있으면 할 수 있지만, 이곳은 상대가 있어야 할 수 있는 운동이기에 상대는 항상 존재한다. 인적 자원은 풍부하니 말 그대로 운동을 하기 위해서 만난 춤 파트너로만 생각해야 한다.

춤이 다른 운동보다 즐겁고 마약처럼 빠져들 수밖에 없는 이유가 상대가 있어서다. 늘 바뀌는 상대와 전혀 다른 춤을 맛볼 수 있는 곳이다. 춤이 같은 사람은 한 사람도 없기에 매일 춤을 추어도 질리거나 싫증이 나지 않는 이유가 그렇다. 그래서 매일 바뀌는 파트너와 춤을 추는 것으로 만족을 하고 다른 생각을 하지 말아야 한다.

춤은 여러 사람과 추어야 재미도 있고 실력도 는다. 사람마다 춤의 기술이 달라 한 사람도 같은 사람이 없기 때문이다. 파트너 춤을 추면 춤이 늘지 않는 이유가 한 사람과 추기 때문에 동작이 늘 같은 동작이다 보니 단조로워지고 늘지 않는 것이다. 그러므로 춤은 여러 사람과 추어야 늘기에 파트너를 정하지 않고 자유로운 행동을 할 수 있는 일일 파트너와 춤을 추는 것이 바람직하다. 일일 파트너와 춤을 춘 후 전화번호를 주고받지 않고 헤어지는 것을 습관화하면 건전하고 이상적인 춤을 운동으로 출 수 있다.

파트너를 정하면 파트너하고만 춤을 추어야 하고 내 파트너가 다른 사람과 춤을 추면 기분이 상하게 되어 심기가 불편하게 된다.

자유로운 영혼이 되는 생활습관이 가장 당당하고 떳떳하게 여가 활동을 할 수 있다. 춤을 배우기 시작한 새내기는 파트너를 정하지 말고 자신의 춤이 숙련될 때까지 많은 사람과 춤을 추는 자세가 필요하다.

제비와 꽃뱀에게 당하지 않는 법

이 세계에서 나의 몸과 재산을 지키려면 나만의 철학이 있어야 한다. 이 철학은 처음부터 생기는 게 아니라 춤을 추면서 자신이 터득하게 된다.

이성과 같이 여가생활을 하는 곳이기에 정신을 바짝 차려야 실수를 하지 않는다. 이성을 대할 때 나만의 이성에 대한 철학이 있어야 한다.

내가 이 상대와 춤이 잘 맞는지를 보고 이 상대와 춤을 추면 춤이 즐거운지를 먼저 파악을 한다. 일단 춤이 맞아야 즐거운 춤을 표현할 수 있기 때문이다. 춤이 맞는 조건은 외적인 것은 별 영향을 주지 않는다. 나이가 들었다, 키가 작다, 외모가 준수하지 않다, 학식이 짧다, 경제력이 약하다, 이런 조건은 영향을 주지 않는다. 춤이 맞는 경우는 일단 즐거운 마음이 들고 계속 추고 싶은 마음이 든다. 이렇게 정신적인 만족이 먼저 온다.

그러면 이 상대와 두 번 이상 추어도 되는 사람인지를 간파해야 한다. 지금 이 상대와 두 번 이상 춤을 출 수 있는 나만의 파트너 조건을 충족하고 있는지 캐치해야 한다. 나는 나만의 기준 조건이 있다.

첫째 가정이 확실히 있어야 한다. 아내가 있고 자식이 있다는 것은 정상적인 가정생활을 하고 있다는 증거다. 즉 심신이 건전한 사람이다.

둘째 하는 일이 있어야 한다. 자신이 경제활동을 한다는 것은 불로소득을 추구하지 않는 건전한 생활을 한다는 증거이다. 만약 나이가 들어 현재 하는 일이 없다 하여도 은퇴한 사람으로 젊은 시절에 열심히 생활한 사람이면 된다. 즉 실용적인 사람이라는 뜻이다.

이렇게 나만의 파트너 조건이 있어서 조건 충족 여부에 의하여 파트너를 하면 실수할 일이 없다.

내가 내 주변을 잘 관리하여야 한다. 나이가 들면 관리해야 할 것들이 많다. 사람관리, 재물관리, 시간 관리 등 미지의 세계인 이곳에서는 특히 사람관리를 잘 해야 한다. '열 길 물속은 알아도 한 길 사람 속은 알 수 없다.'는 속담처럼 조심조심하면서 춤을 추어야 한다.

상대에게 나의 모든 것을 보이면 안 된다. 이곳에서는 실명을 알리지 말고 사는 곳도 정확히 말할 필요가 없다. 확실한 직업이라면 더욱 알릴 필요가 없다. 베일에 싸인 사람이 되어야 한다.

지금은 정보가 발달하고 사람들이 영악해져서 춤을 추다 집을 날리거나 큰 재산을 날리지 않는다. 옛날에는 춤을 추다 제비에게 당하여 전 재산을 날렸다는 이야기를 많이 들었다. 그러나 지금은 큰돈을 날리는 일은 없다고 본다. 용돈 정도 빼앗긴 정도이다.

제비의 특성은 여자에게 돈을 받던지 사기를 쳐서 뺏던지 상대에게 어렵다고 돈을 빌려달라고 하던지 아무튼 상대에게 돈을 받아 생활한다. 상대에게 최선을 다하고 사례 조로 돈을 받을 수도 있고 협박이나 강제로 돈을 빼앗기도 하는데 이렇게 돈과 연관이 있으면 제비나 꽃뱀이라고 할 수 있다.

이곳에서는 계획적으로 돈 많은 여자를 찾아 사냥하는 남자들이 많다. 옷차림이 고가로 보이거나 귀금속을 부(富) 티 나게 한 사람이 표적이다. 여자는 돈이 많아 보이는 나이 든 남자에게 접근한다. 갖은 애교로 남자의 환심을 사서 파트너로 만들어 금품을 갈취한다.

이곳은 자신이 혼자 사는 것을 감추려 하지 않고 상대에게 노출한다. 예전에는 싱글남, 싱글녀를 부끄럽게 생각하여 상대가 알까 봐 조심하였는데 지금은 자신이 혼자라는 사실을 아주 자랑스럽게 당당하게 밝힌다. 밝히는 심리 내면에는 난 자유로운 영혼이니 우리 재미있게 보내자는 사인이다. 나는 언제 어디서든지 전화를 받을 수 있는 상황이라는 것을 알리는 것이다.

여자가 남자가 마음에 들면 아주 적극적으로 대시한다. 자신이 사는 아파트 동 호수를 알려주고 자신의 집에 가서 커피나 한잔 하고 가자고 유혹을 한다. 여자가 집착하기에 정신이 바로 된 남자는 여자 혼자 사는 것을 두려워하고 멀리 한다. 혼자 사는 여자는 파트너에게 빠지면 아주 적극적으로 대시하기에 두려워한다.

그건 여자도 마찬가지다. 혼자 사는 남자는 두려워한다. 집착하는 게 두렵고 상대와 오래 데이트를 하려고 집으로 보내주지 않기에 부담스러운 것이다. 그래서 남자들도 혼자 사는 여자를 겁낸다. 그래서 유부녀가 1순위다.

지나치게 도전적이고 적극적으로 대시하기에 혼자 사는 여자가 겁나는 것이다.

작년 동경에서 73세인 여자가 있었는데 항상 단정하게 옷을 입고 머리도 단정하게 드라이를 하고 얼굴도 미인형으로 체구도 아주 여성적인 보호 본능을 자극하는 혼자 사는 여자였다. 여자에게 어느 날 젊은 남자가 생겼다. 남자는 키가 작지만 단단해 보이는 59세 싱글 남자였다.

여자는 남자 아파트에도 다녀왔다고 여러 사람에게 자랑을 하면서 남자가 연상이라도 좋다고 한다며 남자가 선물해 준 팔찌, 목걸이, 옷을 입고 다니면서 무척 자랑하였다. 남자는 구청 청소과에서 청소를 하는 미화원이었는데 14세의 나이 차이도 대수롭지 않게 여기며 둘 사이의 애정을 과시하더니 어느 날 여자가 사라졌다.

그 남자는 혼자 다니면서 그 여자를 찾아다녔는데 그 여자는 남자에게서 패물과 옷을 얻어 입고 도망간 일종의 꽃뱀인 것이었다. 요즘은 여자도 젊은 여자만 꽃뱀이 아니라 나이 든 늙은 뱀이 많다.

영등포에 나오지 않고 다른 곳에 다니면 찾을 방법이 없는 것이다. 혼자 사는 젊은 남자가 연상의 여자에게 당한 케이스였다.

이번에는 여자가 제비에게 당한 경우다.

여자는 전성연이라는 싱글 남자를 만났다. 둘은 파트너가 되어 항상 같이 다니면서 춤추고 노래방에 다니고 하였는데 남자가 월세방에서 살다가 월세방이 만기가 되어 갈 곳이 없다고 하자 남자에게 1,500만 원 들여서 월세방을 구해주었다.

둘은 죽고 못 살았다. 여자는 남자에게 월세방을 구해주고 반찬도 해주고 안쓰럽다고 살림을 해주다시피 하였다. 이렇게 잘하면 남자가 고마워서 자신에게 잘하리라 생각 했는데 남자는 얻어만 먹고 도망을 갔다. 다른 여자를 만났다. 파트너 사이는 일시적인 것이다. 물건이나 돈을 줄 때만 영원할 것처럼 행동하고 먹고 나면 냉정해진다.

여기서 파트너가 있는 남자가 잘하는 말이 있다. 자기 파트너는 싸우고 나면 선물을 꼭 해 준다고 친구에게 이야기한다. 연상을 만나는 남자는 연상 여자에게 일부러 신경질적이고 트집을 걸어 물건이나 용돈을 얻어 쓰는 수법을 부린다.

꽃뱀 김유미

김유미는 50대 후반의 여자로 얼굴은 그런대로 괜찮다. 입술 위에 검은 점이 있어서 남자들이 성적인 매력이 있다고 한다. 키는 작은 편으로 호프집에서 주방장을 하고 있어서인지 붙임성이 참 좋다. 얼굴은 언제나 웃음 띤 얼굴로 잘 웃고 호칭이 오라버니가 아주 입에 붙어있다. 입술 위에 검은 점 때문에 남자들 사이에서는 섹시미가 있다고 평이 나 있다.

이곳에서 남자를 지칭할 때 보통 '오빠'라고 하고 여자들에게는 '언니'라는 호칭을 사용한다. 김유미는 웃는 얼굴도 인상이 좋은 편이며 남자들에게 친근하게 "오빠"라고 불러 남자들 사이에서 인기가 좋다.

김유미는 남자를 만나면 돈을 긁어낸다. 좀 어리숙한 남자를 선택하여 갖은 애교와 여성의 성으로 많은 돈을 빼앗았다.

남자는 김유미에게 만나자고 하여도 만나주지 않자 화가 나서 김유미의 아킬레스건을 잡아 흔들었다.

"저 여자 나랑 잤는데 잠자리가 아주 죽여주는 여자다." 섹시미가 넘치는 여자라고 다른 사람들에게 공개하였다. 콜라텍 사람들에게 특히 남자들에게 김유미의 잠자리를 공개하여 김유미에게 망신을 주었다.

이런 식으로 김유미는 잠깐 몇 달 만나 파트너를 하며 남자로부터 금품이나 갈취하는 꽃뱀이었다. 사람들이 생각할 때 무슨 남자가 잠자리한 것을 공개하나 싶어 알아보니 여자에게 돈을 뺏긴 억울함에 명예를 훼손시키려고 콜라텍 사람들에게 공개한 것이었다.

많은 돈을 빼앗기고 상대 여자가 몹쓸 여자임을 만천하에 공개하여 다른 남자들이 자신처럼 당하지 않도록 경각심을 주기 위한 태도였다.

사기꾼 이미숙

이미숙 나이는 60대 후반으로 키는 아담하고 옷은 단정하게 정장식으로 입는다.

이 여자는 기획부동산을 하는 사무실에 근무한다. 역시 남자들에게 '오빠'라고 다정하게 접근하여 자신은 부동산에 근무하며 돈을 벌려면 땅에 투자해야 한다며 자신의 부동산 사무실에 놀러 가자고 쉴 새 없이 유인한다.

나에게도 술 한 잔 사준다고 하면서 갑자기 접근을 해왔다. 나로선 갑자기 한 합석이었지만 이 여자는 내가 정년퇴직이 가까워져 옴을 알고 일부러 접근한 것이었다. 내가 돈이 없다고 일반적인 거절 방법을 사용하자 이 여자는 우리가 큰 집을 살 때 돈을 다 주고 사는 것을 보았냐며 아파트 사듯이 땅도 계약금만 있으면 된다고 접근해 왔다.

지금 충청도에 아주 싸고 좋은 땅이 나왔는데 자신의 사무실에 와서 설명이나 들어보자고 수없이 나를 유혹하였다. 지금 사놓으면 1년 뒤는 10배 올라있으니 자신을 믿고 해보라고 하였지만 이후 내가 전화를 받지 않고 콜라텍에서 만나도 아는 체하지 않으니 투자하라고 권유하던 일이 쏙 들어갔다.

TV에서 다단계 피해자 이야기가 나올 때 보니 요즘은 그전처럼 물건을 사라고 하는 게 아니라 부동산에 투자하라며 희토류 금속이 들어있는 땅이라고 속이고 돈을 끌어모은다. 사람들을 모아 지방 넓은 미개발 땅을 보여주면서 이 땅속에는 아주 값이 비싼 금속이 들어 있다고 하여 우리 언니도 그렇게 똑똑한 척하더니 사기꾼에게 속절없이 당하였다. 난 이 사실을 알고 있었기에 이미숙이 추천하는 돈 번다는 방법을 기획부동산 다단계라 믿고 이미숙을 피하고 상대하지 않았다.

그렇게 좋으면 가족이 다하지 다른 사람에게 왜 투자하라고 권하냐고 묻자 돈을 강남 사람들이 다 벌기에 강북 사람들에게 돈 벌 기회를 주려고 한다며 나를 끌어들이려 했지만 속지 않았다.

그러면서 이곳에서 돈 이야기는 하지 말고 그저 재미있게 지내자고 하였더니 그 후로 이미숙은 나에게 아는 체하지 않아 아주 홀가분하다.

이곳에서 투자하라고 유인할 때 대처법은 즐거운 이곳에서 우리 즐겁게 놀고 다른 이야기는 하지 말자고 자르는 게 가장 좋다.

양아치의 수법

이곳에서 양아치라고 불리는 사람의 특성은 자신이 돈은 쓰지 않고 음식이나 술 얻어먹기를 생활화하는 사람들을 지칭한다.

양아치 차성현

차성현은 68세 남자고 대학을 졸업하고 대기업을 다닌 재원이다.

현재는 다가구 주택에서 월세를 받고 자신의 건강보험에서 돈이 나와 궁핍한 편이 아니고 살 만한 남자이다.

그런데도 이 남자는 완전 양아치 짓만 한다. 주로 연상의 70대 중반 실버들만 손을 잡아 준다. 그것도 돈이 있어 보이는 단정한 실버들이다.

실버들은 나이가 어린 연하의 남자들이 손을 잡아 주면 너무 고맙게 생각을 한다. 차성현은 실버들을 자기 제자라고 하면서 몇 명을 관리한다. 그리고는 실버들로부터 술과 음식을 제공받는다. 얼마나 유치한 짓인가?

춤이 맞아서 같이 추는 것도 아니고 가르쳐 준다는 미명 아래 춤을 추고 음식을 제공받고 놀고 있는 짓이 영락없는 제비 짓을 한다.

자신보다 연하의 여자는 잡으려 하지도 않는다. 자기 말대로 잘 움직여 주는 연상의 실버들을 어찌 보면 이용해 먹는 짓이다.

이곳의 남자들은 여자로부터 음식을 얻어먹으면 자랑을 한다. 역시 누나들이 돈을 잘 쓴다며 자신이 춤을 무척 잘 추는 대단한 사람인 것처럼 행복해하면서 자신이 실버를 공략하는 수법이 통하였음을 기쁘게 생각한다.

양아치 김영미

김영미는 50대 중반 여자다.

키는 작은 편이고 인물도 수수하다. 그런데 말을 어찌나 잘하는지 처음 본 사람과도 오래된 사이처럼 친근하게 말을 잘 한다. 특히 남자 어르신들과는 오빠라고 호칭을 하면서 친동생처럼 접근한다. 말을 변호사처럼 잘 한다.

술을 언어먹고 싶으면 자신이 먼저 대접을 할 테니 술 한잔하자고 하여 나이트클럽에 간다. 가서 술과 안주를 실컷 먹고 마시고 결재를 할 시간이 다가오면 "오빠, 내가 카드를 안 가져왔네요. 이번에 오빠가 계산해요. 다음에 내가 살게요." 완전히 뒤통수치는 말을 하고서 헤어진다.

정말이지 일반인은 상상도 할 수 없는 행동을 한다.

일반인은 돈이 없으면 가자고 하지도 않고 자신이 가자고 하였으면 계산은 본인이 알아서 하는 게 일반 상식인데 이곳에 드나드는 양아치의 경우는 나이트클럽에 가고는 싶고 돈은 없고 그러니 일단 유인하여 같이 가고는 계산은 상대에게 뒤집어씌우는 방법을 사용한다.

남자의 경우도 자신이 술을 산다고 하여 음식을 시켜 놓고 화장실에 다녀온다고 하고선 슬그머니 도망가는 남자가 있다. 음식을 먹고서는 계산은 하지 않은 채 도망가는 양아치 경우다.

콜라텍의 명물

콜라텍 3년이면 댄서 입문

3년 전 한 콜라텍에 명물이 있었다.

나이는 70대 초반인 실버로 인물도 없고 옷차림도 아주 시골스러운 실버였다. 춤은 추고 싶은데 춤에 대해 공부한 적이 없어 보였다. 음악과 박자가 따로 놀아 보기만 해도 우스워서 사람들은 춤을 추다 가끔 그 실버를 바라보았다. 거기에 실버는 눈을 깜박이면서 손을 흔들었다.

아무도 그 실버와 춤을 추려 하지 않았다. 실버는 언제나 혼자 무대에 올라가서 박자도 리듬도 전혀 맞지 않는 춤을 추는 게 안쓰러울 정도였다. 남자 실버들도 지나가면서 쳐다보며 피식 웃는 정도의 관심만 보였다. 춤의 기본도 모르는 실버였고 의상도 말 그대로 시골 아주머니 같았다.

식당에 와서는 사람들이 술을 먹는 자리를 빙빙 돌다 인정 있는 사람이 불러 앉히면 술 한 잔 얻어먹고 다니는 그런 실버였다.

그래도 그 실버는 당당한 면이 있었다. 비록 술을 얻어먹는 입장이고 춤을 추지 못하는 입장이지만 기가 죽거나 사람들 눈치 따위는 신경 쓰지 않고 당당하게 다녔다. 무식이 용감하다고 하듯 주변 시선을 의식하지 않았다. 매일 그녀는 스테이지에 올라가 용감하게 춤을 추었다. 다른 실버들은 춤을 추면서 그녀를 바라보았다. 무대에서 춤을 추던 실버는 다른 커플과 춤을 추는 실버들을 바라보며 부러운 표정을 지었다. 그녀도 다른 실버들처럼 파트너도 있고 춤도 같이 추고 싶었을 것이다. 할머니는 다른 사람들의 춤을 부러운 듯 바라보면서 독학을 한 셈이었다.

둘레를 두리번두리번하며 손발의 움직임을 보면서 따라서 했다. 춤이라야 춤 같지도 않게 박자에 맞지도 않는 손발을 움직이는 게 전부였다. 춤을 추는 사람들은 할머니를 바라보며 웃기에 바빴다. 그렇게 세월이 흘러 3년이 지난 지금에는 제법 박자에 맞게 팔을 흔들고 다리를 움직인다. 놀라운 일이다.

'서당 개 3년이면 풍월을 읊는다.'더니 '콜라텍 3년에 댄서가 된다.'고 요즘 속담으로 변형하고 싶다. 할머니가 실례를 보여준 것이다. 그리고 요즘은 할아버지들이 가끔 말을 건네고 손도 잡아주는 관심을 보인다. 할머니는 무척 행복해하는 표정을 지으며 할아버지 품에 안겨 춤을 추는 모습을 보니 여자는 여자였구나 하는 생각이 든다.

여장 남자

스테이지에서 항상 춤만 추는 실버가 있다.

나이는 70대 중반의 아저씨다. 몸매는 날렵하고 날씬하다. 선글라스를 쓰고 핑크빛 여자 옷을 입고 스키니 진 바지에 스커트를 입었다. 반짝거리는 스카프를 목에 걸고 핑크빛 굽이 높은 하이힐 구두를 신었다. 손놀림도 여성스럽다.

볼수록 재미있는 실버다.

실버는 여자 파트너에 관심도 없다.

음악에 맞춰 혼자 춤추기를 좋아한다. 여장 남자인 실버다.

발광하는 여자

항상 술에 취한 모습으로 춤을 추는 여자가 있다.

이 여자는 50대 중반이다. 몸은 아주 날씬하다. 항상 술에 취한 모습으로 춤을 추는데 아주 요염하고 교태를 부리면서 발광 직전의 춤을 춘다.

소리를 '꽥' 지르면서 자신의 감정을 어떻게 표현하지 못하여 몸을 어찌할지 모르고 비틀고 난리다. 양손을 흔들고 소리를 간간히 지르고 발광하는 모습을 보면 웃음이 나와 참을 수가 없다. 남자 파트너도 있는 여자인데 그 모습이 어찌나 우스운지 모른다. 주위 사람들은 자신들 춤에 집중하지 못하고 발광하는 여자에게 시선을 집중한다. 파트너가 있는데 부끄럽지도 않은지 파트너는 이 여자의 춤을 다 받아준다. 보통 사람 같으면 창피하다고 할 텐데 이 파트너는 아무렇지 않게 춤을 춘다. 주변 사람들은 이 여자 춤을 보면서 재미있는 구경거리 구경하듯 즐거워한다.

나는 발레리나

이 할머니 나이는 70대 초반이다.

옷은 비싼 옷은 아니지만 나이에 어울리지 않게 긴치마를 입었는데 드레시한 옷을 입으려 노력한 듯하였다. 레이스가 많은 치마에 빨간색의 조그만 백을 크로스로 메고 머리핀은 손녀가 하면 좋을 듯한 빨간색 핀을 꽂고 음악이 나오면 발레 하는 동작을 하면서 다리를 번쩍 올리고 손을 하늘로 쭉 뻗는다.

키가 할머니치고는 큰 편으로 165cm는 되어 보이고 몸매도 뚱뚱한 편이다. 보고 있으면 정말 웃겨 웃음이 나온다. 음악에 취해서 저런 동작을 하는 것 같아 보통 실버들과 다른 행동이 그저 우스울 뿐이었다. 춤도 날씬한 실버들이 추어야 어울리지 뚱뚱한 몸매로 춤을 추니 우습기만 하다. 나이는 숫자에 불과하다는 말이 의미심장하다. 몸은 실버지만 마음은 소녀 같은 실버들이 요즘 대세다.

나는 가수다

밴드 앞에서 춤을 추고 노래를 하는 할머니가 있다.

70대 초반 할머니로 옷차림도 제법 세련되고 몸매도 그런데로 비만하지 않고 보기 좋았다.

어느 날 이 할머니는 건반 연주자 앞에 서서 무용수가 되었다. 선글라스를 착용하고 귀금속 액세서리를 많이 걸치고 밴드 앞에서 노래를 부르고 춤을 춘다. 나이에 비해 춤도 제법 잘 춘다. 흥분되면 소리를 고래고래 지르면서 무용수가 된 듯 가수가 된 듯 밴드 앞에서 춤추고 노래를 한다. 춤추는 손놀림이 젊은 시절 무용을 한 실버같이 유연하다. 주변 사람들이 웃으면서 구경을 한다.

할머니가 다른 사람 의식하지 않고 자기 하고 싶은 대로 하는 모습을 보면 정말 콜라텍에서나 가능한 일이다. 이렇게 비정상적으로 놀아도 아무도 이상한 사람 취급도 하지 않고 있는 그대로 그냥 봐준다.

파트너와 놀 생각도 하지 않고 그냥 자기 혼자 노래 부르고 춤추면서 혼자 즐긴다. 용감한 실버다.

춤에 눈뜨다

시골스러운 할머니와 할아버지 커플이 있었다.

나이는 70대 후반이었고 할머니는 귀여운 소녀처럼 머리핀을 하고 화장을 어울리지 않게 화려하게 하였다. 할아버지는 꽃무늬 남방을 입었는데 항상 옷차림이 같았다. 이 커플은 춤에 대하여는 전혀 문외한이었다.

발걸음을 한 발짝도 떼지 못하는 거로 보아 춤을 추지는 못하지만 춤은 추고 싶어 온 것 같았다. 박자가 무엇인지 리듬이 무엇인지도 모르는 상태에서 음악이 나오면 그냥 박자에 맞지도 않게 흔들고 있었다.

늘 같은 자리에서 이 커플은 음악과 춤을 무시한 채 즐기더니 시간이 지난 요즘 얼마나 춤이 늘었는지 춤을 잘 춘다. 우선 리듬을 타면서 춤을 추고 있었다. 정말 환경이 이렇게 중요하구나. 주변 사람들 춤을 보면서 음악을 들으면서 독학을 한 것이었다.

'맹모삼천지교(孟母三遷之敎)'라고 하듯 정말 주변 환경이 영향을 그렇게 미친 것이었다. 어린이들 교육도 주변 환경이 좋은 곳에서 교육하면 놀라운 발전을 하게 된다는 것을 다시 한 번 느끼게 되고 나는 몸치라 춤을 못 춘다고 생각하는 춤 예비 후보자들도 실망하지 말고 열심히 배우면 잘할 수 있다는 교훈을 주는 커플이다.

콜라텍을 찾는 이유 1
주체할 수 없는 끼 발산 위해

춤에 대한 열정과 끼를 주체할 수 없어서 찾는 경우이다.

그저 춤이 좋아서 오는 경우의 사람들은 자세가 다르다. 우선 춤에 집중하기에 자세가 반듯하다. 음악을 듣고 음악에 빠져든다. 박자와 리듬을 잘 타서 춤이 예쁘다. 생음악의 리듬과 가사에 올인을 하여 음악에 자신의 감정을 이입하기에 춤이 예쁘고 표정이 진지하다.

헤프게 웃거나 사방을 두리번거리지 않는다. 껌도 씹지 않는다. 아주 반듯한 자세로 일일 파트너에 집착하지 않는다.

부킹이 해주는 상대의 나이나 외모에 별로 신경을 쓰지 않는다. 이유는 파트너를 만나러 온 게 아니기 때문이다. 다행히 그날 외모도 준수하고 춤이 맞으면 그날 운세가 좋았다고 운세로 돌린다. 그리고 춤을 춘 후 상대가 뒤풀이를 원하면 간단히 응한다.

춤이 맞아 즐겁게 춤을 추면 음료수 정도 마시고 헤어진다. 술을 마시거나 밖에 나가 2차를 하지 않는다. 그리고 전화번호를 주고받지 않는다. 즉 내일을 기약하지 않는다. 오늘은 오늘로 마무리한다. 만약 인연이라면 다음에 또 만날 수 있다고 여유를 둔다. 춤이 좋아 오는 사람은 춤을 건전하게 추기에 과한 스킨십을 하지 않는다.

이영석과 박인희

이영석은 젊은 시절 단란주점에 갔다가 주인이 춤을 춰 보자고 하여 춤을 추었다가 우연히 춤을 배우게 되어 춤을 춘다.

학원에서 기본만 마스터하고 기술을 익히려고 시간당 2만 원을 주고 레슨을 많이 받아서 춤 기술이 좋다. 춤을 잘 추다 보니 어지간한 파트너와는 춤이 맞지 않아 재미가 없던 차에 5살 연상의 춤 선생을 하던 박인희를 알게 되어 파트너가 되었다.

박인희 특기가 2. 4. 6 춤인데 박인희가 이영석에게 가르쳐 주다가 이영석이 외모는 별로이지만 순수함에 정이 들어서 파트너가 되었다. 좋아서 파트너가 된 경우이다. 두 사람은 춤을 추면 한 쌍의 새 같이 가볍게 아주 예쁘게 잘 춘다.

5살 연상의 박인희는 쌍둥이 외손녀를 키워주고 시간만 되면 콜라텍에 와서 파트너 이영석과 둘이 만나 땀범벅이 되도록 춤을 추고 귀가한다. 두 사람은 다른 사람과는 절대 춤을 추지 않고 둘이만 춘다.

둘이 춤이 너무 잘 맞아서 다른 사람과는 흥미가 없어 스트레스만 받아서 못 춘다고 한다. 커플 춤에 익숙해지면 다른 사람과는 재미가 없어서 못 춘다.

커플 춤은 다음 동작에 어떤 춤을 추게 될지를 이미 익혀 온 터라 눈 감고도 아무 생각 없이도 자연스레 춤이 이어지기 때문이다.

조찬우와 김정미

춤이 좋아 만나는 커플이다.

조찬우는 교육계에서 정년퇴직한 실버로 나이가 68세이다. 김정미는 50대 후반으로 두 사람 역시 건전하게 춤을 추기 위하여 만나는 커플이다. 항상 건전하게 반듯한 자세로 춤을 춘다.

조찬우는 의젓한 몸가짐으로 파트너인 김정미를 아주 사랑하는 눈빛으로 바라보며 한눈팔지 않고 춘다. 김정미는 애교를 부리면서 조찬우에게 사랑의 눈빛을 발사한다. 두 사람의 춤이 아주 보기 좋다. 파트너인데도 스킨십을 진하게 하거나 몸을 밀착하지 않고 일정한 간격을 유지하고 정석대로 춤을 추기에 보기에도 점잖고 참 아름답다.

춤을 춘 후 두 사람은 둘이서만 식사나 술을 하지 절대 다른 사람과는 동석하지 않는다. 오직 두 사람만 마신다. 둘이 콜라텍을 오는 이유는 사랑하는 사람과 춤을 추기 위하여 온 것이 분명하다는 것을 주위에 공표하는 것같이 보인다. 춤에 몰입하여 점잖게 추는 모습이 아름답고 보기 좋다.

신재철과 김미순

신재철은 69세의 남자로 운동을 많이 한 덕분에 몸이 날렵하다. 김미순은 68세로 항상 댄스복을 입고 춘다. 이곳에서는 댄스복을 입고 추는 사람은 별로 없다. 대부분 평상복을 입고 추는데 김미순은 항상 댄스 치마를 입는다.

춤도 비교적 잘 춘다. 두 사람은 파트너로 춤을 아주 잘 추는 편이다. 신재철은 동작이 무척 빠르다. 그리고 여자 주변을 정신없이 돌고 돈다. 오른손을 주먹을 쥐고 내리치면서 여자를 돌게 한다. 그 모습이 너무나 우습다. 구경하는 사람들이 우스워서 바라봐도 남자와 여자는 신경을 쓰지 않는다. 대수롭지 않은 몸짓이라고 생각하는 듯하다.

이 커플은 절대 음식을 먹지 않는다. 식당이나 매점에 절대 들어가지 않고 춤을 마치면 나간다.

무슨 재미로 춤을 출까 싶다. 음식을 먹지 않으면 무슨 재미로 춤을 추는지 이해가 가지 않는다. 열심히 춤을 추고 휴식할 겸 술 한잔하면서 담소를 나누면 즐거움이 배가 되는데 이 커플은 오로지 운동, 즉 춤에만 전념을 하는 모습이다.

콜라텍을 찾는 이유 2
이성 친구를 찾아서

파트너를 찾기 위하여 콜라텍에 오는 사람들은 눈빛과 의상이 다르다.

학생으로 말하면 약간 불량기가 엿보인다고나 할까? 모범학생 같은 분위기는 나지 않는다. 부킹이 파트너를 해주면 탐색에 시간이 걸린다. 외모와 경제력에 신경을 쓴다. 옷차림, 키, 인물을 보는 탓에 마음에 들지 않으면 거절을 하고 춤을 추지 않는다.

이성 친구를 원하는 사람들의 특성은 남자도 마찬가지로 여자가 경제력이 있어 보여야 춘다. 남자의 경우는 1순위가 경제력이다. 외모나 경제력에 중점을 두어 춤을 추기에 자신의 취향에 맞지 않는 사람을 부킹 해주면 단호하게 거절을 하지 상대를 생각하여 예의상 춤을 추지 않는다.

그러나 이곳은 괜찮다고 생각하는 사람들은 이미 파트너가 있는 경우가 많다. 가만히 놔둘 이유가 없기 때문이다. 일일 파트너를 할 때 예민한 사람들은 상대가 수준급인지 알아채고, 괜찮다 싶으면 2차를 가자고 제안한다. 술 한잔하자고 권한다. 열심히 운동한 후 술이나 한잔하자고. 음료수나 하자고 권하는 사람은 그래도 매너가 있는 사람이다. 실컷 운동하고 범벅이 되게 땀을 흘리고서도 음료수 한잔 먹자고 하지 않는 사람을 여자들은 서운하게 생각한다. 정말 돈이 없어서 상대에게 음료수 한잔 사 줄 형편이 안 되나? 예전에는 술 인심이 좋아서 춤추고 나면 술 한잔하자고 하는 게 인사였는데 요즘은 술 마시자고 하는 경우도 드물다.

춤춘 상대가 마음에 드는 경우 음료수 한잔하자고 하는 것보다 진도를 나가고 싶으면 술 한잔하자고 해야 쉽게 친해질 수 있다. 술을 마시면서 이런저런 이야기를 하며 자신의 마음을 열고 상대의 마음도 열게 하여 상대를 탐색한다.

상대가 자신을 소개하는 내용이 그럴싸하더라도 한 번에 상대에 대한 마음의 결정을 내리면 안 된다. 왜냐하면, 이곳의 특성이 진실보다는 자신이 되고 싶어 하는 일종의 희망 사항을 진실처럼 이야기하는 경우가 많기 때문이다. 허위라고도 할 수 있는 이야기가 많기에 검증의 시간을 가져야 한다.

상대가 마음에 들어 애타는 것 같으면 느긋하게 밀당을 하여야 한다. 그리고 웬만하면 콜라텍을 벗어나지 않고 콜라텍 식당에서 만나는 게 좋다. 밖으로 나가면 마음의 빗장이 열릴 수 있기 때문이다. 춤을 추러 왔으니 춤 공간에서 춤을 추고 끝낸다는 자세로 다녀야 문제가 발생하지 않는다.

콜라텍을 찾는 이유 3
비즈니스를 위해

비즈니스 차원에서 찾는 사람들이 많다.

여자의 경우는 보험회사, 건강식품, 기획부동산 등이 많고 남자의 경우는 건강에 좋다는 기 팔찌, 수지침, 몸 교정하는 일, 다이아몬드 원석 판매, 여자 기능성 화장품, 관광 사업을 위하여 판매하러 오는 사람들이 많다.

이 사람들의 특징은 상대를 선택할 때 경제력이 있어 보이는 사람을 선택한다. 거기에 활발하게 생긴 사람은 더 선호한다. 왜냐하면, 주변 사람을 동원할 능력을 지녔다고 보이기에 그렇다.

콜라텍에서 지나치게 친절하게 접근해 오는 사람은 일단 경계해야 한다. 이 세상에는 공짜가 없다고 하듯 아무 이유 없이 친절할 이유가 없기에 그렇다. 무언가 부탁을 하려고 하는 사람들의 수법이 지나친 친절이라고 생각하면 된다.

비즈니스를 위하여 오는 사람들의 특징은 춤을 비교적 잘 춘다. 그리고 인상이 밝다. 호의적인 인상으로 다가온다. 그래야 상대들이 호감을 느끼기에 일단 춤 기본기와 단정함을 갖추고 먹잇감을 향해 접근한다. 일종의 영업 활동을 하러 콜라텍에 온 것이다. 그들이 노리는 고객은 순진해 보이면서 경제력이 있어 보이는 대상이 인기 1순위다. 왠지 까칠해 보이는 사람은 접근을 피한다. 자신의 말을 잘 들어줄 것 같은 마음씨 좋은 사람을 선택하여 공략한다. 춤을 추고 나서는 항상 음료수 한잔하자고 2차를 주문한다. 그리고 상대가 묻지도 않는 데 자신이 하는 일을 소개한다. 자신의 이야기를 들어주면 거머리처럼 쫙 들러붙는다. 그리고 다음에도 같이 춤추자고 전화번호를 얻어낸다. 콜라텍에서는 아주 친한 사람 말고는 절대 본명을 이야기하지 않는 게 좋다.

식사를 대접하고 싶다고 매달리는 경우도 있고 자신의 사무실에 한번 꼭 모시고 싶다는 경우도 있는데 주로 기획부동산을 하는 사람의 수법이다. 이유 없이 물질 제공을 하고 싶어 하는 사람은 일단 경계를 하는 게 좋다.

거절은 냉정하게 해야 한다. 우리 즐겁게 만나서 춤이나 추지 돈 이야기는 하지 말자고 냉정하게 이야기하는 게 좋다.

콜라텍을 찾는 이유 4

술을 찾아

술이 좋아 오는 사람들의 특징은 춤을 추기 위하여 그렇게 애쓰지 않는다.

부킹이 파트너로 괜찮은 상대를 해주면 춤을 추고 마음에 들지 않으면 춤은 추지 않고 술을 마신다. 이곳에서는 같이 어울리는 사람들이 있는데 대부분 더치페이로 계산한다. 자기와 코드가 맞는 팀과 더치페이로 계산하면서 술을 마신다.

술 없이 못 살아 최지성

최지성은 춤보다 술이 좋아서 콜라텍에 오는 일이 더 많다.

오면 절대 혼자 마시지 않는다. 친한 주변 사람들과 어울려 매일 술을 마시는데 참 건강하다는 생각이 든다. 그렇게 독한 소주를 매일 평균 각 1병 이상을 마시니 내장이 얼마나 부담스러울까? 본인은 지금까지 마신 술을 트럭으로 실으면 10 트럭도 넘을 것이라고 한다.

그런데도 건강한 이유는 매일 헬스클럽에서 운동하기 때문이다. 러닝머신을 하루 40분 이상 뛰고 열심히 운동하기에 살아있다고 이야기한다.

　최지성은 과거 연예사업을 하던 사람이다. 30년 넘게 연예기획 사업을 한 탓에 콜라텍 음악을 들으며 평가를 잘 한다. 비트가 너무 강하다. 리듬을 지켜야 하는데 쭉 이어서 건반을 친다, 연주자 실력이 부족하다, 가수가 호흡이 짧다 등 전문적인 평가를 한다.

　그의 눈에는 과거 우리나라 스타 가수가 기준이 되기에 콜라텍의 건반 연주자는 수준이 낮을 수밖에 없을 것이다.

　술도 역시 멋지게 마신다. 술병에 술이 떨어지면 술병을 아주 섹시하게 돌려서 술을 빼낸다. 한 방울 두 방울 나오는 술에 의미를 부여하면서 술자리를 즐겁게 만드는 분위기 메이커 소질이 있는 사람이다.

　술자리가 즐거우면 2차 노래방에 가서 여흥을 즐긴다. 최지성은 노래를 아주 잘한다. 가수 뺨치게 잘 한다. 바이브레이션을 넣어 고음도 간드러지게 잘한다. 애창곡은 운명, 전선야곡 등 레퍼토리도 다양하다.

　자신이 가장 대단하다는 자부심이 하늘을 찌른다.

콜라텍을 찾는 이유 5
병 치료를 위해

병을 치료하기 위하여 오는 사람이 많다.

중풍으로 절뚝거리는 사람, 심장판막증으로 호흡이 곤란한 사람, 우울증이 심한 사람, 불면으로 잠을 이루지 못하는 사람 등 다양한 환자들이 온다.

드라이버 박

54세 드라이버 박이라는 예명을 가진 남자가 있다.

신길동에 살고 하는 일은 개인택시업을 한다. 외모도 잘 생기고 성격도 시원시원한 게 매너 있는 남자다. 사람들과도 잘 어울리고 돈도 잘 쓸 뿐 아니라 노래도 잘하는 잡기에 능한 남자다. 그리고 가장 중요한 것은 춤을 아주 잘 춘다. 일자 춤, 2, 4, 6 모든 춤을 프로 수준급으로 춘다. 그러니까 드라이버 박은 이 세계 여자들이 좋아하는 3개의 조건을 모두 갖추었다. 춤 잘 추지 돈 잘 쓰지 매너 좋지 여자들은 드라이버 박과 춤을 추면 비타민 주사를 맞은 것처럼 상쾌하다고 칭찬을 한다.

그러나 지금의 드라이버 박을 있게 해 준 것은 춤이었다. 드라이버 박이 20년 전, 우울증에 걸려 세상과 이별하고 싶었단다. 그때도 개인택시업을 하고 있었는데 이상하게 사는 게 재미가 없고 죽고 싶고 아무튼 이유도 없이 세상 살기가 싫어 신길동 단골 이발소에 가서 이발소 사장에게 "형님, 나는 요즈음 왜 그렇게 사는 재미가 없는지 죽고 싶어요. 왜 그런지 모르겠어요." 하자 이발소 사장이 그럼 춤을 배워보라고 하여 그때 춤을 배워 이렇게 건강하게 즐겁게 살아가고 있다는 이야기를 하였다. 그 당시는 우울증이 심하여 자살 생각을 많이 하였는데 춤이 자신을 구해준 은인이라고 한다.

심장 판막증 심지선

심지선은 80세 실버로 심장병 확정을 받고 의사에게 춤을 권유 받았다.

심장 판막증으로 오래 살지 못하니 마음대로 하고 싶은 것을 하라고 선고를 받은 심 여사가 찾은 곳이 콜라텍이었는데 매일 열심히 한 결과 8년이 지난 지금엔 완전히 나았다.

거기에 12세 연하의 젊은 남자 애인까지 두고 운동을 하니 젊어지고 병이 완치될 수밖에 없다.

중풍걸린 아저씨

운동을 열심히 하여 완전히 건강을 찾은 사람도 많다.

대표적으로 완치된 아저씨가 있는데 나이는 70대 초반으로 보였다. 처음 콜라텍에 올 때는 절뚝거리며 얼굴이 땀으로 범벅될 정도로 중증 환자였는데 그 다리를 끌고 아주 열심히 춤을 추더니 점점 호전되어 지금은 아주 정상에 가까울 정도로 나았다.

몸이 불편하여 춤을 추어주는 파트너가 없자 돈을 주고 사서 운동을 열심히 하더니 결국 건강을 찾았다. 콜라텍에서 건강해지는 사람을 많이 보게 된다. 어떤 부부는 아내가 중풍으로 잘 걷지 못하자 남편이 같이 와서 파트너를 해 주어 낫는 것을 보았다.

누나의 파트너가 되어 주는 동생

더 감동적인 것은 동생이 큰 누나가 아프자 데리고 나와서 파트너가 되어주는 우애 있는 남매였다.

동생은 40대 후반이고 큰 누나는 80인데 큰 누나를 데리고 와서 춤을 추고 있었다. 큰 누나가 우울증이 와서 동생이 기분 전환 차 누나에게 즐거운 음악 소리를 듣고 춤을 추게 하려고 데리고 와서 춤추는 것이다.

요즘 내가 치매 센터에서 실습하면서 보고 느낀 것은 치매 환자에게 가장 좋은 치료가 즐거운 음악과 춤이라는 것이다. 이렇게 음악과 춤이 병을 치료하는 데 가장 좋은 명약이고 실버들은 콜라텍에서 건강한 삶을 살게 되는 것이다.

엄마의 파트너가 되어 준 아들

홀로 된 엄마가 고생 고생하여 아들 하나를 잘 키웠다.

아들이 제 본업으로 성공하고 보니 엄마가 가여워 엄마 인생을 살라고 충언을 하였다. 젊은 시절은 돈이 없어 고생하였으나 이제는 돈도 있으니 엄마 애인도 만들고 즐거운 노년을 보내라고 춤도 추게 하였다.

하지만 젊은 시절 고생을 많이 한 탓인지 돈이 많은 현재에도 엄마의 모습은 빈티가 나고 젊은 시절 고생한 주름이 나이테가 되어 볼품없는 자신이 슬펐다. 나이도 들고 외모도 떨어지고 춤을 추러 콜라텍에 와도 누구 한 사람 손을 잡아주려 하지 않아 우울하기만 하였다. 술을 살 돈도 있었지만, 상대가 없어 고민하는 것을 본 아들이 춤을 배워 엄마의 파트너가 되었다.

그러자 나이 든 실버가 젊고 잘 생긴 남자와 파트너가 되어 춤추는 것을 사람들이 보게 되고, 할머니가 대단한 실버인가 하는 의구심을 가지며 졸지에 할머니는 콜라텍에서 인기 있는 할머니가 되었다.

아들이 엄마를 멋지게 보이도록 만든 일화이다.

이 이야기를 들었을 때 효자 아들이 참 훌륭하다는 생각이 들었다.

허무한 삶 때문에

남편과 아내와 이별하고 혼자되어 노년이 외롭고 허전하여 좋은 상대를 만나고 싶어 오는 사람도 많다.

이곳에서 파트너를 만나 즐겁게 데이트를 하고 사랑을 하며 여생을 즐겁고 행복하게 보내는 사람도 많다. 예전 같으면 손주나 보면서 놀아 줄 할머니 할아버지가 매일 등교하듯이 말끔히 차려입고 콜라텍에서 애정 표현을 하면서 즐기는 모습이 처음에는 이상하고 이해가 되지 않았는데 보면 볼수록 아주 현명한 삶을 살고 있다는 것을 알 수 있었다.

과거 자식이 전부라고 생각하던 시대는 지나갔다. 내가 삶의 중심에서 가장 중요한 위치를 차지하고 있기에 요즘 실버들은 자신에게 투자한다. 자신을 돌볼 줄 아는 사람들, 내가 가장 중요한 주체라는 것을 알고 자신의 삶을 행복하게 만들기 위하여 노력하는 사람들이라는 생각에 나도 이다음에 저렇게 파트너와 춤을 추면서 즐길 수 있을 거라는 희망을 품게 된다.

나의 미래 모습인 할머니 할아버지 실버의 삶을 보면서 삶의 형태가 가족이 아닌 나 위주로 많이 변했음을 알 수 있다.

명영순과 안흥석

명영순은 나이가 63세로 미망인이다.

남편과 함께 군대에서 근무하다 명영순이 남편에게 프러포즈 하여 결혼하였다고 한다.

남편과 사별을 하고 콜라텍에 드나들면서 춤을 추는데 63세 이지만 비교적 젊은 편이어서 남자들과 술을 마시며 매일 이 남 자 저 남자와 춤을 추며 즐겁게 시간을 보냈다.

괜찮은 남자 친구를 만들고 싶어 애를 태우던 차 이혼남 안흥 식을 소개받아 파트너가 되었다. 안흥식은 건설회사에 다니는 데 기술직으로 철근을 담당한다. 나이는 서너 살 연하이고 춤을 아주 잘 춘다.

명영순은 첫 만남에서 바로 모텔로 간 경우이다.

명영순과 안흥석은 싱글이다 보니 자식들도 다 알고 상대 집 에 드나들면서 자고 다닌다.

둘은 기질이 잘 맞는지 사이가 좋다. 명영순이 파트너가 없을 때는 이 콜라텍 저 콜라텍 돌아다니면서 이 남자 저 남자에게 술이나 얻어먹더니, 파트너가 생기고 나서는 안정된 자세로 아 주 조신하게 안흥식에게 순종하는 여자로 변하였다.

역시 여자를 안정시키는 힘은 남자의 사랑임을 느끼게 해 준 다. 명영순이 여자로 변하는 모습을 보면서 참사랑의 힘이 위대 함을 느끼게 되었다.

콜라텍을 찾는 이유 7
힘든 삶에서 탈피하려

현재 자신의 상황이 힘이 들어 잊기 위하여 오는 사람이 많다.

콜라텍의 기능이 마약과 같은 기능도 하기에 이곳을 찾으면 잊고 살 수 있기 때문이다.

이순보 실버는 젊은 시절엔 공무원으로 정년퇴직을 한 후 이곳에 매일 출근한다. 춤은 젊은 시절에 배웠는데 큰아들이 이혼 후 며느리에게 손주 양육권을 빼앗기고 방황하는 상태다.

손주가 보고 싶어 콜라텍에서 위안을 찾는 이순보 실버는 이곳이 없었으면 자신은 잘못되었을지도 모른다고 한다. 누구에게도 하소연할 수 없는 답답함을 콜라텍에 와서 심신의 위안으로 삼고 살아간다.

서병직은 구청 보건소 기능직인데 사업으로 재산을 탕진하고 구청에서 노조 갈등으로 피소되어 경제적 어려움과 정신적 어려움을 이곳에서 달래며 힘들게 견디어 퇴직하지 않고 잘 마무리해 정년퇴직한 경우다.

국회의 보일러 담당 기능직 김병서도 유치원을 하는 아내와 이혼 후 혼자 싱글남으로 살면서 외로움과 허전함을 이기기 위하여 매일 콜라텍에서 운동하면서 살아가는 경우다. 아내와 자식한테 버림을 받고 혼자 살면서 힘든 상황을 견디어 내고 있다.

이경옥 실버는 72세로 남편과 갑자기 사별 후 너무 힘이 들어 외로움을 달래기 위하여 온다. 젊은 시절에 춤을 배워 놓기를 아주 잘하였다고 노인 보험을 들은 셈이라고 하면서 콜라텍에 매일 출근한다. 남자 파트너도 사귀어 행복한 노년을 보내고 있다.

내 경우도 주식으로 돈을 잃고 불면증으로 힘들 때 이곳에 와서 정신건강을 찾았다. 콜라텍에 와서 보니 정말 신천지 같은 새로운 세상에 놀랐고 힐링이 되는 콜라텍을 왜 몰랐었나 아쉬웠던 곳이었다.

나는 콜라텍을 알고 얼마나 정신건강에 도움을 받았는지 모른다. 모든 걱정 근심을 날려버리고 새 힘을 얻을 수 있는 곳이기에 천국과 같았다.

4장

춤 이야기

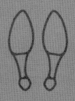

즐거운 음악을 들으며 춤을 추니 엔도르핀이
나와 표정은 밝고 환해진다. 그러니 언제나 웃
는 얼굴을 유지하고 행복해 하는 표정으로 변
하여 인상이 좋다는 이야기도 듣는다.

춤의 좋은 점

첫째, 음악과 함께하니 신체 운동뿐 아니라 정신 힐링이 되어 나이가 들어 생기는 우울증이나 불면증 등 정신 질환이 치유되어 좋다.

둘째, 나이가 들면 사람들과 어울릴 기회가 없고 혼자 있기를 좋아하는 데 춤을 추면서 많은 사람과 소통을 하고 관계를 통하여 친밀감과 소속감이 생겨서 외롭지 않아 좋다.

셋째, 나이가 들면 자동으로 정적인 것을 좋아하는데 춤을 통하여 신체 표현활동이 활발하게 되어 신체 협응력이나 민첩성 순발력이 좋아져서 더없이 좋다.

넷째, 경제적인 운동이다 보니 아주 저렴한 비용으로 춤을 출 수 있어서 나이 든 사람들에게 더없이 좋다.

다섯째, 수명이 가장 긴 운동이다. 나이가 들어도 걸을 수만 있으면 할 수 있는 운동이다 보니 가장 늦은 나이까지 운동이 가능하다.

춤과 노래는 마력이 있는 스포츠라는 사실을 알았기에 모든 실버들에게 홍보하여 춤과 노래를 가까이하라고 안내하는 것이다. 춤과 노래를 할 수 있다는 것은 부끄러워할 일이 아니라 당당하게 드러내놓고 자신 있게 할 수 있는 '운동'이다. 특히 노년기의 실버들에게는 아주 특별한 보약이라고 추천한다. 아니 노후보험에 가입하는 것이라고 추천한다. 실버 중 일부는 몸치라고 자신은 전혀 춤과 거리가 멀다고 하는 경우도 있는데 다른 사람보다 시간이 조금 더 걸릴 뿐이지 아무 지장이 없다고 자신감을 넣어준다.

노년을 행복하게 보내려면 춤을 배워 추라고 권유한다. 고정적이고 편협한 사고에서 벗어나 모두가 춤을 배우고 춤을 추어 건강하고 행복한 노년 생활을 보내라고 권유하고 있다.

춤을 추면 음악이 있어서 엔도르핀이 나와 젊어지고 상대가 있어서 즐겁게 소통하고 친밀감을 느끼게 되어 외롭지 않다. 그리고 무엇보다도 경제적인 운동이어서 부담이 가지 않아 노년기에 가장 적합한 운동이니 춤으로 노후보험을 들으라고 한다. 춤을 추게 되면 노후 생활은 준비가 끝난 것이나 마찬가지다.

만나는 사람마다 춤을 배우라고 춤의 좋은 점에 대하여 피력한다. 춤을 추는 사람들 표정은 엔도르핀이 나와 행복감에 젖은 모습이 실버 같지 않고 젊게 보인다. 나이가 들면 웃을 일이 없어진다. 그러나 음악을 들으며 박자와 리듬을 타면서 춤을 추면 더없이 행복해 진다.

치매예방 치료에 최고

치매 어르신 봉사를 다니면서 느낀 점은 절대 치매에 걸리지 않아야 한다는 것과 걸리지 않도록 노력해야겠다는 것이다.

치매에 걸리면 그 가정은 피폐해져 환자 한 사람으로 인하여 가정이 파멸에 이르는 것이다. 정말 치매는 가정 차원이 아니라 국가 차원에서 책임져야 할 질병이라는 것도 깨달았다.

그런데 치매 센터에 다니면서 알게 된 것은 치매 예방과 치료에 가장 좋은 약은 노래와 춤이라는 사실을 확인한 것이다.

치매 환자들이 가장 좋아하며 기억력을 살려 노래와 춤을 추는 모습에서 노래와 춤이 어떻게 치매환자들을 정상적인 순간으로 돌려놓을 수 있는지 의문이 가고 참 이해가 되지 않아 연구 대상이라는 것을 실감하였다.

데이케어에서 실습을

나는 퇴직 후 진로에 대비하여 사회복지사 자격증을 취득하려고 공부를 하였다. 사람들은 사회복지사 자격증의 좋은 점은 알지만, 사회복지사 자격 취득의 어려움이 이론보다도 실습이 힘들어 사회복지사에 도전하기를 꺼려한다. 나 역시 실습이 이렇게 어려울 줄 알았으면 미리 도전을 포기하였을 것이다.

그러나 겁 없이 나도 할 수 있겠지 하는 기대감으로 도전하여 자격증을 취득하기에 이르렀다.

나는 실습을 치매 어르신 돌봄 기관인 데이케어에서 120시간 실습하였다. 토요일과 공휴일에 실습하였는데 치매 어르신 29명이 등교를 하였다. 데이케어는 마치 학교 개념으로 생각하면 좋다. 어르신의 증세는 경증, 중증으로 나누어 증세에 따라 다른 방에서 케어 하였다.

지적으로 중증인 어른 중 움직임에는 이상이 없는 경우가 있고, 지적으로 경증인데 신체적으로 중증인 어른이 있고, 신체와 지적으로 둘 다 중증인 경우로 구분이 되었다. 치매 어르신을 보면서 치매만큼은 걸리지 않고 이 세상을 하직해야 하는 병이라는 것을 느꼈다.

치매의 증세는 나이와 상관이 없었다. 내가 실습한 데이케어에도 60대 중반 여자 실버가 있었다. 음식점을 경영했는데 충격을 받은 후 치매에 걸려 실어증이 되어 아무 말도 못 하였다.

색소폰 노래교실은 치매 전 회귀

'치매 전 회귀'는 치매 환자가 되기 전의 상태에 가까운 행동을 하는 놀라운 일인데 그것은 색소폰 자원봉사자 시간에 가장 많았다.

75세 실버는 주 1회 색소폰 자원봉사를 나왔다. 반짝이는 화려한 의상을 입고 모자도 광대 모자를 쓰고 색소폰 노래교실을 진행하기 위하여 왔다.

치매 어르신들이 가장 좋아하고 기대하는 시간이었다. 색소폰 노래교실 시간은 어르신들이 치매 걸리기 전 상태로 회귀시켜 놓는 신비한 시간이었다.

역시 노래와 춤만이 할 수 있는 역할이었다.

나○○ 실버는 92세 여자로 체구는 아주 작아 43킬로 정도의 왜소하고 표정은 화가 난 듯 아무 말도 안 하고 입만 벌리고 있는 실버다. 무슨 말인지 도저히 알아들을 수 없이 혼자 중얼거리는 증세다. 손에는 항상 손수건을 붙잡고 만지작만지작 중얼거리며 알아듣지 못할 이야기를 하였다. 손수건으로 빨래하는 흉내를 내기도 하였다. 의자에서 일어나려면 부축해서 걸어야 하는데 일으키려면 어디서 힘이 나오는지 큰 바윗덩어리 움직이는 것처럼 힘들었다.

그런데 색소폰 노래교실 시간에는 자신이 일어나려고 엉덩이를 들어주어 큰 힘이 들지 않았다. 그리고 손을 붙잡고 춤을 추면 너무 즐겁고 행복한 웃음을 지으며 음악에 맞추어 손을 흔들고 다리를 흔드는 모습을 보였다. 음악을 들으면 즐거웠던 감성이 떠오르고 노래와 춤을 잘하던 자신감이 돌아오는 것 같았다. 참 놀라운 일이었다.

김OO 실버는 76세 남자로 과거 철도청에 근무하던 엘리트다. 항상 웃는 얼굴로 대화는 어느 정도 되는데 수(數) 인지 능력과 기억력이 전혀 되지 않는 상태다. 특히 오토바이 사고로 척추를 다쳐서 일어서기가 힘이 든다. 언어도 구사하지 못하지만, 항상 웃는 얼굴로 보아 과거 편안하게 살아온 듯 보였다.

1주일 전 내가 율동을 해 주었는데 1주일 후에 나를 기억하고 알아보며 인사를 하였다. 그리고는 내가 신체도 좋고 최고라며 엄지 척을 해 주었다.

색소폰 노래가 나오자 춤추고 싶어 안절부절못하여 내가 일으키려 하자 요양보호사가 이 어른은 반듯이 서 있지 못하니 일으켜 세우지 말라고 하였다. 그러자 이 어른이 잘할 수 있다면서 일어나고 싶어 하였다. 내가 춤을 추자고 하니 내 손을 잡고 일어나려 하기에 일으켜 세우니 발걸음을 떼어 앞으로 나오더니 춤을 추기 시작하였다.

완전히 구부러진 허리에 걷지도 못하는 몸을 가지고 돌기 시작하였다. 나를 돌리기도 하였다. 걷지도 못하면서 음악에 맞추어 몸을 흔들기 시작하는데 이 어른은 젊은 시절에 춤을 잘 추었다고 하였다. 일반적인 상식으로는 도저히 이해가 가지 않는 상황을 보면서 노래와 춤이 이렇게 움직이지 못하는 치매 환자를 즐겁게 만드는구나! 라고 생각을 했다.

김OO 실버는 얼굴색이 환하게 피더니 웃음이 떠나지 않았다. 너무 즐겁고 행복해하는 얼굴이 마치 정상인 같았다. 지금 이

순간에 과거 춤추던 시간으로 되돌아가 과거 상황에 있는 것이다. 일어나지도 못하는 어른이 어떻게 음악 소리에 벌떡 일어나는지 이해가 되지 않았다.

나를 더욱 놀라게 한 일은 64세의 차OO 여자 실버로 이 기관에서 가장 신체적으로 건강하였다. 손톱은 빨갛게 매니큐어를 바르고 손뼉 치기를 아주 힘차게 잘하고 루주도 가지고 다니면서 입술에 바른다. 이 순간 누가 그 실버를 치매 환자로 보겠는가? 여자이고 싶어서 루주를 바르고 화장을 하는 그 실버는 과거 돈가스집을 운영하던 사장으로 충격적인 사고를 당한 후 말을 하지 못하는 실어증에 걸린 치매 환자다.

앞에 나와서 손뼉치기를 좋아하고 미술 색칠을 색감 있게 아주 잘 하였다. 색칠할 때는 집중도가 아주 좋고 색감도 세련되게 정상인처럼 하였다. 의사 표현은 하나도 하지 못하였고 겨우 "흐" 소리 내어 웃는 게 전부인데 놀랍게도 색소폰 시간에 노래방 기계를 틀어놓으면 큰소리로 노래를 부르는 것이었다.

평상시 한마디도 하지 못하는데 어떻게 노래를 하는지 참 이상하였다. 나는 이 행동을 이해할 수 없었다. 어떤 이론으로 설명을 해야 할지 알 수 없었다. 연구대상이라는 생각뿐이었다. 아무튼, 음악과 춤의 놀라운 위력이라 생각했다.

등교하여 하루 종일 잠만 자는 73세 문OO 실버는 간식도 먹지 않고 공부도 하지 않고 오로지 잠만 잔다. 깨우면 신경질을 낸다. 그런 실버가 색소폰 소리가 나면 벌떡 일어나 마이크를 잡고 노래를 부르려 중얼거린다. 먹는 것도 아무리 재미있는 것도 흥미를 보이지 않고 잠만 잤는데 색소폰 노래교실에서는 반응을 보이는 게 신기하였다.

최OO 어른은 75세의 남자 실버다. 이 기관에 오는 치매 어르신 중 가장 멋을 내고 온다. 가정이 경제적으로 좋고 자녀들도 잘 된 것 같았다. 외부 강사가 와서 프로그램을 진행하고 마칠 시각이 되자 선생님을 부르더니 요즘 춤을 못 추어서 춤을 추고 싶다고 의사를 표현하더니 신나는 음악이 있으면 틀어달라고 요청하였다. 강사가 틀어주자 선생님과 춤추고 싶다는 의사를 표현하였다.

그러면서 자리에서 벌떡 일어서더니 교실 중앙으로 나오자 강사가 최OO 어르신에게 다가갔다. 그러자 최OO 어르신은 강사와 손을 잡고 사교춤을 아주 잘 추었다. 내가 춤을 출 줄 알아서 최OO 어르신이 제대로 추는지 확인해 보니 정말 아주 정상적인 사람처럼 움직였다. 앞으로 나오고 옆으로 가고 돌기도 하고 정말 누가 이 어르신을 치매 환자라고 할 수 있나 의심이 들었다. 평상시 이 어르신은 인지 능력이 떨어져 10 이하 덧셈도 잘 하지 못하는 편인데 음악에 맞추어 박자를 지키고 리듬을 타면서 춤을 아주 능수능란하게 추는 것이었다.

설명할 수 없는 치매 환자들의 음악과 춤에 대한 반응은 가히 연구해 볼 가치가 있다. 평상시 반응을 보이지 않던 무기력한 어른들이 음악이 나오면 반응을 보이고 참여를 하고, 정말 노래와 춤의 위력이 대단함을 알게 되었다. 역시 치매 예방과 치료에는 음악과 춤이 최고라는 사실을 증명해 주었다.

콜라텍에 다니는 실버들은 절대 치매에는 걸리지 않는다고 나는 확신한다. 음악을 들으면서 리듬과 박자를 맞추려 노력하며 머리를 사용하기 때문이고 사람들과 어울려 소통하니 외로움이 없어져 즐겁기에 치매에 걸릴 이유가 없는 것이다.

보통 치매에 걸리지 않으려면 머리를 쓰라고 화투라도 하라고 하지만 더 좋은 것은 감성을 풍요롭게 해주는 음악에 몸을 움직이는 춤을 곁들이면 금상첨화라 생각한다. 노인 치매에 가장 특효약은 음악과 춤이라는 것을 사례를 통하여 알게 된 무엇보다 참 소중한 시간이었다. 음악을 들으면서 과거 자신이 즐겁게 놀았던 기억이 살아난 것이다.

우울하게 보내는 시간에서 움직임도 없이 하루 종일 의자에 앉아, 주는 간식이나 식사를 하고 TV나 시청하다 내 감성을 일깨우는 색소폰 연주에 맞춰 노래와 춤을 추니 너무 행복하고 즐거웠던 것이다.

간병하는 가족이나 주변 사람들은 치매에 걸린 사람은 아무것도 할 수 없다고 간주하면 안 된다는 것도 배운 실습이었다.

자기관리에 최고

노년기에 접하면 자신을 관리하는 능력이 떨어지게 된다.

귀찮아져서 옷도 한 가지 편한 옷만 입게 되고 머리 파마도 하지 않으려 하고 화장도 하기 싫어진다. 즉 자기 자신을 위하여 시간과 돈을 투자하기 귀찮아하고 싫어한다.

그래서 노년기 실버들의 모습은 옷차림은 무채색에 기능성만 우선시하고 멋과는 거리가 먼 옷을 입는다. 수수하고 편한 옷차림에 머리는 염색을 하지 않아 백발이고 피부는 윤기 하나 없이 거친 피부에 자주 씻지 않아서 노인 특유의 냄새가 나는 게 노년기의 특징이다.

콜라텍 의상이란?

춤을 추러 콜라텍에 다니는 사람의 옷차림은 신경을 많이 써서 나이보다 젊게 입고 디자인도 젊고 색상도 화려하다.

춤을 추기 위해 상대와 함께해야 해서 옷차림을 단정히 하고 매일 샤워하고 향수까지 사용하여 젊게 자신을 가꾼다. 머리도 염색하여 흰머리 하나 없이 다니고 피부 관리를 하여 윤기 있는 얼굴과 진한 색조 화장까지 하며 젊어지려 노력한다. 심지어는 속눈썹을 아주 진하고 길게 붙이고 다닌다. 여자는 80% 이상 붙인다고 보면 된다. 손 관리도 철저히 하여 매끈하고 단정한 손을 유지한다. 진한 색 매니큐어를 바르고 몸에는 온갖 액세서리를 걸쳐 젊은이처럼 꾸민다. 나이 든 몸매 관리를 위해 몸매 교정을 하려고 보정 옷을 입는다. 보정 옷은 단가가 비싸서 몇십만 원이 기본이다. 나이 뱃살이 불쑥 나오지 않도록 매끈한 몸매를 유지해준다. 자기 몸매 관리에 노력을 기울여 실제 나이보다 10여 년 이하로 보이게 하고 다니며, 일반 세계의 실버보다는 훨씬 젊게 하고 다닌다.

이 세계에서 70대는 우스갯소리로 '아가씨'라고 한다. 70대이지만 사랑하고 멋 내고 파트너 두고 안 하는 일이 없이 다하고 다닌다. 질투도 강하고 자신이 마음에 들면 뺏는 게 임자라는 사고로 대시를 하여 파트너가 있어도 적극 공세를 하며 남자를 뺏는다. 그만큼 모든 면에서 적극적이고 저돌적이다.

아가씨라고 부르는 것도 젊게 살고 있다는 의미이다. 일반사회의 실버와는 차원이 다르다. 도저히 노인이라고 할 수 없을 정도로 자기 관리를 철저히 한다. 우선 춤으로 다져진 몸매는 비만이 없다. 노인이 되면 다리가 굽는데 이곳 실버들은 항상 다리를 반듯하게 유지한 탓에 다리가 휘지 않고 자세가 반듯하다. 걸음걸이 자세도 허리를 펴고 일자로 반듯하게 걷고 다니기에 뒷모습에서 보면 실버라고 하지 않을 모습이다. 잘록한 허리선에 부츠를 신고 헤어스타일도 세련되게 꾸미고 다니는 모습이 정말 실버세대라고 할 수 없을 정도로 철저하게 관리를 한다.

보통 노년기의 상징인 늘어진 뱃살, 브래지어 하지 않은 가슴, 윤기 없는 피부, 헝클어진 머리, 고무줄 바지 차림이 연상되지만, 화려한 반짝이 옷, 굽 높은 구두, 선글라스, 여러 겹 팔찌, 진한 화장, 진한 향수, 긴 손톱, 진한 네일아트, 단정한 머리가 이곳 실버들의 특징이다.

보정 옷으로 몸을 단단하게 보정하고 나이보다 젊어 보이는 옷차림으로 자신을 관리하고 있다.

춤을 추는 실버들만이 할 수 있는 옷차림이다.

건강한 삶 유지

춤을 규칙적으로 추면 우선 신체적으로 건강해지는 것은 물론 정신 건강에도 아주 좋다.

춤을 추면 가장 좋은 것이 신체 균형 감각이다. 곧게 바르게 서서 운동을 하기에 허리가 펴지고 다리가 곧게 되고 균형 감각이 증가하고 몸이 유연하게 된다.

즐거운 음악을 들으며 춤을 추니 엔도르핀이 나와 표정은 밝고 환해진다. 그러니 언제나 웃는 얼굴을 유지하고 행복해하는 표정으로 변하여 인상이 좋다는 이야기도 듣는다.

노년기가 되면 가장 심한 게 우울증이라고 한다. 노년기의 우울증은 일반 우울증에 비해 슬픔의 표현이 적고 신체적 쇠퇴와 함께 신체적 증상으로 우울감을 표현하는 것이 특징이다.

자신감의 결여와 미래에 대한 걱정, 외로움, 유머의 상실, 자신에 대한 무가치함에서 기인한다. 자녀들을 다 출가시키고 빈 둥지만 지킨다는 생각으로 불면과 우울증에 빠지게 된다.

그러나 콜라텍에 다니면 많은 사람과 인간관계를 갖게 되고 어울려서 대화하고 식사하고 모임을 갖게 되어 외롭지 않은 노년 생활을 하게 된다. 자식에게만 매달리던 생활이 아니라 내가 주체가 되어 생활하다 보니 누구에게 의존하는 생활이 아니라 나 중심이 되는 건강한 삶을 살 수 있게 된다.

그러니 춤을 추면 감정으로 인한 질병은 오지 않는다. 노년기에는 대부분이 불면증을 호소하는데 춤을 추면 불면증에서도 해방될 수 있다. 육체적인 운동과 정신적인 힐링이 되니 깊은 잠에 빠질 수 있어 불면증에서 벗어 날 수 있게 되는 것이다.

다른 사람이 느끼는 춤추는 실버 특징

내가 이용하는 단골 미장원 원장 말에 의하며 손님 중에 춤을 추는 사람은 색깔이 다르다고 한다.

춤을 추는 손님은 우선 옷차림이 단정하고 걸음걸이가 반듯한 게 일반 노인들과 다르고 표정도 살아 있어서 노인 같지 않다며 색깔이 다르다고 칭찬을 한다.

원장이 잘 본 것이다. 춤을 추면 활기차고 살아 있는 느낌을 주는 게 사실이다. 활력이 넘친다.

또 내가 다니는 한의원 원장 말에 의하면 한의원에 오는 85세 된 할머니들이 춤을 춘다고 하는데 아주 단정한 옷차림에 걸음걸이도 일자로 반듯하게 걸으면서 활기가 넘친다면서 참 보기 좋았다고 하였다.

일반 할머니와는 색깔이 다르다고 표현한다. 건강 면에서 일반 할머니와 다르게 큰 병이 없고 잔병만 있어 건강하게 생활한다며 춤의 좋은 점을 이야기하였다. 노후에 집에만 있지 말고 밖으로 나가 여가활동을 하니 건강하게 사는 모습이 참 좋은 것 같다는 한의원 원장의 이야기를 들어보니 제대로 춤의 좋은 점을 파악하고 있었다.

노후 장수보험

일반 운동은 건강이 허락해야 가능하다.

허리가 튼튼해야 골프를 칠 수 있고 허리 무릎 관절이 튼튼해야 에어로빅도 할 수 있다. 등산은 말할 것도 없이 무릎관절이 튼튼해야 가능하다.

하지만 이곳 콜라텍에서는 무리한 운동을 요구하지 않는다. 큰 부담을 주는 동작이 아니어서 실버들에게 더없이 좋다. 걸을 수만 있으면 가능한 운동이다. 이곳을 이용하는 실버 중에는 나이가 많은 사람은 85세도 이용하고 있다. 노년을 얼마나 젊게 살고 있는지 부러울 정도다.

자식에게 피해 주지 않고 건강하게 자기 삶의 질을 높여 살아가는 노년이 부럽다. 기대수명 100세 건강수명도 100세가 되도록 자신이 관리하고 노력해야 가능한 일이다. 내가 건강해야 자녀들이 평안한 삶을 즐길 수 있기에 가정의 평화를 위해서라도 내가 건강해야 한다. 노후의 건강한 삶을 위하여 여가활동을 해야 하는 데 바로 춤이 최고의 여가활동이 된다.

춤으로 다져지는 섹시한 몸매

이상하게도 춤으로 살을 빼면 몸매가 아주 여성스러워진다.

보통 여성들이 살을 빼면서 헬스로 몇 kg을 감량했네, 굶어서 몇 kg을 감량했네, 한약 요법으로 몇 kg을 감량했네, 이야기를 한다.

그러나 한꺼번에 감량하고 나면 피부가 늘어지고 얼굴에 주름이 많아지고 부작용이 만만치 않다. 하지만 춤을 추면 체중이 적당히 감량되고 몸매가 균형 잡히면서 실루엣이 부드럽고 우아해진다. 걸음걸이도 자세가 반듯하기에 나이가 들어도 여성스러움이 드러나 아주 아름다워진다.

남자의 경우도 춤을 추면 배가 나오지 않고 자세가 반듯해진다. 그리고 자주 씻기에 남자 특유의 냄새가 나지 않아서 좋고 다리 운동을 하기에 다리가 튼튼해진다. 그리고 음악을 들으며 운동을 하니 남자도 감성적으로 변하고 늙지 않아서 좋다.

가장 좋은 점은 담배를 줄이거나 끊는 것이다. 여자와 가까이 운동을 하려면 입 냄새가 나지 않아야 하기에 금연을 하게 된다. 술도 먹으면 술 냄새가 나서 자기 파트너가 아닌 이상 술 먹은 사람과 춤을 추려고 하지 않기에 술도 많이 먹지 않아 좋다.

그러다 보니 나이가 들어도 자기 몸 관리를 철저히 하게 되어 멋진 몸매를 유지하게 된다. 이런 멋진 몸매는 춤만이 갖는 장점이다.

춤이 잘 맞는다는 것은?

　파트너와 춤을 추어보면 춤이 참 잘 맞는다는 것을 느끼는 상대가 있다.

　두 손을 잡아보면 느낌이 온다. 우선 상대의 손이 아주 가볍다. 깃털처럼 나에게 부담을 주지 않는다. 그리고 몸이 유연함을 느끼게 된다.

　오늘 처음 춤을 추는 사이인데도 오래전부터 추던 사이처럼 음악에 손발이 착착 맞는다. 박자를 정확하게 지키기에 춤이 즐겁다. 매끄럽게 움직이기에 상대의 발을 밟지도 않고 내 발을 밟히지도 않고 엉키지 않는다.

　사회생활을 할 때도 주는 것 없이 미운 사람이 있고 받는 것 없이 예쁜 사람이 있듯이 처음 만나 춤을 추는 데도 춤을 같이 추는 게 기분 좋은 사람이 있다.

　여기서 춤이 잘 맞는다는 것은 기술적인 면뿐 아니라 사람 자체도 의미한다. 상대가 춤을 잘 추어도 별 매력이 없는 사람이 있다. 아무런 감정이 느껴지지 않는 사람이 있고 춤은 별로인데도 같이 추는 게 좋게 느껴지는 사람이 있다. 생긴 모습도 그렇다. 키도 크고 외모도 준수한 데도 매력이 없는 사람이 있고 키가 작고 외모도 왜소한 편인데도 춤을 추는데 흥이 나고 기분이 좋은 사람이 있다.

그러나 일단 춤을 잘 추는 것은 기본이 되어야 한다. 상대가 현란한 기교는 없더라도 박자는 정확하게 맞출 수 있는 기본 실력은 전제 조건으로 갖추어야 한다. 그래야 지루하지 않고 즐거운 마음이 생긴다. 그리고 박자가 잘 맞아야 호흡이 잘 맞아 끊어지지 않고 부드럽게 잘 연결이 된다.

처음 추는 상대인데도 오래전부터 춘 것처럼 서로 춤이 잘 맞아 매끄럽게 추다 보면 정서가 공감되어 기분이 상쾌해진다. 같이 춤을 계속 추고 싶다. 시간 가는 줄 모르고 추게 된다. 마치 내가 유명한 댄서가 되어서 무대 위에서 춤을 추고 있는 착각에 빠지게 된다.

이럴 때 우리는 춤이 잘 맞는다고 한다.

파트너춤*이 좋은 점

춤의 메카인 영등포 길거리에는 중년 커플이 눈에 많이 들어온다.

마치 내가 대학로에 온 것은 아닌가 하는 착각이 들 때도 많다. 파트너들이 거리를 활보하고 다닌다. 모두가 파트너다. 손을 잡고 팔짱을 끼고 남자가 여자 핸드백을 들고 다니는 모습은 흡사 대학로의 젊은 커플을 연상시킨다.

이들은 나이는 먹었지만, 마음은 청춘이다. 커플이 얼마나 많은가 하면 이곳에서는 조금 괜찮다 싶으면 이미 파트너가 있다.

아마 70% 이상은 파트너가 있다고 본다. 파트너가 있어 좋은 점은 콜라텍에 와서 춤을 출 때 파트너에 대한 부담이 없어서 좋다.

파트너가 없으면 오늘 파트너가 잘 만나 질까 하는 우려가 생긴다. 잘 추는 사람 만나 즐겁게 추어야 할 텐데 하는 우려가 있는데 파트너가 있으면 부킹에 의존하지 않아도 되고, 파트너가 잘 매칭이 될까 걱정을 하지 않아도 된다. 내 파트너와 춤을

★ 파트너 춤이란 단순히 파트너와 추는 춤이 아니라 파트너와 오랫동안 호흡이 맞춰져서 매끄럽게 잘 추어지는 춤을 말한다.

추면 자동으로 음악에 맞게 춤이 취진다. 생각할 필요가 없다. 이 동작 다음에는 저 동작이라는 공식이 자동 산출이 된다. 나에게 맞는 파트너가 있기에 언제든지 마음 편하게 출 수 있는 것이다. 내 집을 가진 자는 집값이 올라도 걱정이 없듯이 파트너가 있으면 다른 사람에게 구걸하지 않아도 되고 거절당하지 않아서 좋다.

파트너 춤은 한 사람과 오랫동안 춤을 추어왔기에 매끄럽게 춤이 취진다. 눈을 감고도 출 수 있을 정도다. 발을 밟힐 염려도 없고 실수할 일도 없다. 그리고 부킹에게 팁을 주면서 사정을 할 필요가 없어 좋다.

춤을 잘 추기 전까지

남자들이 처음 춤을 배우면 자신이 없기에 부킹에 의존을 한
다.

처음 오는 사람들은 부킹이 매칭을 해 주지 않으면 그냥 춤을
추지도 못하고 가는 경우가 많다. 용기가 많은 남자는 자신이
손을 벌릴 수 있지만 대부분 용기가 나지 않아 스스로 손을 내
밀지 못한다. 그러니 자연히 부킹에게 팁을 주게 된다. 보통 팁
을 줄 때만 연결해준다. 그러니 그 팁을 어떻게 다 부담하나?

그래서 기본기만 있다면 춤을 잘 추기 위해서는 콜라텍을 많
이 이용해야 한다. 내가 배운 춤을 시연하러 오는 곳이기에 춤
을 잘 추기 위하여 음악에 맞춰 춤을 많이 춰봐야 한다. 노력한
만큼 춤을 잘 추게 된다.

그런데 이곳의 속성상 새내기는 우습게 본다. 춤을 추는 게
어설프거나, 리듬을 잘 타지 못하거나 같은 동작을 하게 되면
언제 두 손을 뺄까 타이밍만 노리고 있다. 원래는 아무리 마음
에 들지 않아도 3곡 정도는 춰주어야 기본 매너인데 정말 그런
경우는 드물고 바로 손을 내려놓아 무안을 주는 경우가 많다.

이 세계도 세월이 흐르니 인정이 말라가고 마음에 안 들면 가

차 없이 행동해 버린다. 여자가 춤을 기초만 배우고 현장에 뛰어들 때는 남자가 리드해주면 그런대로 출 수 있는데, 남자의 경우는 기초만 가지고는 콜라텍에서 명함도 내밀지 못한다. 여자 선수들이 우습게 본다. 상대의 손을 잡아보면 실력을 가늠할 수 있다. 여자의 손을 힘주어 잡으면 새내기고 가볍게 잡으면 고수다. 그리고 기술이 좋은 상대는 여자를 가만두지 않고 자세를 변형시킨다. 음악에 맞추어서 돌리기도 하고 꺾기도 하고 조이기도 하고 여러 기술을 적용한다.

여자들 대부분은 춤을 잘 추지 못하는 파트너와는 춤을 추려고 하지 않는다. 예의상 3곡 정도는 못 춰도 파트너가 되어 줘야 하는데 지금은 한 곡도 추려고 하지 않는다. 춤을 추는 도중에 손을 놔 버리고 떠난다.

그때의 남자 기분은 처참하고 비참하기까지 한다. 다시는 춤을 추고 싶지 않을 정도로 실망감에 빠진다. 춤에서 기본 세 곡이라고 하는 이유는 세 곡을 추려면 15분 정도 소요가 된다. 음악이 보통 트로트, 지르박, 블루스 등 종류별로 한 바퀴 돌게 된다. 한 곡을 추고 손을 놓으면 상대가 느끼는 모멸감은 이루 말할 수 없다. 완전 무시당하는 기분이다. 어떤 사람은 처음 춤 배우러 나왔다가 자존심을 상하게 한 상대를 영원히 기억하고 상처받은 자존심이 회복되지 않아 자신을 우습게보았던 상대를 만나면 미워하여 나중에 춤을 잘 추게 되었을 때 여자가 춤을 추자고 하여도 절대 추지 않는다.

춤 예절

춤을 권할 때의 예절

파트너가 없어서 춤을 추지 못할 경우 대기 의자에 앉아 있는다.

그러면 부킹이 와서 소개를 해 주기도 하고 용기 있는 남자가 와서 추자고 제안하는 경우도 있다. 처음에는 누가 추자고 하면 그냥 감사하여 얼른 일어선다. 그러나 시간이 흐르면 구별하여 춤을 춘다. 외모도 보고 키도 보고 춤을 잘 출 것 같은 사람을 구별하여 추려고 한다.

내 경우는 춤을 잘 추게 생긴 사람을 고른다. 춤을 잘 추게 생긴 사람은 외모에서 다르다. 반듯한 몸에 뱃살이 나오지 않았다. 나는 이 조건만 충족하면 나이 같은 것은 어지간하면 춘다.

여자들이 의자에 앉아 있으면 어떤 남자들은 여자를 빤히 얼굴을 쳐다보며 원하는 여자를 고른다. 이 여자에게 손을 내밀어 안 되면 옆의 여자에게 이런 식으로 춤을 권하는 남자를 보면 여자가 무슨 상품인 것처럼 고르는 모습이 정말 무안할 경우가 있다. 이렇게 여자를 차례대로 고르면 여자들은 아무도 상대를 해 주지 않는다. 남자의 경우 여자를 한 번에 승낙을 얻어 내고 싶으면 자신을 잘 알아서 여자에게 손을 내밀어야 한다.

자기가 외모에서 갖추어졌고 춤 실력도 갖췄으면 여자 선택에서 자신이 원하는 여자를 선택해도 무방하다. 그러나 내가 나이가 많고 외모도 부족한 편이고 춤 실력도 보통이라면 내가 원하는 여성을 선택할 수 없다. 결혼할 때 상대를 선택하며 고려할 점이 있듯이 파트너를 선택할 때도 같은 경우라고 생각하면 된다.

신사적이고 예의를 지키는 남자는 부킹이 해주는 대로 춤을 춘다. 설사 여자가 마음에 들지 않아도 예의상 춤을 춰주는 남자가 있고 자기 취향에 맞지 않으면 손사래 치는 남자가 있다. 이런 대접을 받으면 여자는 자존심이 상한다. 그리고 기억해 두었다가 다시는 그 남자와 추지 않는다. 기억에 오랫동안 남아 있게 된다. 상처가 큰 경우는 쉽게 잊히지 않는다.

춤을 춘 지 오래된 남자는 여자에게 춤을 권할 때도 뻔뻔한 편이다. 정중하게 손을 내미는 사람도 있고 거절을 하면 그냥 지나가는 남자가 대부분인데 어떤 남자들은 여자가 거절하는데도 계속 춤을 추자고 권하고 여자의 팔을 잡아당기는 사람도 있다.

일부는 여자가 응해 주지 않으면 욕을 하고 가는 남자도 있다. 이곳에서 매너가 없다고 소문이 난 남자는 여자들이 춤을 추려고 하지 않는다. 사람이 그렇게 많아 모를 것 같아도 입소문으로 꼬리표를 달고 다닌다. 저 남자는 욕을 한다, 저 남자는 춤을 휘돌리듯 돌린다, 저 남자는 너무 더듬는다 등 그 사람에 대한 평가는 자기 스스로가 만든 것이다.

여자에게 가장 인기 있는 남자는 매너 있게 춤을 추며 더듬지 않고 춤을 마치고 음료수라도 대접하는 남자다. 이런 남자는 비록 춤을 잘 추지 못해도 여자들이 선호하는 대상이다. 그러면 여자가 기억했다가 다음 기회에 춤을 상대해 준다.

춤 제안을 거절할 때 예절

여자는 남자가 춤을 추자고 제안해 오면 일단 스캔을 한다.

초보일 때는 스캔할 여유가 없어 벌떡 일어나 선뜻 응한다. 그러나 시간이 지나면 춤을 추고 싶은 타입인지 아닌지 판단을 내리고 결정 내린다.

일단 외모에서 부담스럽다거나 나이가 많다거나 키가 자신과 맞지 않을 것 같은 경우에는 조용히 인사하듯 목례를 하면 된다. 손을 내 저을 필요는 없다. 액션이 너무 크면 상대에게 자존심을 상하게 하니 가볍게 거절을 한다.

내 경우는 춤을 잘 출 것 같은지 아닌지로 결정한다. 내가 나름 고르는 기준은 일단 뱃살이 나오지 않고 자세가 반듯한 남자는 춤을 잘 춘다.

그리고 거절할 경우는 웃으면서 목례를 하여 나의 의사표현을 정중하지만 확실하게 한다. 그래도 자꾸 한 번만 추자고 애걸하는 사람이 있는데 정 싫으면 다시 목례를 하면 되고 인정상 춰주고 싶으면 춰주는데 일단 나가면 한 곡 가지고는 안 된다. 음악 자체가 한 곡으로 마무리되지 않아 세 곡 정도 춰야 된다. 남자들이 한 곡만 추자고 사정하는 것은 한 곡으로 안 된다는 사실을 잘 알기에 한 곡을 외치는 것이다.

주위에 많은 사람이 서 있는데 굳이 거절 의사를 격하게 드러낼 필요는 없다. 목례를 하면 대부분이 그냥 지나친다. 가끔 배짱을 부리는 남자는 싫다고 의사를 표하였는데도 억지로 손을 잡아당겨 여자를 끌어내는 사람도 있다. 그럴 때 특효약은 기다리는 사람이 있다고 하면 파트너가 있는 사람이구나 하고 다시는 권하지 않는다.

춤 잘 추는 사람 고르기

외모로 고르기

춤을 잘 출 것 같은 사람은 외모가 좀 다르다.

남자의 경우 우선 비만이 아니고 뱃살이 없는 마른 체형이 일반적으로 춤을 잘 춘다. 더 쉽게 알 수 있는 것은 서 있는 자세가 일자로 구부러지지 않은 자세다. 옷차림도 비교적 정장을 하고 온다. 일단 자세가 반듯하고 춤으로 단련이 된 정제된 몸매가 춤을 잘 춘다. 그리고 키가 큰 사람보다 작은 듯한 사람이 잘 춘다.

손 무게로 고르기

손을 잡았을 때 손이 깃털처럼 가벼워야 춤을 잘 춘다.

새내기는 상대의 손을 힘주어 잡는다. 놓칠까 봐 꽉 잡기에 손에서 땀이 흥건하게 나 있어 여자는 기분이 좋지 않다. 보송보송한 손이 아닌 끈적끈적 땀으로 젖은 손은 여자에게 실례다. 거기에다 손을 꽉 잡아 내가 자유롭지 못하다. 움직일 수가 없어 답답하다. 그러니 춤이 잘 춰지지 않는다. 상대가 자유롭게 움직일 수 있도록 손에 무게감이 실리지 않은 손이 춤을 잘 춘다는 증거다.

 내 손을 잡은 듯 아닌 듯 아주 부드럽고 가볍게 잡은 손은 춤을 추어보면 나비처럼 가볍다. 이런 상대는 춤을 잘 춘다. 100% 확실하다.

손결로 고르기

 손을 잡아보면 직업도 대충 알 수 있다.

 사무직에 종사하는 사람은 손결이 아주 부드럽고 막일에 종사하는 사람은 손이 거칠다. 춤을 많이 춘 사람은 손이 부드러울 수밖에 없다. 그만큼 노동에 종사하지 않은 경우가 많기 때문이다.

 어떤 남자의 경우는 손이 얼마나 부드러운지 아기 손같이 부드러운 경우가 있다. 난 이런 손은 왠지 노동을 하지 않은 손 같아서 싫다. 마치 제비 같은 느낌이 든다. 자기 생활에 성실하지 않은 느낌이 든다. 남자라면 아니 일을 한 사람이라면 약간 굳은살이 붙은 손이 더 매력적이다. 삶을 열심히 성실하게 살았다는 증표여서 좋아한다. 일을 열심히 하고 취미로 춤을 추러 온 증거기 때문이다. 내가 좋아하는 손은 마디가 약간 굵고 굳은살이 약간 있어도 좋다.

5장

파트너 이야기

콜라텍에서 파트너를 두고 지내는 것은 기본으로 생각한다. 그만큼 성에 관대하고 개방적이다.

파트너의 의미

여기서 파트너란 춤을 같이 추고 성생활을 하는 사람을 일컫는다. 즉 애인인 셈이다.

파트너가 되는 경로는 소개를 받기도 하지만 그날 일일 춤을 추다 느낌이 통하면 파트너로 연결이 되는 경우가 많다. 파트너 대상으로 인기가 좋은 사람은 춤을 배운지 얼마 되지 않은 신입이 인기가 좋다. 이유는 이 세계에 때가 덜 타서 그럴 것이다. 원래 새로운 것을 좋아하고 관심을 두는 게 인지상정이어서 그렇다. 그리고 이 세계에서는 춤을 잘 추면 파트너가 되기 쉽다. 춤을 잘 추면 파트너 하자는 제의를 해 온다.

춤만 파트너 하자고 하지만 그게 과연 가능할까? 매일 만나 춤만 출 수 없을 것이다. 춤을 추면 정이 들기 때문이다. 이곳은 춤을 추는 곳이기에 춤을 잘 추어야 일단 즐겁다. 춤을 잘 추는 사람과 파트너를 하면 우선 서로 발을 밟히지 않고 엉키지 않고 음악에 집중할 수 있고 자기의 감정을 잘 표현할 수 있어서 좋다. 못 추는 사람과 춤을 추려면 상대가 맞는지 안 맞는지 신경이 써져 음악에 몰입할 수가 없고 발이 엉키고 밟히고 흥이 지속성이 없어 단절되기에 즐겁지 않다.

파트너 조건

    파트너를 고르는 조건은 남자와 여자가 다르다.

    여자들이 고르는 파트너는 일단 돈이 넉넉한 경제력이 있는 사람을 좋아한다. 돈이 있으면 우선 옷차림이 세련되고 빈티가 나지 않아 좋다. 그다음 춤을 추고 나서 술이라도 한잔 부담 없이 즐길 수 있어 좋다. 그리고 파트너가 된 다음 여자의 생일이나 만난 기념일을 챙겨줄 능력이 있으면 더욱 사랑스럽고 정이 간다. 여자들이 좋아하는 옷이나 패물 등을 해 준다면 금상첨화다. 일단 남자의 조건 1위는 경제력이다. 물론 다 그런 것은 아니지만 보편적으로 그렇다는 것이다. 그다음 춤을 잘 추어야 한다. 아무리 경제력이 좋아도 춤을 잘 추지 못하면 매력이 없다. 신나게 흥겹게 놀아야 하기 때문이다.

    남자가 여자를 고르는 조건은 첫째 춤을 잘 추는 여자를 좋아한다. 춤을 잘 추어야 흥이 나고 기분이 상쾌하기에 그렇다. 남자가 자신과 춤이 맞는 여성과 춤을 추고 나서 기분 좋게 땀을 발산할 때의 상쾌함이란 이루 말할 수 없다. 오르가즘을 느끼는 기분이랄까? 흥건하게 등줄기를 타고 내리는 땀을 느끼면서 스트레스를 발산한다. 그다음은 예쁜 것을 좋아한다. 남자의 속성은 10대도 예쁜 것 70대도 예쁜 것이다. 예쁜 것을 어떤 이는 얼굴이 예쁜 것을 원하고 어떤 이는 손을 원하고 어떤 이는 다리를 원하고 원하는 부위가 다르다.

기본이 된 남자는 여자의 조건에서 순수한 여자를 좋아한다. 매일 콜라텍에 오는 소위 일수를 찍는 여자들을 파트너 상대로 싫어한다. 왠지 인간에게 닳고 닳은 기분이 들어 즉 인간 때가 묻은 것 같기에 싫어한다. 그나마 이 세계에서 순진한 여자를 원하는 것인데 춤을 추기 위해 온 지 얼마 안 되는 새내기를 좋아하고 매일 오지 않고 할 일이 있어서 주말에만 오는 주말형을 좋아한다. 새내기는 아직 다른 남자 품에 많이 안기지 않았을 거라는 추측에서 좋아한다.

그래서 고수들은 처음 발을 들여놓은 새내기를 잽싸게 찍어 자기 여자, 남자로 만든다. 그럼 새내기 구별 방법은 무엇인가 하면 우선 춤을 잘 못 춘다. 그리고 부킹이 소개를 하면 토를 달지 않고 춘다. 마음에 들든 안 들든 춤을 춘다는 뜻이다. 그리고 행동이 노련하지 않고 왠지 서툴고 버벅거리는 느낌을 보인다. 가장 중요한 구별법은 얼굴이 뉴페이스란 점이다.

콜라텍에서 본 적이 없는 뉴페이스의 얼굴인 여자나 남자 그리고 왠지 옷차림이 댄스복이 아닌 일상복 즉 외출복이 많고 여자의 경우는 색상이 검은색이 아닌 그냥 평상시 입는 옷을 입고 다닌다. 컬러가 있는 색으로 외출복 냄새가 난다.

남자가 여자를 고를 때 요즘은 여자의 경제력을 보는 남자들도 많다. 워낙 살아가기 힘이 드는 세상이다 보니 남자들도 여자에게서 도움을 받는 것을 좋아한다. 노골적으로 좋아한다. 남자가 술을 세 번 정도 사면 여자가 한 번 정도 사는 것을 원한다. 여자가 먼저 술 한 잔 하자고 하는 것을 좋아한다. 여자가 미리 이런저런 물건을 사 주는 것을 좋아하고 남자가 계산하기 전 여자가 앞서서 계산해 주기를 기대한다.

과거와는 전혀 다른 세상이다. 요즘 남자들이 모계사회가 되는 과정에 끼어서 사는 탓일 것이다. 가정의 경제는 여자가 휘두르고 사는 집이 많기 때문이다.

파트너로 시작해서 끝날 때까지

파트너가 될 초기 징후

저 사람들은 파트너가 될 것 같다고 느낄 때는 두 사람이 춤을 몇 번 같이 추는 모습이 목격될 때이다. 그리고 표정을 보면 파트너가 되기 위한 시작 단계임을 금세 알 수 있다.

두 사람의 표정이 어린아이처럼 아주 밝고 행복해한다. 시선은 다른 곳을 보지 않고 서로에 집중해 있다. 즉 한눈팔지 않고 시선을 집중한다. 춤을 출 때 남자는 아주 친절하게 여자를 리드한다. 여자가 춤이 약하면 친절하게 지도를 해 준다. 가르치면서 춤을 춘다는 의미이다. 그리고 안은 폼이 간격 없이 꼭 안고 있다. 여자가 남자 품속에 폭 들어가 있고 머리를 남자 가슴에 파묻은 자세다.

춤을 추고 나서는 2차로 술을 먹기도 하고 음료수를 먹기도 하고 계산은 잽싸게 남자가 한다. 즉 미적거리지 않는다. 여자가 계산하려고 하면 손을 강하게 뿌리치고 무엇을 먹겠느냐며 비싼 것을 먹으라고 권하기도 한다. 이런 사람들은 파트너가 될 확률이 높다.

블루스를 출 때는 폭 안는 동작이 자주 있다. 여자는 내숭이다 싶을 정도로 아주 부끄럼을 타는 제스처를 한다. 두 사람 사이에 사랑이 흐르는 기운이 감지된다.

파트너 중기 징후

이 경우는 두 사람의 행동이 대담해진다.

처음에는 소심한데 막상 파트너가 된 후는 스킨십이 진해진다. 콜라텍 입장 시, 식당 입장 시, 화장실에 갈 때 등 함께 다닐 적에는 항상 손을 잡고 다닌다.

마치 다른 사람에게 이 여자는 이 남자는 내 파트너니 다른 생각을 하지 말라는 듯 공개한다. 그리고 매일 같이 콜라텍 입장을 하고 집에 갈 때도 같이 간다.

춤도 절대 다른 사람과는 추지 않는다. 춤을 출 때도 서로의 얼굴을 바라보면서 기쁨을 감추지 못한다. 행복해하는 표정이 역력하다.

음식 계산을 여자가 하는 경우도 많다. 서로 음식을 먹여주기도 한다. 서로 선물을 하고 상대의 기념일을 챙겨준다. 주변 사람을 모아 상대 생일에 이벤트를 열어 축하해 주고 여럿이 어울려 즐거운 시간을 보낸다. 좋은 커플은 여행도 같이 다닌다.

커플의 모습을 보면 참 다양하다.

정말 인간 시장에 걸맞게 커플의 유형이 다양하다. 신기한 것은 유유상종(類類相從)이라고 둘이 레벨이 맞는 커플을 형성한다는 점이다. 한쪽이 눈에 띄게 기우는 커플도 있지만 비교적 둘이 서로 아주 잘 어울리는, 신기할 정도로 수준이 맞는 커플이라는 점이다.

파트너 이별 징후

커플이 처음에는 사랑에 빠져 죽고 못 사는 모습을 보이다가 권태기가 오면 누가 봐도 이별을 향하여 가고 있구나 하는 위험스러운 징후를 보이기 시작한다.

커플끼리 다투는 모습이 목격되기도 하고 두 사람의 표정이 밝지 않다. 화가 난 듯한 표정이 눈에 띈다. 춤도 처음처럼 기쁘고 즐겁게 추지 않는다. 어쩔 수 없이 추는 것처럼 의욕이 넘치지 않게 춘다. 가끔 혼자 나타나서 다른 사람과 춤추는 모습이 목격된다.

남녀의 사랑은 보통 유통기한이 만난 지 1년 반 정도가 되면 시들해지는 권태기가 온다고 알려져 있다. 참 신기하게도 오래된 커플들 이야기로도 만난 지 2년 정도가 되면 많이 싸웠다고 이야기한다.

권태기는 여자보다 남자에게 많이 일어나는데 남자가 사랑에 있어서는 거의 갑이다. 남자의 성향이 한 여자에게 집중하는 것을 좋아하지 않기에 시간이 흐르면 한 여자에게 잡혀 지내는 게 싫어진다. 그래서 한눈을 솔솔 팔게 되고 다른 여자가 눈에 들어오는 것이다.

남자가 갑이다 보니 갑에게 권태기가 오면 신경질을 낸다. 별 것도 아닌데 예민하게 반응을 한다. 예전 같으면 사랑스럽게 대하던 것도 파트너에게 짜증을 많이 내고 거짓말을 종종한다. 파트너가 아닌 다른 여자가 눈에 들어와서 같이 놀고 싶으니 거짓말을 하는 것이다. 바빠서 못 나온다며 다른 콜라텍에 가서 노는 경우도 있고 안 다니던 등산도 혼자 다녀오는 일도 생긴다.

집안에 행사가 있어서, 누가 아파서 등 이유를 갖다 대고, 전화를 받는 것도 예전처럼 바로바로 걸면 첫 전화에 받지 않고 여러 번 걸어야 받게 된다. 카톡도 바로 열어보지 않는다. 사랑도 주기가 길어진다. 상대의 말에 화를 잘 내는 등 여러 증상이 나타난다.

이럴 때 상대가 관계를 마치고 싶어 하면 자신도 그렇게 해주면 된다. 여자도 헤어지고 싶은 마음이 있어 같이 대응을 하면 헤어지게 되는데 여자의 속성상 주로 참는 형에 속한다. 여기서 밀당을 잘 해야 한다. 상대의 성향을 잘 알고 대처를 해야 상처를 받지 않고 갑이 될 수 있다.

상대가 자꾸 멀리하는 것 같을 때 매달리면 더욱 멀어지거나 스릴을 느끼기에 그럴 때는 여자도 관심을 조금 멀리하여 남자가 궁금하게 만든다. 남자에게 매달리지 말아야 한다. 그런데 밀당을 너무 오랫동안 하면 아주 멀어질 수 있기에 밀당을 적당히 해야 한다.

그러면 웬만하면 남자는 다른 곳에서 한눈팔다 역시 현재의 파트너가 최고라는 생각에 돌아온다. 한 순간 바람이 되어 돌아다니다 돌아오는 경우가 많다. 그러나 꼭 그런 것은 아니다. 현재의 파트너보다 월등히 수준이 있는 상대를 만나면 흔들리기 쉽다. 그럴 때는 파트너가 관리를 잘 해야 한다.

　놓치고 싶지 않으면 여자가 틈을 주지 말고 계속 관리를 해야 한다. 순진한 척 모르는 척하면서 한눈팔지 않게 관리를 해야지 시간을 주면 남자가 다른 곳으로 빠지게 되어 있다. 이 세계에서는 주변에 이성이 많아서 한번 변하고 돌아서면 돌아오지 않는 게 현상이다.

　예전에는 열 번 찍어 안 넘어가는 나무 없다고 하지만 요즘은 두 번 이상 찍지를 않는다. 일찍 포기를 잘 한다는 이야기다. 그래서 갈등이 생기면 오래 끌지 말고 현명하게 대처해야 한다. 헤어질 것이 아니면 갈등이 오래가지 않는 게 좋다.

파트너 관리법

한 상대와 춤은 금물

파트너가 시간이 없어서 같은 시각에 만나지 못하고 시차를 두어 만나게 되는 파트너가 있다.

직장문제라든지 가정 사정상 파트너와 콜라텍에 오는 시각이 달라서 남자 파트너만 혼자 와서 놀아야 하는 경우라든지 여자 혼자 와서 놀아야 하는 경우가 있다. 같은 시각에 만나서 놀지 못하는 경우인데 이런 경우 나오지 못하는 경우 주로 여자가 많다. 그러면 남자 파트너는 혼자서 다른 사람과 춤을 출 수밖에 없다. 부킹이 연결해 주는 상대와 춤을 추게 된다.

그런데 조심해서 관찰해야 할 점은 내 파트너가 한 상대와 계속 춤을 추는지 파악해야 한다. 만약 춤이 맞아서 한 상대와 추는 것을 알게 되면 절대 추게 해서는 안 된다. 파트너는 지나가는 말로 춤이 맞아서 추는 것뿐이라고 할 것이다. 그러나 한 사람과 계속 춤을 추고 술을 마시고 하다 정이 들어 떠나게 되는 경우가 많다. 춤은 부킹이 해주는 여러 사람과 추어야 문제가 발생하지 않는다. 자기가 선택을 해서 한 사람과 춤을 추는 것은 권장하지 않는다. 위험요소가 내포되어있다.

68세 최지성과 60세 최은영 4년 차 커플 이야기다.

최은영은 직업 관계로 오후 5시가 넘어야 콜라텍에 올 수 있고 주말에나 올 수 있다. 최지성은 하는 일이 없으니 일찍 올 수 있다. 최지성과 최은영 커플은 춤이 환상적으로 잘 맞는다. 아쉬운 건 최은영이 자주 나오지 못하는 점이다. 최지성은 부킹이 연결해 주는 사람이 맨 실버들이다 보니 스피드 한 춤을 추는 자기는 재미가 없고 짜증이 났다. 일류급 최은영과 맞춤 춤을 추다 외모에서나 실력에서나 부족한 사람들과 추는 게 짜증이 나던 차 74세 이종숙과 춤을 추어 보니 그래도 잘 맞는다는 생각이 들었다.

이종숙 역시 자신은 74세라도 스피드 한 춤을 추고 싶었는데 매번 실버들과 춤을 추다 보니 붙잡고 있는 춤만 추어 싫증이 나던 차 최지성과 춰보니 스피드하고 파워풀한 게 좋다는 생각이 들어 두 사람은 맨날 같이 추기로 약속하였다.

최은영은 항상 같이 놀아주지 못하는 게 미안하여 퇴근 후 최지성과 만나 운동을 하려고 노력하였는데 최지성은 최은영을 만날 때마다 불평을 털어놓았다. 매번 부킹이 나이가 많은 허리 구부러진 할머니를 해 주어서 못 놀았다는 이야기뿐이었는데 어느 날부터 불평하는 소리가 안 들려 오늘은 파트너를 괜찮은 사람을 만나서 재미있게 놀았나 보다 생각을 했다.

그러다가 오후 5시 이후에 만나면 피곤한 기색이 역력하고 옷에는 땀이 흠뻑 젖어 땀 냄새도 많이 나서 최은영의 촉으로 재미있게 잘 노는 일일 파트너가 생긴 것을 감지하게 되었다.

전화를 여러 번 해도 잘 받지 않고 못 받았으면 해 줘야 하는데 전화도 해주지 않고 분명 다른 여자가 생긴 것이라는 확신에 파고 들어가 보니 이종숙이라는 여자와 매일 춤을 춘다는 것을 알게 되었고 최은영이 찾아가서 보니 최은영 자신과 비슷한 체격의 마음씨가 푸근해 보이는 촌부 같은 여자였다.

둘이 춤추고 술 한 잔을 하던 사이에서 어느 날부터 춤추기 전 만나자마자 술 한 잔부터 하는 사이라는 것을 알게 되었다. 최은영은 절대 한 사람과는 안 된다고 난리를 쳤다. 최지성은 왜 안 되느냐 무얼 의심하느냐 최은영 당신이 못 나오니 주중에는 이종숙과 추고 주말에는 최은영 당신과 추려고 하였다. 우리는 춤만 추지 아무 사이도 아니다. 내가 저런 여자를 좋아하겠느냐고 항변을 하였지만, 최은영은 단호하게 "이종숙을 주 중에 만나면 5일간 만나 춤을 춘다는 이야기고 자신은 주말에 만나면 2일간 춤을 춘다는 이야기인데 그럼 누가 애인이냐?" "그리고 남녀가 처음부터 사랑하자고 해서 파트너가 되는 경우도 있지만 아무 관심이 없이 매일 만나 술 마시다 은연중 정이 드는 게 사람 일인데 이것은 안 된다."하여 정리를 시켰다.

최은영 말이 맞다. 남녀가 자주 만나 술을 마시고 춤을 추면 좋아하게 되어 있다. 스킨십을 하며 하루에 몇 시간씩 만나보라. 당연히 좋은 연인으로 발전하게 되기 때문이다.

최지성과 이종숙 둘은 술을 잘 하여 각 1병씩 마시는 사이인데 거기에 춤까지 춘다는 것은 처음부터 발본색원해야 한다. 결국, 최지성은 서운하다고 하면서도 최은영 말이 옳기에 최은영이 하라는 대로 이종숙과 춤을 추지 않게 되었다. 최지성은 외모가 단정하고 깔끔하여 여자들의 선망의 대상이다. 거기에 끼까지 갖추었으니 최은영이 단속을 하는 수밖에 없는 것이다.

최은영이 센스가 있어서 둘 사이를 떼어놓았으니 다행이지 그냥 두면 두 사람 관계가 파트너로 발전할 수도 있기에 내 파트너가 한 사람과 고정으로 춤을 추면 추지 못하게 해야 한다.

이곳은 골키퍼가 있어도 골을 힘차게 차 넣는 곳이다.

관심과 집착의 차이

이곳에서 만나는 오래된 파트너는 20년 이상도 있고, 이제 시작하는 파트너는 1년이 안 된 새내기 파트너도 많다.

파트너가 자신이 아닌 다른 상대에게 관심이 많다면 누구도 속이 상하고 화가 날 것이다. 파트너가 과묵하고 점잖다면 걱정이 없지만, 끼가 많은 경우는 피곤하고 세심한 관찰이 필요하다.

그래도 함께 하는 경우는 걱정이 덜하지만, 여자가 늦게 나오는 경우는 신경이 많이 쓰인다. 가장 신경 써야 할 부분이 거짓말을 하는지 알아내는 것이다. 그렇다고 시시콜콜 따지듯 물으면 남자가 불쾌하게 생각한다. 집착한다고 밀어붙인다. 남자는 단순해서 거짓말을 한 번은 통과할지 모르지만 계속하기는 힘이 든다. 자신이 무슨 말을 하였는지를 모르기 때문이다.

원래 거짓말은 다른 거짓말을 해야 유지되기에 참 힘이 든다. 늘 긴장 속에서 탄로 날까 봐 말조심해야 한다. 거짓말을 할 경우는 말을 자신 있게 하지 못하고 늘 조심스럽게 한다. 말수가 적어진다.

남녀의 사랑이 시작될 때 서로 자주 전화하고 자주 확인하고 자주 만나는 것을 관심을 갖고 있다고 좋아한다. 그러나 권태기가 오면 자주 전화하고 자주 확인하면 집착이 심하여 숨을 쉴 수가 없다고 집착으로 밀어붙인다. 사람의 마음이 이렇게 간사할 수가 없다.

그래서 관심이냐 집착이냐의 차이는 사랑의 시작이냐 사랑의 권태기냐로 구분하면 좋다.

사랑의 온도 체크하기

사랑하다 보면 두 사람의 사랑의 깊이가 얼마나 되는지 궁금해진다.

우리가 정말 얼마나 사랑을 하고 있을까? 알고 싶은 건 남자보다는 여자이다.

남자는 보는 것으로 행복을 느끼고 만족을 하지만 여자는 듣는 것으로 만족을 하고 행복을 느낀다. 여자는 파트너의 자상한 관심과 다정한 말을 가장 원한다.

머리를 하고 나갔을 때 파트너가 아주 잘 어울린다고 하거나 새로 옷을 사 입고 나갔을 때 멋지다고 하면 행복해한다. 그만큼 관심을 가져주었구나 생각하니 행복한 것이다. 당신이 최고 멋지다거나 사랑한다는 달콤한 말을 들려주면 여자는 립 서비스 같다는 생각이 들면서도 너무 행복해한다.

두 사람의 관계를 자주 체크해 보는 것도 좋다.

지금 우리의 사랑의 온도는 몇 도나 될까?

처음 만날 때 온도가 무쇠도 다 녹일 듯한 온도였다면 지금은 과연 무쇠를 녹일 수 있는지 확인해 본다. 처음에는 물을 팔팔 끓일 수 있는 100도였다면 지금은 손을 넣어도 넣을 수 있는 55도 정도인가?

수시로 다정한 말을 해주더니 지금은 듣기 어렵게 되고, 건강을 챙기라고 열강을 해 주더니 듣기 어렵게 되었다든지 도대체 관심을 갖고 있는 게 무엇일까 싶을 정도로 무관심해졌다면 사랑의 온도를 높여야 한다.

사랑한다는 말을 의도적으로 자주 하여 세뇌시켜야 한다. 상대의 좋은 점을 자주 언급하여 칭찬해 주는 것이다. 남자는 애인과 아내의 차이점으로 아내는 행동을 저지하는 잔소리를 많이 하는데 애인은 절대 행동을 저지한다거나 추궁을 하지 않아서 애인을 좋아한다고 한다.

남자는 공감해 주고 무조건 남자 편이 되어야 좋아한다. 무조건 당신이 옳았고 당신이 최고고 당신이 제일 멋지다고 해주는 것이다. 그리고 과거 즐거웠던 추억을 꺼내어 둘이 반추해 보는 일도 중요하다. 시간이 된다면 여행도 다녀오고 감성을 같이 공유하는 일을 만들어 본다.

가장 가까워질 수 있는 게 여행이라 본다. 두 사람의 사랑의 온도가 식지 않도록 팔팔 끓여 뜨거워서 손을 댈 수 없을 정도의 온도를 유지하도록 노력해야 한다. 남자는 나이가 먹어도 단순하기에 큰 아기 다루듯 다루면 식지 않고 지낼 수 있다. 지시하거나 무시하거나 퉁명스러운 말투 짜증스러운 표정을 짓지 말고 상냥하게 다정하게 따뜻한 말씨로 관심을 갖고 대해 사랑의 온도가 식지 않도록 한다. 항상 100℃를 유지하도록 한다.

좋은 점, 불편한 점

파트너가 있어 좋은 점

마음에 드는 파트너가 있으면 가장 좋은 점이 안정감이다.

혼자보다는 둘이 있을 때 안정감이 생기듯 함께 춤추고 함께 식사하고 마치 초등시절 단짝 친구처럼 항상 손을 잡고 다닌다. 나이가 70이 되어도 마치 어린 시절 친구와 다니듯 손잡고 팔짱 끼고 다닌다.

온종일 만나서 데이트를 하고 외로울 때 괴로울 때 즐거울 때 같이 해 줄 수 있어서 좋다. 친구에게 자식에게 할 수 없는 말을 파트너에게는 자연스레 속마음을 털어놓을 수 있어서 좋다.

여기서 중요한 것은 내가 너를 위해 무언가 해줘야겠다는 마음을 가져야 한다. 상대를 위해 상대를 즐겁게 상대를 편안하게 배려해야겠다는 마음을 가져야 행복한 커플이 될 수 있다.

상대가 나를 위하여 무엇을 해줄까 기대하지 말고 상대가 있어서 참 좋은 점이 무엇인가를 생각해본다.

파트너가 있어 불편한 점

파트너가 있어서 좋은 점만 있는 게 아니다. 때로는 불편하여 관계 청산을 하고 싶을 때도 많다. 가장 큰 이유는 상대가 나에게 집중하지 않을 때이다. 파트너가 되면 자신을 죽이고 상대에게 시간과 정열과 마음을 주기 원한다.

그러나 기본적인 믿음을 저버리는 행동 즉 전화를 잘 받지 않는다거나 행동반경이 부정확하거나 낯선 전화가 오면 당황하면서 받는 모습이라든가 아무튼 신뢰가 가지 않는 행동을 보일 때 가장 관계 청산을 하고 싶어진다.

그런데도 헤어지지를 못하는 경우는 정이 들어 쉽게 헤어질 수 없기 때문이다. 이렇게 싸우면서도 만날 수밖에 없는 아이러니한 관계, 이 관계는 말로 논리적으로 설명할 수 없는 원리다. 상대가 자기에게 간섭하지 말라는 식으로 반격해 올 때 여자는 당장 헤어지고 싶어진다. 그러나 다른 대안이 없기에 할 수 없이 좋은 날이 올 때까지 참고 기다릴 수밖에 없다.

속담에 '여름에 화롯불도 쬐다 안 쬐이면 허전하다'는 말이 있듯이 파트너가 있다가 없으면 가장 먼저 느끼는 게 허전함이다. 상처를 받을 때는 파트너 없이 내가 못 살 것 같으냐고 당장 헤어지고 싶지만, 막상 헤어지고 나면 마땅한 사람이 없어서 헤어지지 못하는 거다.

헤어진 후의 커플 모습

두문불출 형

사람들이 많이 출입하여 모를 것 같아도 커플은 다 안다.

주중에는 한 곳에 2,000여 명이 출입을 하고 주말에는 3,000 명 이상이 한 콜라텍에 출입할 정도면 어마어마한 인원이지만 이름은 몰라도 저 남자와 저 여자는 커플이라는 사실을 알기 때문에 어찌 보면 자기 이력의 꼬리표를 달고 다닌다고 볼 수 있다.

사이좋게 만나던 커플이 헤어지게 되면 나타나지 않는 유형이 있다. 주위 사람에게 창피한 마음에 나오지 않는 경우다. 그래도 이런 경우는 자존감도 있어서 바람직한 현상이다.

주로 헤어짐의 원인을 제공한 사람은 나오지만, 피해자는 나오지 않는다. 남자가 가해자인 경우 남자는 나오지만, 여자는 나오지 않는 경우가 많다.

영등포에 나오지 않는 것이 아니라 같이 놀던 같은 공간에 나오지 않는 경우를 의미한다. 다른 콜라텍에 가서 놀기는 한다는 이야기다.

여자가 가해자인 경우는 남자가 나오지 않는다. 왜냐하면, 나왔을 때 파트너가 혼자 놀면 속이 덜 상할 텐데 다른 새로운 파트너와 너무 행복하게 놀고 있는 모습에 질투가 생기기 때문이다.

뻔뻔형

이 경우는 자존심도 없고 수치심도 없다.

오로지 오기로 남자와 여자가 이용하던 콜라텍을 이용한다. 서로 한 공간에서 다른 파트너와 놀고 있다. 정말 다른 사람이 보기에도 동물 같은 느낌이 들 정도다. 차라리 다른 공간에서 나누어 놀면 보기 싫지 않을 텐데 같은 공간에서 새로 사귄 파트너와 스킨십을 하면서 노는 모습은 인간의 모습이 아닌 것 같이 보인다.

지니라는 65세의 여자가 있다. 혼자 사는 싱글인데 체구는 작고 옷은 항상 원피스를 입는데 명품만 걸치고 다닌다. 75세 김형식 실버와 사귀다 버리고 헤어졌는데 다시 금세 다른 파트너를 사귀었다. 너무 뻔뻔한 모습에 참 기가 찰 정도다. 소문이 다 났는데 새로 사귄 파트너와 춤을 추러 다닌다.

전 파트너인 김형식 실버는 혼자 다른 여자를 데리고 나타난다. 얼마나 추한 모습인가. 지니는 부끄러워하지도 않는다.

지나칠 정도로 쿨 하다고나 할까? 아니면 뻔뻔하다고 할까? 과거 파트너에게 보복하는 것처럼 보인다. 누군가가 먼저 배신을 하였기에 헤어진 것일 것이다. 피해자라고 짐작되는 상대가 먼저 파트너에게 보란 듯이 행동하는 경우이다. 연예인들이 애인에서 친구로 남기로 하였다고 이해하기 힘든 이야기 하듯 서로 자기 갈 길을 가는 경우이다. 하지만 우리는 다 알고 있기에 두 사람의 속내가 우습게 보여 신경을 쓰게 된다.

우리는 동서지간?

콜라텍에서 유행하는 말이 있다.

입이 가벼운 남자들이 얼마나 무서운지 모른다.

남자가 여자를 진심이 아니라 가볍게 만난 탓인지 파트너와 사귀다 헤어지면 다른 사람들에게 다 공개한다.

나는 저 여자와 잠자리를 하였다는 이야기, 선물을 무엇을 받았다는 이야기, 잠자리하고 난 느낌을 이야기하며 다 공개한다. 그러다 보면 그 여자에 대해 좋지 않은 소문이 돌기 시작하여 여자가 사귄 남자가 누구라는 것부터 이력에 대한 이야기가 동시에 돌기 시작한다.

그러다 보면 자신이 만난 여자 이야기가 다른 남자의 입에서 나오는 것을 알게 되는 것이다. 이런 이야기를 하는 남자도 수치스럽게 생각을 하는 것이 아니라 아주 덤덤하게 이야기 나누게 된다.

특히 남자가 여자를 좋아하는 경우 여자가 남자를 버리고 다른 남자를 만나게 되면 남자는 의도적으로 여자에 대한 신상을 공개한다. 다른 남자를 만나지 못하게 하려는 속셈이다. 바람둥이 같은 남자는 여자를 많이 만난 것을 자신이 잘나서 한 행동인 양 뻔뻔스럽게 공개한다.

그러다 보면 한 여자를 두 남자 아니 세 남자가 만난 것을 알게 된다. 그때 그들은 우리는 선후만 다를 뿐 서로는 동서지간이라는 농담을 한다.

사랑의 약은 사랑

이곳에서는 헤어진 후 사랑의 아픔을 치유하기 위해 다른 사람을 만나는 것이 명약이라고 한다.

사람의 약은 사람이라는 뜻이다. 그래서일까? 너무 쉽게 다른 사람을 만난다.

나이는 50대 중반 같아 보이고 항상 이상한 안경을 쓰고 다니는 키가 작은 여자가 있다. 나이가 든 남자와 한참 파트너가 되어 춤을 추더니 어느 날 남자가 혼자서 다른 여자와 춤을 추기에 아마도 헤어졌나 싶어 관심 있게 보니 여자도 다른 남자와 춤을 추고 있었다.

알 사람은 다 아는 일인데 다른 사람과 만나고 그 사람하고 얼마 동안 춤을 추더니 다시 다른 사람을 만나는 게 목격이 되었다. 참 빠르게도 사귀고 빠르게도 헤어지는구나 세월만큼 빠른 것을 실감한다.

그런데 이상한 점은 파트너가 바뀐 것을 다 아는데 상대들은 너무나 뻔뻔하게 태연하다는 점이다. 만나다 헤어질 수도 있다는 것인지 이런 면에서는 성 개념이 너무 혼란스럽다.

파트너를 처음 하기가 어렵지 한번 파트너가 있던 사람은 너무 쉽게 파트너를 구한다. 파트너가 없었던 사람을 만나는 게 아니라 분명 파트너가 있어서 같이 놀고 어울린 상대도 주변 사람이 다 아는데도 아주 뻔뻔스럽다.

한 사람과 오래 파트너를 하는 사람도 많지만, 너무 쉽게 파트너를 바꾸는 사람도 많다. 지조가 없어 보이고 성이 문란해 보인다. 이런 사람 때문에 콜라텍은 불륜의 온상이라는 말도 듣는 것이다.

밀어내는 이별

이곳에서는 얼마나 파트너 교체가 빠른지 정말 눈 깜짝할 사이에 이루어진다.

이 세계는 현재 파트너가 있는 상태에서 파트너가 일이 생겨 며칠만 나오지 않게 되면 금세 다른 파트너와 매일 같이 춤을 추게 된다. 파트너가 매일 바뀌는 것은 문제가 되지 않는데 한 사람과 매일 춤을 추게 되면 문제가 발생한다. 매일 춘다는 것은 두 사람 감정이 좋다는 것이다.

이종섭은 68세로 파트너와 8년 동안 사랑을 키워왔다. 파트너는 80세 김지선 연상의 여자로 나이가 12세 연상이었다. 누가 봐도 어울리지 않는 사랑을 하였는데 정이 들어서인지 이종섭이 김지선을 향한 애정은 갸륵할 정도였다. 진실해 보이는 만남이었는데 김지선이 개인 사정으로 1주일 나오지 못하고 있었다.

그때 신미자라는 76세의 여자와 춤을 추게 되었는데 신미자는 이종섭이 파트너가 있다는 것을 알고 있으면서도 이종섭과 매일 만나 춤을 추었다. 신미자라는 여자가 얼마나 용감하고 뻔뻔한지 마음만 먹으면 자기 하고 싶은 대로 하는 남을 전혀 의식하지 않는 여자임을 알 수 있다. 나이가 들면 수치심도 없는 것처럼 뻔뻔스러웠다.

신미자는 평상시 알고 지낸 홍정희라는 여자가 이종섭과 술자리를 하는 자리에 동참하였다. 홍정희가 같이 술 한잔하자고 셋이서 만났는데 홍정희가 평소 이종섭을 좋아했었다. 이미 이종섭에게는 김지선이라는 파트너가 있기에 홍정희는 마음으로만 짝사랑하던 사이였다. 그러다 신미자와 셋이서 술자리를 만들어 만났는데 신미자가 여기서 이종섭을 유혹한 것이다.

그러니 홍정희 눈에는 신미자라는 여자가 형편없이 보였을 것이다. 신미자는 이종섭을 만나 춤을 추면서 기어이 내 남자로 만들 것이라는 각오로 덤벼들었다. 김지선을 밀어내고 결국 자기 남자로 만들었다. 신미자는 이종섭의 애인인 김지선이 자신과 레벨이 맞지 않는다면서 아주 가볍게 김지선을 이종섭에게서 밀어내고 이종섭을 빼앗았다. 신미자에겐 뺏는 사람이 임자였다.

신미자는 정말 대단하다. 음식을 먹을 때도 이종섭에게 가만히 있으라고 하면서 다 먹여준다. 이종섭 팔을 자신의 목에 걸어 팔을 사용하지 말라고 하면서 먹여준다. 애인이 있는 남자를 뺏고도 아주 당당하다.

남자는 여자가 잘 해주면 나이도 상관이 없다. 그냥 좋을 뿐이다. 십여 년 차이가 나는 연상의 누나를 거부감 없이 받아들인다.

하기야 이종섭은 모두 연상의 여자만 좋아한다. 이유는 손잡아 주면 누나들이 술을 잘 사서 그 맛에 연상의 여자를 좋아하였다.

정말 연상의 여자들은 연하의 남자가 손을 잡아주면 춤이 활기차고 파워풀하니 뿅 가는 것이다. 함께 춤추고 나면 젊어지는 것을 알 수 있다. 할아버지들과 느릿느릿 춤을 추다 연하의 남자와 춤을 춰보니 환상적이다. 무엇을 사 주어도 아깝지 않은 것이다.

이종섭도 처음에는 80세의 김지선이 마음에 걸려 신미자와 진도를 나가지 않으려 노력하는 것 같더니 어느새 정이 들어 마음이 신미자에게 기울어져 김지선이 전화를 하면 받지 않고 신미자와 매일 춤을 추며 지낸다.

신미자는 사별 후 혼자 사는 싱글이다 보니 이종섭을 좋아하고 이종섭에게 파트너가 있어도 상관없었다. 자기가 좋아하니 얼마든지 이종섭을 차지할 수 있다고 생각한 것이다. 장애물은 얼마든지 다 헤쳐 나갈 수 있다는 자신감과 용기가 있었다.

처음엔 이종섭이 신미자에게 1년만 기다리면 김지선을 정리하고 만나겠다고 하더니 신미자의 요염함에 두 달도 안 되어 말끔히 정리하고 신미자에 빠졌다.

남자의 경우도 파트너가 있는 상태에서 새로운 여자를 받아들이고 옛 파트너를 밀어내는 현실이 이 세계이다. 신미자는 골키퍼가 있어도 굳은 신념으로 들이밀어 성공한 경우다. 이종섭 같은 파렴치한 남자가 많은 이곳에서는 남자의 속성을 알고 대처를 해야 한다.

남자가 좋아하는 여자

춤을 잘 추는 여자

이곳이 춤 세계이다 보니 가장 좋아하는 1위는 역시 춤을 잘 추는 여자이다.

외모가 아무리 아름다워도 나이가 아무리 젊어도 춤을 잘 추지 못하면 재미가 없고 파트너를 하고 싶지 않다. 일단 춤을 잘 추어야 계속 추고 싶은 마음이 든다.

콜라텍에 와서 놀기에 가장 좋은 조건은 상대가 춤을 잘 추어야 한다. 남자가 리드하는 대로 척척 소화해 내는 여자는 함께 하면 즐겁고 신이 나고 힘이 들지 않는다.

이곳에서는 모든 게 평등한 편이다.

이곳에서는 학벌도 경제력도 인물도 필요 없다. 춤을 추는 곳이기에 춤을 잘 추는 사람이 인기다. 만약 금상첨화로 외모도 준수하고 얼굴도 예쁘고 젊기까지 하다면 더 바랄 것이 없다.

돈을 잘 쓰는 여자

2위로는 돈을 잘 쓰는 여자다.

예전 우리 문화는 남자가 데이트 비용을 거의 부담하였지만 현대는 가정에서 경제권이 여자에게 편중되다 보니 남자들이 용돈이 부족하고 쪼들리는 형편이다. 그래서 남자들은 일반적으로 여유 있게 생활하지 못하여 여자와 비용을 반반 부담 아니면 여자가 더 부담하기를 원한다. 그래서 여자가 돈을 잘 써야 사랑받고 대접을 받는다. 돈을 쓰지 않으면 푸대접을 받고 눈치를 먹는다.

일반 세계에서는 남자들이 여자에게 음식을 얻어먹는 것을 그렇게 기분 좋게 생각하지 않는데 이곳에서는 여자에게 얻어먹는 일을 부끄럽게 생각하지 않고 자신이 잘나서 얻어먹는다고 생각하고 아주 자랑스럽게 이야기한다. 그래서 일부 남자 중에는 누나 같은 연상의 여자를 손잡아 주고서 술과 음식을 얻어먹는다.

젊은 남자가 손을 잡아 주니 너무 행복해하면서 음식도 아주 잘 사준다면서 "누나"라고 접근을 하니 그렇게 좋아하며 나이든 여자가 돈도 잘 쓴다고 행복해한다. 세상이 많이 변하여서 요즘 남자들은 자존심도 많이 희석되었다.

얼굴이 예쁜 여자

남자의 생리는 여자가 예쁜 것을 무척 좋아한다.

원래 남자는 시각적인 것을 좋아하기에 눈으로 보아서 즐거워야 한다. 남자는 10대도 예쁜 여자 70대도 예쁜 여자만 찾는다는 우스운 이야기가 있다. 하루 일일 파트너도 예쁜 여자와 파트너가 되어 운동하기를 원한다. 얼굴이 예쁘면 이곳은 "참 얼굴이 예쁘십니다." 이 말로 대시를 한다. 이 이야기가 대화의 실마리가 되어 계속 이어져 나갈 수도 있다. 심지어 어떤 남자 파트너는 "내가 왜 그런지 사모님과 춤을 추니 마음이 산란해집니다." 이런 말로 대시를 한다.

그런데 이런 말을 하는 사람은 모든 여자에게 하는 사람이니 넘어가지 말아야 한다.

여자가 좋아하는 남자

춤을 잘 추는 남자

뭐니 뭐니 해도 콜라텍에서 가장 인기 있는 남자는 춤을 잘 추어 여자에게 즐거움을 줄 수 있는 실력자다.

남자가 춤을 잘 춘다는 것은 춤의 기술이 많아 단조롭지 않고 여자에게 춤의 맛을 느끼게 할 수 있기에 그렇다. 여자는 남자가 이런저런 기술을 발휘하여 정신없이 돌려주고 꺾어주고 조여줄 때 마치 자신이 댄서가 된 듯 황홀감에 빠진다. 여자는 남자와 춤을 춰보면 실력이 좋은지 금세 알 수 있다. 여자를 잠시도 놔두지 않고 스피드 있게 움직이게 만드는 남자 파트너가 매력 있는 파트너다. 그날 만난 파트너의 실력에 따라 행복할 수도 기분이 찜찜할 수도 있다.

일단 매력적인 남자가 되려면 춤을 잘 추어야 한다.

돈을 잘 쓰는 남자

남자의 외모보다 더 매력적인 것은 여유가 있어서 돈을 잘 쓰는 남자다.

역시 남자의 매력은 돈을 잘 쓸 수 있는 경제력이다. 춤을 추고 나면 술이나 한잔하자고 식당으로 데리고 들어가서 메뉴를 여자에게 고르도록 하는 남자다. 원하는 메뉴를 고르게 선택권을 주는 남자가 매력 있는 남자다.

대부분 무엇을 먹겠느냐고 여자에게 선택권을 주지만 간혹 남자가 음식값이 저렴한 것을 자신이 먹자고 권하는 경우도 있다. 그런 경우는 주머니 사정이 여의치 않아서도 그렇지만 남자의 성격이 여자에게 비싼 음식을 왜 사줘야 하냐며 비싼 것을 사주기 싫어하는 경우에 그렇다.

그런데 화장실에서 여자들이 오늘같이, 파트너 한 남자들이 술이나 한잔하자고 하는 남자가 요즘에는 없다고 푸념하는 것을 들었다.

그만큼 경제 사정이 안 좋아서 인정이 메말라 가는 것 같다고 여자들끼리 남자 품평하는 것을 들었다.

매너 있는 남자

여자들이 좋아하는 남자 3위는 잘 생긴 것보다도 매너가 좋은 사람이다.

엘리베이터를 탈 때도 출입구를 열 때도 여자가 안전하게 잘 타도록 멈춤 단추를 눌러 여자가 안전하게 타도록 도와준다든지 식당에 들어갈 때도 먼저 안으로 들어가도록 에스코트하는 남자, 음료수를 같이 마셔도 뚜껑을 열어주는 등 대단하지 않은 일에서 매너를 발휘하는 남자가 여자들에게 인기가 좋다.

간혹 항상 엘리베이터도 자기가 먼저 타고, 현관문도 확 열고 들어가 문을 잡아 주지도 않는 남자도 있다. 그런 남자보다 열심히 땀을 흘리고 나서 음료수라도 한잔 대접을 할 줄 아는 매너 있는 남자가 이곳에서 멋진 남자다.

매너 있는 남자와 같이하면 여자들은 기분이 참 좋다.

단정한 남자

여자의 속성이 멋 내기 좋아하고 깨끗이 씻고 다닌다.

그러나 남자의 경우는 잘 씻지 않아서 특유의 냄새가 난다거나 담배, 술 등으로 찌든 냄새가 나는 경우가 많다.

그래서 옷차림도 단정하고 냄새도 나지 않는 남자들이 여자에게 인기가 좋다. 춤을 추는 사람들이 나이가 들어도 단정하고 냄새가 나지 않게 관리를 하는 편이다.

냄새도 안 나고 멋지게 코디해서 양복을 입고 오는 남자를 보면 파트너를 하고 싶은 기분이 강하다.

6장

사랑 이야기

이곳에서는 애정표현을 남자보다 여자가 더
적극적으로 한다. 여자가 남자를 선택하고
데이트 비용도 여자가 더 과감하게 사용하
고 마음에 드는 상대에게 집을 구해 준다.

남자의 사랑 유형

돈으로 해결하는 남자

주로 나이가 많은 남자에게서 볼 수 있다.

이 세계에서 돈을 가장 잘 쓰는 세대는 70대라고 한다. 60대는 자녀 결혼을 다 시키지 못해서 부담이 있는 세대이고 80대는 죽을 날이 얼마 남지 않아서 돈을 쓸 줄을 모르고 그래도 70대가 돈을 잘 쓴다고 한다.

돈으로 사랑을 쟁취하는 남자는 보통 연하의 파트너와 다닌다. 남자가 귀금속을 운영하는 금방 커플도 남자 나이가 75세 정도이고 여자는 50대 후반으로 보험회사에 다니다 만난 커플이다. 매일 만나 춤추고 술 먹고 즐겁게 하루하루를 보낸다. 매일 만나니 부부 같은 사이다.

남자는 늘 깨끗한 양복으로 단정한 옷차림이고 여자는 남자가 해 준 귀금속을 주렁주렁 걸고 다니고 자주 패물이 바뀐다. 비교적 값이 나가 보이고 세련된 패물이다. 부부처럼 매일 만나 춤을 추고 시간을 보내다 헤어진다.

남자의 성이 시원치 않을 때 돈으로 해결하는 경우가 있다. 경동시장에서 한약상을 한다는 73세 남지병은 여자에게 옷을 해

주고 용돈을 주겠다고 제안한다. 자신과 파트너가 되어 달라는 조건으로 제시하며 젊은 여자를 파트너로 하고 싶을 때 돈으로 해결을 한다.

남성성으로 해결하는 남자

이 세계는 일반 세계와 다르게 섹스에 강한 남자들이 많다.

이유는 스트레스를 안 받고 생업 전선에서 활동하지 않아 그런 것 같다. 매일 생음악을 들으며 많은 여자와 스킨십을 하면서 지내다 보니 즉 걱정 근심 없이 생활하니 젊게 산다.

섹스에 강한 남자들이 마음에 드는 여자를 유혹하기 위하여 갖은 성적인 서비스를 한다. 그리고 성적으로 강한 남자들은 여자에게 성(性)으로 어필을 한다. 당당하고 권위적이고 배짱을 부린다. 자신의 주변에는 많은 여성이 있다는 자신감에 자존감이 강한 행동을 한다.

자신은 아주 강하다고 노골적으로 표현하기도 한다. 체격이 좋은 여자에게는 다이어트를 자신이 해 주겠다면서 노골적으로 야한 이상한 방법을 제시한다.

성에 강한 남자는 자신의 강한 성을 뻔뻔하게 자랑하며 자신의 성(性) 능력을 과시한다. 그리고 성에 자신 있는 남자들의 수법은 구걸하지 않는다. 냄새만 흘리고 밀당으로 들어간다. 여자들이 자신을 선택하도록 유혹한다. 그리고는 여자들에게 여러 번 대시하지 않는다. 속담에 '열 번 찍어 안 넘어가는 나무 없다'고 하지만 요즘은 절대 열 번 찍지 않는다. 한두 번 찍어보고 넘어가지 않으면 쉽게 포기한다. 자신의 자존심을 최대한 살린다.

처음에는 여자를 다정하고 부드럽게 유혹해서 여자에게 최선을 다하는 척하지만 결국 여자가 자기 파트너가 되면 잡은 물고기인 여자에게 떡밥을 주지 않는 상 남자가 되어 버린다. 그리고 남자는 오로지 여자에게 봉사하였다고 생각한다. 성(性)이란 상대가 서로 좋기 위하여 하는 행위인데 남자는 여자에게 봉사하였으니 여자는 대가를 지불해야 한다는 식의 발상을 한다.

여자는 남자의 강한 성에 끌려 옷도 해 주고 용돈도 주고 보약도 해 주고 최대한 물질적으로 서비스를 한다. 남자는 이런 물질에 잠깐 여자를 안심시키는 행동을 하지만 오래가지 않는다.

그리고 여자를 안심시키지 않고 언제든 다른 여자에게 갈 수 있다는 것을 행동으로 보인다. 그러면서 남자는 불안에 대한 스릴을 즐긴다. 자신은 항상 날아갈 준비가 된 사람이란 것을 은근히 과시한다. 여자에게 불안감을 조성하여 여자가 자신에게 매달리도록 집착하도록 여자를 장악한다. 여자를 요리하고 싶은 대로 인절미 주무르듯 자유자재로 손안에서 갖고 논다.

성(性)을 맞춰보는 남자

이영식이라는 남자가 있다.

과거에는 은행원으로 잘 나갔는데 명퇴를 한 후로 지금은 공공기관 버스 기사를 하고 있다. 춤을 아주 잘 춘다. 외모는 별로 잘생기지는 않았지만, 인성이 바른 편이다. 즉 기본이 바로 된 사람에 속한다. 이런 곳에서는 보기 드문 인성이다.

옷차림이 수수하고 돈도 별로 없는데 춤은 잘 추니 여자들이 손을 잘 잡아 준다. 항상 멋진 애인을 두고 싶어 갈망한다. 이영식은 키가 작은 여자를 좋아하는데 여자를 한두 번 정도 만나면 성이 맞는지 맞춰보려 한다. 성이 맞으면 파트너를 하고 그렇지 않으면 헤어질 속셈이다.

쉽게 말해 파트너 할 여자에게 돈을 지출하지 그렇지 않은 여자에게는 돈을 쓸 필요가 없다는 의미이다. 이영식의 경우는 파트너를 만들려면 공을 들여야 하는 데 공도 들이지 않고 급하게 우물가에 가서 숭늉을 찾는 격이다.

정신이 제대로 박힌 여자가 어떻게 두 번 만나고 성을 맞춰보겠는가? 이영식의 속셈은 성이 맞아 파트너 가능성이 있는 여자에게만 돈을 투자하고 그렇지 않으면 돈을 들이지 않으려는 수법이다.

여자의 사랑 유형

연하 밝힘증 여자

이순옥이라는 여자는 나이가 67세로 남편과 15세 이상 나이 차가 많이 났다.

그래서인지 항상 젊은 남자만 찾는다. 만나면 오래 사귀지도 않는다. 파트너가 생겨도 파트너하고만 춤추지 않는다. 파트너 말고 최소 5명과 추어야 한다고 남자 파트너에게 처음부터 이야기해 놓는다. 자신은 춤을 한 사람과는 질려서 추지 못한다고 당당하게 발표해 놓는다. 자신은 여러 남자와 추어야 한다며 파트너와는 30분 이상 질려서 추지 못한다고 공표해 놓았다. 완전히 바람둥이 발상이다.

이순옥은 심재형이랑 연애에 빠졌다. 10년 연하인 심재형은 이혼하고 방 하나 얻어 나왔다. 이순옥은 영등포에 나오면 심재형 냉장고에 반찬을 가득 채워준다. 용돈도 준다. 데이트 비용을 이순옥 혼자 부담하다 보니 파트너 관리하기가 버겁다고 한다. 젊은 파트너를 유지하기 위하여 돈이 많이 들어가는 게 사실이다.

여자가 연상인 커플의 경우 여자가 경제적인 부담을 지기에 힘들어한다. 경제적인 것도 있지만 성적인 것에서도 여자가 부족하여 연하의 남자 수준에 응대가 부족해 미안하게 생각을 하고 저자세로 논다.

그리고 연하의 남자만 선택하는데 자기보다 나이가 많으면 노인 냄새가 나서 싫다고 한다.

어느 날 10년 전 직장에서 6개월 같이 근무했던 동료 송 행정실장을 콜라텍에서 마주쳤다. 이름은 가물가물 생각이 나지 않고 성씨만 생각이 났는데 그 당시 송실장의 채무관계로 행정실에 가면 매일 싸우는 소리만 들렸고 무척 소란을 피웠던 기억이 났다.

지금 나이가 73세는 되었을 텐데 그 때보다도 더 젊어졌다. 머리 중앙에 가발을 올려 오드리 햅번 스타일로 고전적인 이미지를 연출하고 미니스커트에 부츠를 신고 연하의 남자인 파트너와 신나게 춤을 추고 있었다.

10년 전 그 당시 같은 직장에서 행정실장을 할 때는 부채문제로 내가 부임한지 6개월 만에 시끄럽게 명퇴한 여자였는데 콜라텍에 와 보니 젊은 연하 남자와 애인을 하고 있었다.

행정실장 나이가 73세인데도 아주 멋을 내고 의상도 비싼 옷으로 치장을 하였는데 마치 꽃뱀이 된 이미지였다.

이곳에서는 알아도 절대 아는 체하지 않는 게 불문율로 되어 있다. 서로 아는 체를 하지 않는 게 예의다.

용도별로 사랑하는 여자

이 세계에서 노는 사람 중에는 성도착증 환자 같은 사람이 있다.

상대 하나로는 만족하지 못하고 여러 명을 두고 만나는 사람들이 있는데 특히 여자가 많다. 용돈을 주는 돈이 많은 남자, 술을 같이 먹는 분위기 있는 남자, 섹스에 강하여 만족을 줄 수 있는 변강쇠 같은 남자, 같이 공개된 장소에서 데이트하기 좋은 외모가 괜찮은 남자 이렇게 용도별로 다양하게 파트너를 두고 만나는 말로만 듣던 일을 하는 여자가 있다.

남자의 경우는 주 파트너를 보험 들었다 생각하고 든든하게 옆에 두고, 다음 파트너를 만나 즐기는 경우다. 파트너가 있는 것을 알면서도 이해해 주는 여자와 남자가 있다는 게 이상한 일이다.

일반 세계에서는 불결하여 싫을 것 같은 데 이곳에서는 파트너가 있어도 나를 만날 때 나에게만 잘 해주면 된다는 식이다.

마음이 넓은 것도 아니고 이것은 무얼 의미하는 것일까?

어차피 당신은 내 것이 아니라 누가 가져도 가져야 할 상대니 즉 자신의 주제를 너무나 잘 파악하고 있어서일까? 남자면 된다는 사고방식이다.

너그러워도 너무 너그럽고 개방적이어도 너무 개방적이다.

돈으로 춤을 사는 여자

나이가 들고 돈이 많은 여자 중에서 춤을 배우고 즐겁게 놀기 위하여 춤 선생을 사려고 흥정하는 사람이 있다.

자신은 돈이 많으니 놀 때 재미있고 즐거운 춤 잘 추는 사람을 돈으로 사고자 하는 것이다. 대가로 용돈을 주겠다, 심지어는 아파트를 주겠다는 등 조건을 제시해 온다. 하지만 여자의 나이가 너무 많아 도저히 놀 기분이 아니어서 거절하는 경우가 있다.

춤 선생 이충섭은 키도 크고 춤을 아주 잘 추는데 여자로부터 많은 제의를 받았지만, 도저히 자신이 없어 거절하였는데 후회가 된다고 한다. 그때 여자의 제의에 응하였다면 경제적으로 안정이 되었을 텐데 현재 힘들다 보니 거절한 일이 후회된다는 이야기다.

춤 선생을 하다 보니 수 없이 많은 제의를 받았는데 현재는 과거에 비하여 춤 세계도 정화가 되어 건전하게 변하였다고 한다.

결혼은 노(No)! 사랑만

이 세계에는 혼자 사는 싱글이 많다.

이혼 싱글도 있고 사별 싱글도 있으나 대부분 돌싱이 많다. 이 세계 남자들이 가장 좋아하는 부류가 유부녀이고 다음이 혼자 사는 사람인데 이혼녀를 가장 멀리한다.

유부녀는 집착하지 않아서 좋다고 한다. 귀찮게 집착하지 않고 갈 시간이 되면 귀가를 해서 좋단다. 남자를 붙잡고 집에 가지 말라고도 안하고 여행 가자고도 안 해서 좋다고 한다.

그다음 혼자 사는 여자인데 혼자 사는 여자는 비교적 남자를 붙잡고 놔주지 않는 경우가 있다. 더 있다가 가자고 하던지 여행 가자고 하던지 아무튼 귀찮을 정도로 붙잡으며 적극적으로 매달리는 경우다.

그리고 사별한 사람보다 돌싱이 성격이 좋지 않다고 생각한다. 오죽하면 이혼했겠냐고 한다. 성격이 독특하고 개성이 강하여 이혼을 하였다고 생각을 한다. 한번 이혼한 사람은 재혼하려고 생각하지 않는다.

자신이 없어서 그냥 즐기기만 하면 된다고 생각을 한다. 동거를 원하지 않는다. 동거해도 혼인신고는 하지 않고 법적으로 피곤해질 일은 만들지 않는다.

파트너 집에서 하숙을

이 커플은 만난 지 3년 차로 부부처럼 행동하지만 함께 살 의사는 없단다.

김사장은 소희라는 여자와 나이 차가 10년 나는 연상의 남자다. 소희가 춤을 추러 처음에 발을 들여놓았다가 김사장 눈에 띄어서 찍힌 경우이다. 김사장은 혼자 사는 홀아비이고 소희도 남편과 사별을 한 지 3년 되는 여자이다.

소희는 목동에서 월세를 받으며 사는 여자로 돈이 비교적 있어서 명품 옷만 입고 다닌다. 키가 작고 몸매가 작아서 원피스를 입으면 몸매는 50대 초반으로 보이지만 얼굴을 가까이 보면 참 못생긴 얼굴에 화장발로 젊어 보이지 실제 나이가 보인다.

김사장은 소희 집에 들어가 산다. 월 30만 원씩 생활비로 받고 주식을 해결해 준다. 둘이 데이트를 할 적에는 밖에서 쓰는 비용은 김사장이 부담한다.

하숙처럼 파트너 집에서 숙식을 해결하는 김사장과 소희는 데이트를 하고 귀가할 때 김사장이 교통비를 절약하고자 전철 무임승차를 하고 소희는 버스를 이용하여 둘이 서로 따로 귀가한다. 소희는 버스비가 얼마나 된다고 각자 떨어져서 귀가해야 하느냐고 다투기 일쑤다.

애증

    사랑이라는 건 유통기한이 있고 움직이는 생물이다.

    당신 아니면 못 살 것 같다고 매일 붙어 다니던 커플도 시간이 흐르면 사랑이 식어간다. 사랑이 식어 가면 전화도 문자도 대응하는 게 정성이 없고 시큰둥해진다. 그리고 거짓말을 자주 하게 된다. 거짓말이 들통나면 오해와 배신감에 서로 다투고 냉전기를 갖게 된다. 결국, 못할 말까지 하면서 싸우게 된다. 싸우고 말하지 않고 혼자서 콜라텍에 다니다 보면 모양새가 좋지도 않고 다른 사람이 이상하게 생각하여 물어온다. 왜 상대 없이 혼자 다니느냐? 주변 사람들은 말은 하지 않지만, 저 커플 헤어졌나보다고 상상한다. 둘은 다시는 안 만날 것이라 다짐하지만 그게 말처럼 되지 않는다. 다시 연락하여 만나게 된다. 미운 시간보다 좋았던 시간을 떠 올리면서 사랑을 유지하려 노력한다.

    파트너는 부부처럼 연결해 주는 고리가 없기에 결정적인 순간에 슬기롭게 해결하지 못하면 결국엔 헤어지게 된다. 어떤 커플은 헤어져 다른 사람을 만나다가도 돌아와 다시 만나기도 한다. 1년 이상 어디서 무슨 일을 하고 다녔는지도 모르는데 다시 제자리로 돌아온 경우도 많다.

이 세계에서 하는 말은 헤어질 게 아니면 상대 기분을 맞춰줘서 끌어안아야 한다고 이야기한다. 사랑은 움직이는 것이어서 내 여자나 내 남자가 다른 사람과 깊어지면 즉 다른 사람의 체온을 느끼게 되면 사랑하던 시절로 돌아가려 노력해도 사랑할 수가 없다. 남아있는 불씨가 없기에 결국 헤어지게 된다. 밀당도 적당히 해야지 오래가면 아주 헤어지게 된다. 미워도 내 파트너를 다른 사람에게 주고 싶지 않은 게 남, 녀의 사랑이다. 내가 싫어서 미워서 헤어졌는데도 다른 상대와 친하게 지내면 눈 뜨고 보기 힘이 드는 것이다. 계륵과 같은 존재가 파트너 같다는 생각이 든다.

나는 싫어도 다른 사람이 좋아하면 못 봐주는 것 그게 바로 파트너다.

그리고 이곳에서는 헤어지고 싶은 마음을 못 참아 헤어지고 나면 대부분 파트너가 돌아오지 않게 된다. 이유는 주변에 인간자원이 너무나 풍부해서 헤어지고 나서 손쉽게 얼마든지 구할 수 있기 때문이다.

그래서 남자가 여자를 우습게 알고 여자가 남자를 쉽게 생각하는지도 모른다. 너와 헤어지면 다른 사람이 얼마든지 있다고 생각을 하는 게 바로 인간자원이 풍부해서다.

커플의 사랑 이야기

시한부 사랑

콜라텍에는 우리가 궁금해 하는 꽃뱀이나 제비가 사실 존재한다.

영화에 등장하는 제비는 머리를 올백으로 넘기고 흰 구두에 그야말로 춤꾼이라는 걸 삼척동자도 알 수 있게 티를 내고 다니는데 요즘은 겉모습을 보면 수수한 동네 아저씨 같다.

콜라텍에서 무직으로 여자를 빨아먹으려 작정을 하고 다니는 남자들이 많다. 그야말로 공을 들인다.

지유철이라는 남자는 잘 나갈 때 우리나라 대기업에서 근무하다 지금은 아내와 이혼을 하고 고등학생인 아들과 둘이서 살고 있다. 강화도가 본가이고 공덕동에 단칸방 세를 얻어놓고 사는 형편이다. 이 세계에 들어와 춤을 춘 지 30여 년이 넘었다.

나이가 63세이고 얼굴은 양아치 같은 분위기가 풍긴다. 옷차림은 항상 양복을 입어서 단정하게는 보이지만 왠지 믿음이 가지 않는 모습이다. 환경이 자신의 얼굴을 만든다고 콜라텍에 매일 와서 춤이나 추면 정말 외모의 틀이 형성된다. 성실하지 않은 듯한 모습과 긴장되지 않고 헐렁한 표정, 단단해 보이지 않고 싱겁게 생긴 표정이 공통적이다.

지유철은 체격이 크고 살도 많은 편이다. 올백으로 넘긴 머리에서 왠지 순수해 보이지 않은 꼭 양아치 같거나 제비 같은 이미지가 풍긴다. 주변에 여자가 많아 보이고 신뢰가 가지 않는 인상이다. 지유철은 경제 사정이 좋지 않아 자동차 보험을 하고 점쟁이들 이동 시 굿당까지 차로 이동해 주고 수수료를 받아 생활하지만 궁극적인 목표는 돈 많은 여자를 사냥하여 편히 사는게 꿈이다. 몇 년 전에 돈 많은 여자를 사냥하여 지금 타고 있는 중고 자동차를 얻어 본 경험이 있어서 불로소득 맛에 길들여 있다.

사냥감 여자를 찾기 위하여 혈안이 되어 춤은 추지 않고 홀 안의 여자들 옷차림을 살피면서 누구를 사냥할까? 누가 돈이 있어 보이나 매일 관찰을 하던 차 한 여자가 눈에 들어왔다. 여자의 이름은 신정희, 나이는 자신보다 8년 연상인 71세, 미국에서 오래 살고 왔다는 말에 혹시 대사 부인일 거라는 착각 속에 신정희에게 공을 들이게 된다.

그 여자는 명품 옷을 입고 다니고 롤렉스시계를 차고 고고한 척 우아한 척 폼 잡고 다니는 것이 상류사회 여성같이 돈이 있어 보였다. 지유철은 그 여자와 춤을 춘 후 그 여자 마음에 들기 위하여 연출하기 시작한다. 그 여자가 매일 3시경에 춤을 추러 온다는 정보를 입수 후 매일 그 시간에 나타나 자연스럽게 그 여자와 파트너가 되어 춤을 추었다. 지유철은 춤춘 지 30년이 넘었으니 춤에는 프로이고 신정희는 배운 지 얼마 안 된다고 하니 춤을 잘 추지 못하였다.

지유철은 춤을 가르쳐 주겠다고 접근을 한 후 의도적으로 한 달 동안 춤만 추고 음료수 한 잔도 같이하자고 하지 않았다. 자신은 고고하고 여자에게 추근거리지 않는 신사라는 이미지를 보이기 위한 연출이었다.

밀당을 하기 위한 포석이었다. 자신을 신비스럽게 포장을 하여 주가를 높이기 위하여 고고한 척 우아한 척 비싸게 놀았다. 그렇게 한 달이 지나 신정희가 자신을 믿는 것 같자 지유철은 그제야 음료수를 마시자고 제안한다. 참 많이 참은 것이었다. 그 후 식사를 하고 데이트를 하기 시작하였다.

신정희의 신상도 수집하였다. 미국에서 남편과 자녀들이 살고 있고 신정희 혼자 친정집에서 친정 부모와 살고 있는데 엄마가 건물이 있어 월세가 많이 나온다는 정보를 입수하였다. 지유철 자신은 단칸방에 살기에 비즈니스 차원에서 그 여자에게 서비스를 최대한 베풀었다.

없는 돈을 대출받아 데이트 비용으로 있는 척 썼다. 자신이 내세울 수 있는 무기가 오직 잠자리라는 생각에 최선을 다하여 서비스하였다.

그래도 신정희는 지갑을 열지 않았다. 식사비도 지유철이 지불하고 심지어 모텔비도 지유철이 부담하였다. 지유철은 돈을 빌려 데이트 자금에 썼다. 투자한다는 생각으로 비용을 부담하면서 더 큰 것을 목표로 인내하였다. 그러나 시간이 흘러도 신정희는 절대로 식사 한번 사지 않았다. 어찌 보면 신정희는 더 고수였던 것이다. 지유철은 정성껏 춤을 가르쳐 주고 잠자리도 공을 들여 만족하게 하였다. 하지만 신정희에게선 아무 신호도 잡히지 않았다. 답답하였지만 목표 달성을 위하여 인내하고 투자하였다.

언제가 신정희가 지갑을 열 수밖에 없을 거라는 확신을 갖고 속을 끓이며 최선을 다하였다. 교외에 나가 식사하고 모텔에 가고 심지어 신정희가 담배를 피우면 라이터를 켜서 불을 붙여주는 치욕적인 행동도 서슴없이 하였다.

지유철은 친정엄마가 건물이 있으니 혹시라도 콩고물이라도 얻을 수 있을까 하는 희망으로 인내하고 서비스를 하였지만, 신정희가 1년이 다가와도 돈을 쓰지 않자 더 이상 가치가 없는 김 빠진 맥주라 생각이 들어 그동안 자신이 헛물켰다는 후회를 하며 헤어지기로 마음먹고 경기고 파주 근처 모텔에 가서 잠깐 있으라고 한 후 자신은 혼자 차를 타고 돌아왔다.

신정희는 차도 없으니 그 먼 곳에서 오려면 택시를 불러 탔어야 했을 것이다. 그 후로 신정희와 헤어졌다. 몇 달을 없는 돈을 빌려서까지 공을 들였지만 신정희는 지유철 위에서 노는 고수였던 것이다. 즉 양아치 위에 고수 양아치였던 것이었다. 춤은 돈들이지 않고 배웠고 외로움은 젊은 남자를 통하여 풀었던 것이었다. 한 푼도 쓰지 않고 춤을 배우고 사랑을 만끽하던 신정희였다. 신정희는 지유철이 지극 정성 들여 춤 가르쳐 주지 열정적인 사랑 해주지 식사 사 주지 자기 돈 한 푼 안 쓰고 즐겼던 것이다.

지유철과 신정희는 각자 바라보는 곳이 다른 곳을 쳐다보면서 자기 목적 달성을 하였던 것이다. 둘은 진정한 사랑이 아닌 목적이 있는 사랑이라 오래가지 못한 경우다.

지유철은 과거 돈 많은 여자로부터 차를 선물 받아 본 달콤한 경력이 있어서 힘들게 돈 벌지 않아도 여자를 잘 만나면 편하게 얻어먹을 수 있다는 방법을 터득하였기에 가장 손쉬운 돈 버는 방법인 돈 많은 여자를 구하기에 혈안이 되었다.

지유철은 그 후로 결혼 정보업체로부터 돈 많은 여자를 소개받았다. 이혼녀인 여자는 자산이 수백억 되는 여자였는데 지유철은 재혼이라도 하게 될까 꿈을 꾸었지만, 그 여자는 애인으로만 만나자고 한 후 용돈은 한 푼도 주지 않고 옷이나 기타 선물을 흡족하게 해 주었다. 돈맛을 들이면 안 될 것 같았던지 물건 공세만 하였다. 지유철은 감질났다. 본인이 원하는 것은 돈이지 옷이 아니기 때문이었다. 먹는 것, 패물, 옷, 데이트 비용 등 모든 비용은 여자가 감당하였지만, 용돈은 절대 주지 않았다.

지유철은 여자가 양복을 서너 벌 맞추라고 하면 양복점 주인과 짜고 단가를 부풀려서 차액을 용돈으로 쓰는 수법을 사용하였다. 이 관계도 몇 달 가지 않아 헤어지게 되었다. 진실한 사랑 없이 목적 있는 사랑이다 보니 그 사랑이 오래갈 리가 없었다.

팔자를 고친 김윤미

65세 박태수는 철도공사 기관사로 정년퇴직을 한 사람이다.

체격은 착한 시골 아저씨처럼 마음씨 착해 보이고 춤이 좋아 오기보다는 술과 여자가 좋아 드나드는 유형이다. 집은 목동이고 좋은 직장을 다닌 탓에 경제적으로는 괜찮은 사람이다.

부인과 사별을 한 상태였고 10살 연하의 김윤미라는 괜찮은 여자를 알게 된다. 김윤미는 이혼으로 혼자 살고 있었다. 춤을 추러 나온 지 며칠 만에 박태수 눈에 찍혀 술 한 잔 나누며 이야기하다 참 솔직하고 점잖은 아저씨라는 느낌에 애인으로 발전하게 된다.

김윤미는 괜찮은 직장에 다니는 55세 여자로 이 세계에서 보기 드문 괜찮은 여자였다.

박태수는 원래 산을 좋아하는 마니아였다. 김윤미를 데리고 전국의 산은 다 다니고 국내 여행사 패키지 상품을 김윤미와 거의 다 섭렵한 사람이다.

박태수는 얼마나 절약 정신이 철두철미한지 술 두 번 사면 여자도 사야 한다고 김윤미에게 술을 사라고 강요하였고 여행을 가도 여자 몫은 여자가 내라고 할 정도로 짠돌이였다. 그런데도 김윤미와 오랫동안 파트너가 유지된 것은 박태수가 돈에 대해서만 짠돌이였지 그 외엔 자상하고 인정 있게 신경을 써 주는 진실함이 있어서 둘의 관계가 지속이 되었다.

그 무렵 김윤미는 부동산에 관심이 있어 프리미엄을 챙기기 위하여 아파트 분양을 서너 개 받았는데 막차를 타게 되어 빚더미에 앉아 아주 힘든 상태에 직면하였다. 아파트값이 하락에 하락을 거듭하여 분양가에서 마이너스로 빼주어도 매매가 되지 않았다.

분양가에서 몇천만 원씩 할인을 해 주어도 팔리지 않는 분위기였는데 김윤미는 파산 신청을 해야 하나, 개인회생을 해야 하나 아니면 다니는 직장을 퇴직해서 퇴직금으로 정리를 해야 하나 정말 대책이 없었다.

그래서 김윤미는 연금수령자이고 퇴직 전 4억 5천만 원을 비자금으로 해놓고 퇴직하였다고 늘 자랑하던 박태수에게 도움을 청하기로 하여 팔리지 않는 아파트 한 채만 사달라고 사정사정해 박태수가 시세보다 3천만 원 비싸게 사주어서 김윤미는 벼랑 끝에서 구제되어 오늘날 상승기에 접하였다.

박태수는 그렇게 상대 여자를 위하여 돈 한 푼도 쓰지 않고 얻어만 먹던 사람이었는데 김윤미에게 크게 당한 것이었다. 사실 당했다고 하기보다는 진정으로 사랑해서 도와주었다는 표현이 맞을 것이다.

박태수는 항상 자신은 여자에게서 얻어먹었다고 자랑을 하던 사람이었는데 소탐대실이랄까? 아무튼, 김윤미 한 생명을 구해 준 셈이다.

그러나 박태수는 생각할수록 아까웠는지 김윤미에게 짜증을 부리고 신경질 내고 하여 결국 헤어지게 되었다.

기왕 도와준 것 넓게 마음먹고 베풀었노라고 네가 안 되어서 도와주었노라고 하였으면 김윤미가 배신할 여자도 아니었는데 너무 힘들도록 짜증을 내는 바람에 덕을 베풀고도 김윤미라는 대어를 놓치고 말았다.

팔자를 망친 남자

67세 아저씨가 있다.

대머리에 얼굴은 윤기가 없고 양 볼은 폭 패인 경제적으로 여유롭지 않은 듯한 아주 서민적인 아저씨로 몸은 살이 없이 마른 편이었고 키는 상당히 커서 176cm 정도 되어 보였다. 얼굴은 혈색이 없이 누런색으로 주걱턱에 옷차림은 항상 같은 군인 잠바를 입고 다녔다.

아저씨와 춤을 추게 되었다. 아저씨는 기본적인 스텝부터 잘 가르쳐 주었다. 특히 블루스를 멋지게 추었다. 블루스를 멋지게 추는 사람은 비교적 없다. 그래서 지르박을 추다가 음악이 블루스로 바뀌면 사람들이 플로어에서 빠져나간다. 지르박은 춤을 잘 못 추어도 표가 안 나는데 블루스에서는 춤을 잘 못 추면 금세 표가 나기에 자신이 없는 사람은 나간다.

아저씨와 춤을 추면 아주 기분이 상쾌하였다. 개인 지도를 받을까 생각도 들었다. 나는 춤을 성실하게 열심히 춰 준 분에게는 음료수를 대접한다. 이 기회에 부족한 부분을 배워야겠다는 생각이 들어서 아저씨와 며칠 춤을 추었는데 그때마다 음료수를 대접하였다.

아저씨는 혼자 살고 파트너가 있었는데 돈을 4,500만 원 떼였다고 하였다. 나는 안쓰러워서 왜 떼였냐고 했더니 자신은 경제력도 없는 상황이었는데 어찌어찌 꽃뱀에게 걸려 떼였다고 하니 가여웠다.

직장도 없는데 어떻게 그 큰돈을 갚아야 할지 내가 걱정되었다. 그래서 아저씨는 근심이 있는 사람처럼 넋이 나간 표정으로 다녔구나 하는 생각이 들었다. 말수가 없이 늘 혼자 다니며 춤을 추었다. 춤을 추고 나면 술도 먹지 않고 음료수도 먹지 않고 사이드 빈 의자에서 휴식하는 깡 춤만 추는 아저씨였다.

둘은 사랑을 하였고 파트너로 잘 지냈다는데 여자가 돈이 필요하다고 하여 자기 집을 담보로 5천만 원을 빌려줬더니 여자는 떠나 버리고 돈도 갚지 않은 상태라고 하였다. 만나서 돈을 달라고 해보지도 못한 경우다. 아저씨는 은행 빚 갚기에 너무 힘들다고 하소연하였는데 결국 꽃뱀에게 당한 경우였다.

나는 아저씨 얼굴을 보고 참 깍쟁이 같은 인상인데 여자에게 당하였다는 게 이해가 가지 않았다. 얼굴로 보면 아저씨가 제비 같이 생겼는데 말이다.

제비에게 당한 여자

아주 시골스러운 60대 중반 여자가 하소연을 하였다.

원래 이곳에서는 모르는 사람끼리도 쉽게 이야기를 잘한다. 마치 오래전부터 아는 사람처럼 지낸다. 이 여자는 키도 작고 외모도 춤출 것 같지 않게 소박해 보였다. 여자는 춤추러 나온 지 얼마 되지 않아 한 남자를 알게 되었다. 남자는 아주 다정하게 여자에게 온갖 정성을 다 들여 여자를 폭 빠지게 한 후 돈을 5천만 원 빌려달라고 하여 빌려주고 받지 못한 상태라고 하소연을 하였다.

친한 사이가 되어 돈을 빌려주었는데 돈을 빌려주자 이 남자는 여자 곁을 떠난 것이었다. 찾아가 돈을 달라고 하면 돈이 없다고 하고 그렇다고 여자와 만나는 것도 아니고 여자는 돈도 잃고 사랑도 잃고 다 잃은 경우다.

이 세계의 특징이 돈거래 후에는 바로 헤어진다는 것이다.

제비를 사랑한 여자

여자 나이는 59세, 수지 엄마라고 부른다.

체격은 뚱뚱한 편이고 말도 아주 거침없이 시골스럽게 하고 행동도 생각을 하면 거침없이 실행에 옮긴다. 오지랖이 넓어서 모든 사람의 행동을 간섭하는 여자다. 힘들어 보이는 사람에게는 위로를 가슴이 답답한 사람에게는 역학을 잘 본다는 스님에게 소개하며 아주 시골스러운 인정을 베푼다.

그렇다고 하여 무엇을 바라는 타입도 아니다. 그저 인정이 많아서 공감을 잘 하고 베푸는 타입이었다. 이 여자의 외모는 아주 시골스럽고 유난히 가슴이 커서 답답해 보이기도 하였지만, 눈동자에서는 외로움이 묻어나는 그런 얼굴이었다. 옷차림도 수수하고 그야말로 서민적인 사람이었다.

이 여자는 춤을 배우고 이 세계에 온 지 얼마 안 되어 한 남자를 알게 된다. 남자는 유식한 언어를 구사하고 가진 것은 없지만 폼생폼사라고 자존심이 무척 강한 남자이다. 이 남자는 68세로 키는 작았고 몸집은 왜소하여 보호 본능을 자극하였다.

술을 잘 먹고 안주는 잘 먹지 않는 그야말로 전형적인 애주가 타입으로 대학교를 나왔다고 이야기하는데 이야기해 보면 가방끈은 길어 보였다. 대화를 해보면 유식한 정보와 세상 돌아가는 이야기며 아는 게 많아 보였다.

이혼하고 혼자 월세를 사는데 수지 엄마가 이 남자를 측은하게 여기다 사랑에 빠지게 되어 방을 얻는 데 5천만 원을 빌려주었다. 음식도 해서 날마다 냉장고에 넣어주고 식품을 사다 넣어주고 지극정성으로 이 남자에게 애정을 쏟았다.

동정과 측은지심에서 시작한 것이 큰돈을 빌려주게 되어 결국받지 못하게 되었다. 남자가 줄 형편이 안 되어서 주려고도 하지 않는다.

즉 모성 보호본능을 자극하여 도움을 받은 전형적인 제비였는데 수지 엄마는 자기 돈도 아닌 자기 집을 담보로 대출받아 빌려주고 은행 이자를 수지 엄마가 내고 있었다. 매월 이자 내느라 전전긍긍하는 상태였다.

지금은 얼마나 상환을 하였을지 궁금하다. 이 남자는 도망가지는 않고 계속 수지 엄마 곁에서 도움을 받으면서 붙어사는 제비이다.

엄마의 빈 가슴

여자가 73세 남자가 49세인 커플이 있다.

여자가 돈이 좀 있는지 하고 다니는 용모는 50대 초반의 모습이다. 컷도 젊은 스타일로 하고 옷도 젊게 입었다. 나이에 비하여 하체가 튼튼하고 엉덩이도 풍성한 게 73세 같지 않다. 얼굴은 V라인으로 섹스어필한 얼굴이다. 춤을 비교적 나이에 비하여 잘 춘다. 몸에서는 끼가 줄줄 흐른다.

소문에는 남자도 반듯한 직장생활을 하는데 여자가 용돈을 주고 모든 비용을 부담한다고들 한다. 아들처럼 어린 남자를 데리고 노는 이 여자는 돈을 비교적 잘 썼다. 콜라텍에서는 이 커플을 엄마와 아들이라 부른다.

나이 차가 나니 그렇게 부르는 것이다. 여자는 어두운 실내인데 꼭 선글라스를 착용하는 걸 보니 자신의 얼굴을 드러내지 않으려 위장하는 폼이다.

사생활이 복잡한 사람들이 주로 선글라스를 착용한다. 소위 꿀리는 데가 있어서 위장하는 경우이다.

다다익선(多多益善)

남자는 이경영 나이는 75세 여자는 박영숙 나이 57세로 나이 차가 18년이다.

과거 경찰 출신으로 여자를 만난 게 콜라텍이었는데 여자가 마침 제비를 만나 괴로움을 당하고 있을 때 이 남자가 해결해 주고 이 여자를 자신의 애인으로 만든 경우이다.

이 남자와 여자는 사는 곳이 멀어 여자는 잠실 근처에 살고 남자는 수원에 산다. 주말에 주로 만나는데 여자가 바쁜지 자주 나오지 못하고 남자 혼자 자주 나오는데 항상 다른 여자를 데리고 온다. 친구라고는 하지만 친한 게 사랑하는 사이 같다.

여자가 어찌나 많은지 박영숙을 데려다주고 다시 다른 여자를 만나기도 한다. 가을이면 밤을 갖다 주는 여자, 일본에 거주하고 서울에 나와서 용돈과 선물을 주고 가는 여자, 강남에서 아귀집을 하는 여자, 호텔 식당에서 주방 일을 하는 여자가 있다.

한 번은 돈이 많은 줄 알고 매일 공을 들이다 홍대에 사는데 임대로 산다고 하자 그 여자가 허구라는 것을 알고 실망을 한 적도 있다.

내가 아는 여자만 해도 이렇게 많다. 젊은 딸 같은 애인을 보험 들 듯 놔두고 반반한 여자를 보면 대시를 한다. 돈이 있어 보이면 아주 적극적으로 대시한다.

토요일은 젊은 애인을 만나고 일요일은 새로운 여자를 만난다. 바람둥이 애인에게 여자가 헤어지자고 하면 협박을 한단다. 그래서 이도 저도 못 하고 만나는데 남자가 여자에게 카드를 주고 사용하게 해서 이 맛에 두 커플은 헤어지지 않고 만나는 것 같다.

카드로 5만 원 이상 결재를 하게 되면 남자의 허락을 맡아야 하기는 하지만 그래도 카드를 주는 남자이니 버리기는 아까워서 만나는 것 같다.

어린 남자가 최고

춤의 세계에서는 돈의 위력이 대단함을 느낀다.

커플을 보면 누가 갑인지 금방 알 수 있다. 정명희와 황기태 커플은 연상 연하 커플이다. 황기태는 68세 정명희는 74세이다. 정명희는 지금도 경제활동을 하고 있다.

건설현장에서 보온 일을 하고 일당 13만 원을 받으니 월 300만 원 이상 소득이 있다. 얼굴은 곰보에 다리는 절룩이는데 정명희가 돈을 주로 쓴다.

들리는 말은 황기태의 잠자리가 훌륭하고 정명희 역시 아주 강하다고 한다. 둘은 죽고 못 사는 커플이라고 한다. 정명희는 식사비용, 데이트 비용에 가끔 용돈도 주고 옷과 구두도 잘 사준다.

황기태가 돈을 벌 수 있도록 현장 취직도 시켜 주었다. 남들은 황기태는 정명희가 돈을 쓰기 때문에 만나는 거라고 쑥덕거린다. 사랑하지 않지만, 정명희가 돈을 잘 써서 만난다는 뜻이다. 이 말을 입증이라도 하듯 황기태가 돈 벌러 판교에 갔는데 정명희를 보러 한 번도 오지 않는다. 사랑한다면 아무리 바빠도 정명희 파트너를 보러 올 텐데 바쁘다는 이유로 나타나지 않는다.

4년간 파트너로 지낸 사이인데 판교가 얼마나 멀기에 오지 않을까? 아마도 사랑하지 않았기 때문일 것이다.

흡혈귀 사랑

남자가 빈대인 경우가 이 커플에 속한다.

남자가 돈이 없는 경우 여자가 남자에게 돈을 대주는 커플이다. 남자는 여자에게 최선을 다하여 그야말로 이 남자가 정말 자신을 사랑하고 있다는 믿음이 들게 한다.

그리고는 결정적일 때 돈 이야기를 한다. 갑자기 돈이 필요하다고 하니 여자는 사랑하는 남자의 이야기에 마음이 불편하여 도와주게 된다.

여자는 남자를 사랑하면 없어서 못 주지 있으면 다 주고 싶은 마음이 든다. 모성애의 보호 본능이 들기 때문이다. 그래서 여자들이 남자에게 방을 얻어주고, 오피스텔을 얻어주기도 한다.

남자에게 돈을 들이면 사랑이 오래갈 것 같아서 주지만 의외로 남자들은 도움을 받으면 언제 받았냐는 듯 더 여자의 속을 썩인다. 배신감을 느낀 여자는 자신이 잘못하였다는 것을 알게 된다.

어떤 남자는 여자에게 짜증을 내 여자로부터 선물을 받아낸다. 여자가 달래주는 차원에서 선물을 하다 보니 남자가 상습적으로 이 방법을 사용한다.

여자가 연상이거나 여자의 외모에 결점이 있거나 무언가 약점이 보일 때 남자가 흡혈귀 작전을 사용한다. 빨대를 꽂고 쪽쪽 빨아댄다. 목표 달성을 하면 다른 여자를 찾아 떠난다.

이 세계에서 보면 인정 많고 다정한 여자가 돈을 많이 뺏기거나 자신이 먼저 남자에게 주는 경우가 많다. 물질로 남녀가 가까워졌다면 그 사랑은 수명이 길지 못하다.

스킨십으로 사랑을

사랑보다 스킨십을 하는 커플은 주로 나이가 지긋하여 사랑을 할 수 없는 파트너다.

여자 나이 70대 후반 정도이다. 여자 실버는 그야말로 입을 다물지를 못한다. 어깨를 뒤로 젖히고는 가슴을 앞으로 내밀고 허리는 굽고 다리는 휘어졌는데 굽이 높은 구두를 신고 그것도 팔랑팔랑 뛰어다닌다.

할머니의 옷을 보면 레이스가 달린 상의에 색상은 흰색을 주로 입는다. 실버들의 스킨십은 놀라울 정도로 야하고 주위 시선 아랑곳하지 않고 당당하게 표현한다.

실버들의 스킨십은 특징이 가슴을 만지는 일이다. 남자가 뒤에서 여자를 앞에 두고 안는 모션인데 완전히 남자가 여자 가슴을 대놓고 만진다.

실버들은 아무래도 성적인 능력이 떨어지니까 손으로 만지는 일에 열중인 것 같다.

사랑 없이 술로 사랑을

이 사랑도 성적인 능력이 되지 않을 때 사랑하는 감정에서 정(情)이라는 감정으로 넘어간 커플에게 가능한 일이다.

사랑하는 커플 초기 단계는 사랑 단계이다. 그러나 시간이 흘러 몇 년이 지나면 정 단계로 넘어간다.

사랑을 깊이로 이야기하면 O, X가 분명한 단계, 즉 Yes, No를 할 수 있는 단계라고 한다면, 정 단계는 깊이가 깊은 끈끈한 단계로 O, X가 분명하지 않고 Yes, No를 쉽게 할 수 없는 단계라고 할 수 있다.

사랑보다 더 진한 게 정이라고 하듯 정의 감정은 아주 복합적이고 다양한 감정이다. 좋기만 한 게 아니라 싫은 점도 느끼고 사랑하는 마음, 미운 마음 미묘한 감정을 느끼는 단계다.

이경영과 신미영 커플의 경우가 사랑 없이 술로 사는 커플이다. 이경영은 대장암 수술 후 배변 활동을 제대로 하지 못하여 옆구리에 주머니를 달고 다니는데 신미영은 그 시중을 다 들어주고 만난다.

이경영은 74세이고 여자 신미영은은 70세이다. 보통 사람은 불결하다고 만나지 않을 텐데 이 커플은 만난 지 4년이 되다 보니 불결하다는 생각보다 안쓰럽다는 측은지심이 들기에 옆구리에 변을 받아내는 주머니를 차고도 커플이 유지되고 있다.

매일 만나 춤추고 술을 마시는데 신미영이 주량이 얼마나 큰지 소주 2병은 매일 마신다. 건강하니 2병을 마시는 것이다. 여자는 집을 나올 때 에어로빅을 하러 간다고 나와서 하루 종일 춤을 추다 돌아간다.

섹스는 없지만, 정으로 맺어진 커플이다. 이 커플은 여행도 간다. 섹스는 없지만 한방에서 자면서 이영경의 그 힘든 상황을 다 시중 들어준다. 이경영은 신미영에게 감사의 답례로 생일이나 기념일에는 패물을 해준다.

사랑은 하지 않아도 술로 맺어진 커플, 아무튼 여자 신미영이 애를 많이 쓴다.

사랑을 찾아

안지영은 나이가 64세로 남편과 사별하고 혼자 산다.

남편과 경찰 근무를 같이하다 본인이 남편에게 프러포즈하여 결혼하였다고 한다. 남편과 한 경찰서에서 근무하였다.

남편과 사별을 하고 콜라텍에 드나들면서 춤을 춘다. 63세이지만 날씬한 편이어서 남자들에게 인기가 좋아 매일 이 남자 저 남자와 춤을 추었다.

괜찮은 남자 친구를 만들고 싶어 애를 태우다 이혼남 남경식을 소개받아 파트너가 되었다. 남경식은 건설회사에서 철근을 담당한다. 나이는 서너 살 연하이고 춤을 아주 잘 춘다.

안지영은 첫 만남에서 남경식과 커플이 된 경우다. 안지영이 얼마나 사랑이 고팠으면 첫 만남에서 파트너가 되었을까, 정조 관념이 의심스럽기도 하였다. 남경식도 싱글이다 보니 둘은 서로 집에 드나들며 자고 다닌다.

안지영의 가방은 여행 가방처럼 속옷, 화장품, 양치 도구가 항상 준비되어 있다. 사랑 하고 싶으면 모텔로, 남경식의 집으로 다닌다. 둘은 궁합이 잘 맞는다고 다른 사람에게 자랑한다. 안지영이 파트너가 없을 때는 발정 난 강아지같이 이 콜라텍 저 콜라텍 돌아다니면서 이 남자 저 남자에게 술이나 얻어먹더니 파트너가 생기더니 아주 조신하게 남경식에게만 순종을 하는 모습이 의아했다.

말괄량이 여자를 참하게 만들어놓는 게 바로 사랑의 힘인 것 같다. 남경식이 요즈음 마작에 심취하여 콜라텍에 나오지 않자 안지영도 조신하게 출입을 자제하고 있다.

술 없이 못 살아

이 세계의 여자들은 술 실력이 대단한 걸 알 수 있다.

여자들에게 술을 권하면 못 한다고 술 마시기를 포기하는 경우가 20%나 될까? 거의 모든 여자가 남자와 동등하게 때로는 남자보다 더 강하게 술을 마신다.

원래 술이란 게 마시면 마실수록 잘 마시는 것이기에 여기 출입하는 여자들이 자주 술을 접하다 보니 술 실력이 늘어서 잘 마신다.

때로는 여자들이 남자 파트너 때문에 술 먹는 양이 늘었다고도 한다. 파트너를 처음 만날 때는 소수 한 잔도 제대로 못 마셨는데 파트너와 매일 만나 술 마시고 놀다 보면 술 실력이 부쩍 느는 것을 본인이 깨닫게 된다.

남자 커플

남자 커플이라고 하여 동성애자인가 생각이 들겠지만, 여자가 완전 남자 같은 스타일이어서 내가 남자라고 호칭한다.

나이는 65세 정도 키는 170cm 정도 인물도 어쩌면 그렇게 남자 같은지 모른다. 골격도 남자, 춤도 남자다. 그런데도 파트너가 있어 놀랐다. 인물 아닌 다른 것에 매력이 있는지도 모른다.

몸매도 등이 굽은 상태이고 아무튼 여성이라는 생각이 드는 곳은 한 군데도 없다. 얼굴 모습도 머리 스타일도 화장하지 않은 피부도 옷차림도 어쩌면 그리 남자 같은지 모른다.

옷차림도 항상 바지에 티셔츠 차림인데 블라우스나 치마 한번 입은 것을 보지 못했다. 더욱 놀라운 일은 파트너가 있는데 흡사 남매같이 생긴 파트너 모습에서 더 놀랐다.

춤을 추는 모습을 보면 아주 재미있다. 여자는 재미없다는 표정으로 춤을 추는 데 건성건성 정성이 들어가지 않은 춤을 춘다. 특히 블루스에서는 여자는 시선을 다른 곳을 본다. 여기저기 둘레 거리면서 이 사람 저 사람 쳐다보며 춤에는 관심이 없는 듯 성의 없이 춤을 춘다. 음악에 심취하여 빠지지를 않는다. 음악 따로 춤 따로 춘다. 나는 그걸 무관심 춤이라고 한다.

원래 블루스를 출 때는 남자 왼손이 여자 오른손을 잡고 시선은 상대의 왼쪽 어깨 정도를 바라보는 것이 정석인데 이 여자는 시선을 여기저기 둘레 거리고 있는 모습이 참 우습다.

둘은 술을 참 좋아한다. 춤을 추고 항상 술 마시러 식당에 온다. 술 실력이 좋은지 소주 각 2병씩 마신다. 아마 술 궁합이 잘 맞는 것 같다. 그리고 사람들과 어울려 커플을 이루어 술을 마신다. 파트너와 술이 잘 맞고 사람들과 잘 어울리는 것으로 보아 성격은 원만할 것 같다.

머리가 하얀 남자 커플

유난히 머리가 하얗게 센 실버가 있다.

나이는 68세, 춤을 잘 추었다. 파트너는 밉상은 아닌데 춤을 너무 느끼하게 추었다. 마치 술집 댄서같이 흐느적거리면서 추는 게 나이 값을 못한다는 생각이 들었다.

파트너의 나이는 58세 정도인데 바지도 아주 진바지로 입고 손가락을 흔들거리면서 추는 모습이 웃음이 나왔다.

여자는 부평에서 오고 과거 식당을 하였다고 하였다. 남편은 암으로 세상을 떠났는데 지금 파트너도 암이라고 하였다.

이 커플은 여자는 술을 잘 먹고 남자는 술을 먹지 못하여서 춤을 춘 후 남자는 음료수를 마시고 여자는 술을 마셨다.

여자가 남자를 너무 사랑하는 것 같았다. 남자도 이혼하고 혼자서 사는데 여자가 음식을 해 날랐다. 여자가 아주 극진하게 파트너를 잘 챙겼다. 둘이 아주 사이가 좋아 절대 다른 사람과는 추지 않고 둘만 춤을 추고 둘만 술을 마셨다.

그렇게 서너 달을 보았는데 둘의 모습이 보이지 않았다. 매일 출근하던 사람들인데 다른 곳으로 가서 운동하나보다 라고 생각하였다.

어느 날 여자 혼자 나와 놀지도 않고 있기에 물어보니 아저씨가 돌아가셨다는 이야기였다. 어떻게 돌아가신 것을 알았느냐고 하니 전화가 영 연결이 안 되더니 며칠 후 없는 번호로 나오더라고 하였다.

여자에게 그 소식을 들었을 때 가볼 수도 없고 얼마나 가슴이 아팠냐고 물으니 펑펑 울었다고 한다. 마지막 인사도 나누지 못하고 혼자 이 세상을 떠났다고 생각하니 원망스러웠다고 하였다.

정말 이 콜라텍에 자주 오던 사람이 나오지 않으면 이 세상을 떠난 것이다. 어제까지 인사하고 같이 지내던 사람이 갑자기 내 일부터 안 나온다고 생각하면 정말 그렇게 허망할 수 없다.

인생의 허무함을 느끼게 하는 그래서 이곳 사람들 인생관이 바로 여기이다. 내일은 없다고 생각하고 산다. 오늘 즐겁게 행복하게 먹고 싶은 것 다 먹고사는 게 이곳 사람들의 인생관이다.

커플의 유형

콜라텍의 꽃은 아무래도 커플이다.

수많은 커플의 행태를 보면 참 어울리는 커플도 있고 저급스러운 커플도 있고 가지가지다. 여기서는 커플인 것을 부끄럽게 생각하지 않고 보는 이들도 이상하게 여기지 않는다. 아주 당연시한다.

그래서인지 내가 보기에 70% 정도는 파트너가 있다. 유형도 가지가지이다. 정말 사랑하여 만나는 커플, 상대 잘 만나 용돈이나 얻어 쓰려고 만나는 커플, 비즈니스를 하기 위하여 만나는 커플, 혼자는 외로우니 커플 없이 못 살아 상습적으로 상대를 만드는 상습 커플, 춤 잘 추는 상대를 만나 춤을 추기 위하여 만나는 커플 등 다양하다.

꼭 실버가 아니어도 이곳에 드나드는 커플의 유형을 보면서 관찰한 참 재미있는 커플 이야기를 하고자 한다. 이름을 모르는 커플은 춤의 특징을 가지고 이름을 붙여 보았다.

커플인지 아닌지는 매일 같은 사람과 춤을 추고 같이 껌딱지처럼 붙어 다니면 커플이다.

엄마와 아들

여자 나이 73세 남자 나이 49세인 커플이 있다.

이 커플 유형은 아무래도 남자가 여자에게 용돈을 타서 쓰기 위하여 만나는 커플 같다. 누가 보아도 엄마와 아들 정도의 나이다.

여자는 나이에 비하여 젊은 옷차림, 헤어스타일에 신경을 많이 썼다. 감각이 있어 보였다. 헤어스타일이나 옷 입는 솜씨가 세련되어 보였다.

노년기에는 외모가 변형된다. 허벅지가 가늘고 배가 나와 개구리 스타일이 되는데 이 여자는 허벅지가 아주 튼튼하고 엉덩이가 젊은 사람처럼 건강미 넘친다.

옷 색상도 칼라풀 한 초록색이나 단색을 주로 입고 다닌다. 경제력이 있어 보이는 60대 초반의 모습을 하고 다닌다. 자기 실제 나이보다 10여 년 젊게 유지하고 다니는 것이다. 컷도 비싼 미용실에서 하였는지 젊은 헤어스타일로 파마를 하고 나이에 비하여 다리가 통통한 게 젊어 보인다. 몸매도 육감적으로 볼륨이 있다. 나이만 아니면 젊었을 때 수많은 남자를 울리고 웃기고 하였을 인물이다.

여자의 얼굴은 V라인으로 남자를 좋아하게 생긴 얼굴이다. 여자가 춤을 비교적 나이에 비하여 잘 추고 몸에서는 끼가 줄줄 흐른다.

소문에는 남자도 반듯한 직장생활을 하고 있다고 한다. 직장이 있는데도 나이 든 여자와 파트너를 하는 것은 용돈을 얻어 쓰기에 그렇다고 본다. 제삼자의 눈은 두 사람의 관계를 부정한 눈빛으로 보지만 두 사람은 진정으로 사랑하기에 만난다고 할 것이다.

여자는 무척 행복해 보인다. 남자 역시 행복한 표정으로 춤을 춘다. 이곳의 특징은 다른 사람의 시선을 크게 의식하지 않는 점이다. 또한, 다른 사람들도 비정상적인 커플에 대하여 왈가왈부하지 않는다. 완전 개인의 사생활인 만큼 관여하지 않는다. 이곳만의 룰(Rule)이다.

분위기 즐기는 커플

여자는 50대 후반이고 남자는 70대 초반으로 보인다.

남자는 짧은 스포츠머리로 운전사 같은 분위기의 남자다. 여자는 내숭쟁이처럼 눈을 내리깔고 남자를 유혹하는 포즈를 취한다. 눈을 감고 있는 것같이 보이더니 눈 수술을 한 후엔 눈이 조금 커졌다.

이 커플은 도대체 춤을 추지 않고 안고만 있다. 블루스 타임이 아니어도 여자를 품에 안고 눈을 지그시 감고 음악에 젖어 움직이지 않는다. 춤을 추는 건지 서 있는 건지 남자는 마치 오르가즘을 느끼는 포즈다. 엄마가 아기 얼굴을 바라보듯 남자는 여자의 눈을 사랑스런 눈빛으로 바라보면서 얼굴을 쓰다듬는다. 그러면 여자는 머리를 들어 사랑스런 눈빛으로 남자의 얼굴을 바라본다. 항상 이런 포즈의 닭살 돋는 애정행각에 웃음이 나온다. 아직도 저런 애정이 남아있다는 게 대단한 커플이란 생각이 들었다.

누가 보든지 말든지 신경 쓰지 않고 춤은 추지 않은 채 여자와 남자는 매일 끌어안고는 남자는 여자의 엉덩이를 만지고 자신에게 당긴다. 누가 보아도 오르가즘을 느끼는 분위기를 연출한다.

춤을 추고 나서는 항상 술을 마신다. 매일 여러 사람과 어울려 취하도록 마신다. 그리고는 또다시 끌어안고 분위기에 젖는다. 매일 만나 춤추고 술 마시고 분위기에 젖어 춤을 추는 게 그들의 일상이다.

분위기 커플로 통한다.

죽고 못 사는 커플

이 커플은 여자는 50대 중반이고 남자의 경우는 70대 초반이다.

여자는 긴 생머리에 인물은 없어도 몸매는 비교적 날씬한 편이다. 남자는 키가 크고 외모는 시골스러운 모습인데 듣기로는 돈이 좀 많다고 한다. 그래서 젊은 여자를 파트너로 만들었는지 모른다.

허리는 구부정하지만, 항상 백구두를 신고 다니는데 여자가 엄청 남자를 좋아하는 듯 죽고 못 사는 액션을 취한다. 이 커플은 춤은 안 추고 둘이 끌어안고 산다. 남자가 여자 엉덩이를 두 손으로 꽉 잡고 비비거나 만지는 등 스킨십을 많이 한다. 무슨 이야기를 해대는지 항상 소곤소곤 이야기를 많이 하는 커플이다. 매일 만나는 커플이다.

그런데 돈이 많다는 이야기는 루머인 듯 식당에서 먹는 음식이 된장찌개 등 수수한 음식을 주로 먹는 걸 보면 신뢰가 가지 않는다. 자기가 바람을 많이 피웠다고 자신의 여성 편력을 자랑하는 남자다.

엄마와 막내아들

80세가 넘어 보이는 할머니, 남자는 50대 중반으로 보인다.

할머니는 나이가 많아도 옷차림이 젊은 편이고 지적인 면이 보인다. 허리가 굽고 걸음걸이도 완전 할머니 걸음이다.

할머니 머리에는 항상 모자를 쓰고 선글라스를 착용하였다. 150cm 정도 키에 선글라스로 나이를 위장하였지만, 옷 속에 드러나는 골격은 노인의 골격임을 감출 수 없다. 옷 색깔도 화려한 색으로 젊게 입고 나이보다 높은 구두를 신고 다니는 게 불안하다. 혹시 발목을 다치지나 않을까 걱정스럽다. 그래도 할머니는 항상 5cm 이상 굽을 신는다. 둘 사이의 춤은 남자가 할머니에게 완전히 맞춰 주는 춤을 춘다. 박자도 리듬도 완전 비서 춤이다.

원래 제비는 누구와 춤을 추어도 다 맞춰 주어야 제비라고 한다. 춤을 잘 추는 사람이나 못 추는 사람이나 어떤 상대에게도 다 맞춰 줄 수 있는 능력의 소유자가 제비이다. 그만큼 상대 비위를 잘 맞추어 준다는 의미이다. 상대가 춤을 잘 추도록 즉 운동하도록 배려하는 춤이다.

두 사람의 춤은 스피드 없이 그냥 걷는 운동을 한다. 2. 4. 6 춤을 추고 있다.

이 커플은 춤을 추기 전 먼저 식당에 와서 식사와 술을 한다. 할머니가 항상 맛있는 음식을 남자에게 사 준다. 남자는 고기를 발라 할머니에게 얹어 주며 보필을 아주 잘 하는 것을 볼 수 있다. 할머니 이야기를 잘 들어주면서 입속의 혀처럼 비위를 아주 잘 맞춘다. 남자는 엄마 같은 파트너에게 음식을 얹어 주기도 한다. 모습이 효자 같은 분위기다.

식사 값은 항상 할머니가 계산한다. 남자는 춤을 출 때 할머니 춤에 자신의 춤을 맞춘다. 재미없는 춤이지만 남자는 재롱을 부리듯 춘다. 할머니는 그 나이에도 사랑을 해서인지 얼굴빛이 무척 맑고 환하다. 행복이 묻어난다. 여기서 본바 사랑을 하는 사람의 표정은 살아있고 여성스러워 짐을 느낄 수 있다.

저녁이 되면 남자는 할머니를 배웅하고 자신은 다시 다른 콜라텍에서 다른 사람과 춤을 춘다. 자신의 춤을 실컷 발산하지 못하였으니 그럴 만도 하다.

남자는 자주 스킨십을 하면서 할머니 기분을 맞춰 준다. 주변 사람들을 의식하지 않는다. 길거리를 갈 때도 손을 잡고 다닌다. 우리가 연상연하 하면 남자가 연상이고 여자가 연하인 경우가 많은데 요즘은 여자가 경제력이 있고 모계사회가 되어서인지 특히 콜라텍에서는 여자가 눈에 띄게 연상인 경우가 많다.

한 10살 이상인 경우는 눈에 확 들어온다. 엄마와 아들 같은 관계 중에서도 이들의 관계는 아들도 막내아들 정도다. 이 경우는 아마 할머니가 용돈을 주고 옷도 사 줄 것이다. 데이트 비용을 할머니가 부담하니까 애교를 부리며 곁에 있을 확률이 확실하다.

돈의 위력을 새삼 느껴 볼 수 있는 커플이다.

애주가 커플

이 세계 여자들의 술 실력이 대단한 걸 알 수 있다.

술은 남자의 전유물이라는 사고는 구시대적 사고다. 이 세계의 술은 어찌 보면 여자를 위하여 있는 기호식품 같다. 술 실력이 어찌나 좋은지 여자가 남자와 똑같이 술을 마신다. 아니 남자보다 더 강한 여자들도 많다.

나는 에너지와 관계있는 것은 총량제라는 생각을 하는데, 즉 자신의 에너지를 써야 하는 경우 예를 들어 남자의 성의 능력도 총량제라는 생각이 든다. 인간은 태어날 때 타고난 성 에너지가 있는데 그 에너지를 균등하게 배분하여 사용하면 인생 전반에 사용할 수 있지만 젊은 시절에 다 소진해 버리면 나이 들어 사용할 에너지가 없다. 그런데 젊은 시절에 에너지를 사용하지 않았으면 나이가 들어 그 에너지를 사용할 수 있다고 본다.

술도 예전에는 부계사회라서 남자들의 전유물이었기에 술 하면 남자들이 마시는 것 이런 생각이 들었다. 즉 남자들이 많이 마셨기에 현대는 남자들보다 여자들의 에너지가 비축되었던 것을 사용한다고 본다.

그래서인지 요즘은 여자들이 남자들보다 파워풀하게 술을 마신다. 마셔도 취하지 않는다. 그만큼 강해졌음을 알 수 있다.

이 세계의 황명자라는 여자는 나이가 70세이다. 외모로 보면 70세 같지 않게 젊다. 젊은 시절 미장원을 해서인지 자기 몸 관리에 아주 적극적이다. 파트너가 김경필 75세다. 둘이 만난 지 5년이 되었는데 매일 만나서 술 마시고 춤추고 즐겁게 지낸다. 두 사람은 애주가의 대표적인 커플이다.

술을 얼마나 잘 마시는지 보통 매일 1인당 소주 2병을 마신다. 황명자는 콜라텍에 올 적에 과일과 음식을 바리바리 싸와서 주변 친한 사람들과 어울려 술을 마신다. 특히 명절 전후로 음식을 많이 싸 오는데 음식 솜씨가 좋다. 황명자는 술을 너무 마셔서 위에 구멍이 나서 입원한 적도 있다. 퇴원해서는 조금 조심하는 것 같더니 금세 술을 마시기 시작하여 매일 술을 마셨다. 황명자는 술을 마시면 곤드레만드레가 되도록 마신다. 술에 취하면 주사도 있다. 술을 마시면 남자들에게 말을 함부로 하여서 같이 술을 마시는 사람들이 주사가 싫어서 떠나버린다.

콜라텍에서 술을 가장 많이 마시고 실력도 가장 뛰어나 커플이다.

이곳에서는 노인이라고 생각하고 인정하는 나이가 70대인데 술을 마시는 양도 매일 소주 1병 이상을 규칙적으로 마시는 사람이 많다. 남자 여자 할 것 없이 동일하게 마신다.

술뿐 아니라 사랑도 일반 세계보다 젊게 한다. 마치 10여 년 젊게 생활하고 있음을 알 수 있다. 대표적인 것이 70대, 80대에도 파트너와 성생활을 지속적으로 하는 점도 놀랍다. 의학의 도움을 받지 않고 자신의 힘으로 성생활을 하는 사람들이 많다. 이유는 스트레스 받지 않고 음악을 들으며 생활을 하여서 술도 사랑도 강한 것이다.

그래서인지 여기 커플의 특징은 아무리 헤어질 것처럼 싸워도 못 헤어진다. 이 세계의 커플은 일반 사회의 커플보다 끈끈한 육정에 매여 있다. 금세 헤어질 것처럼 싸워도 며칠 후면 다시 만나 춤을 추는 것을 볼 수 있다. 여기 커플은 사랑만 한 게 아니라 같이 춤을 추고 술을 마시고 너무 진하게 정이 들어서 헤어지지를 못한다.

빈대커플

상대에게서 돈을 얻기 위하여 붙어사는 커플 즉 빈대인 경우이다.

남자가 돈이 없는 경우 여자가 남자를 사랑하여 월세방을 얻어 준다. 남자에게 보증금 500만 원인 집을 여자가 얻어준다. 그러면 남자는 자존심도 없는지 자랑을 하고 다닌다.

이 세계 남자들은 여자로부터 옷을 얻어 입고 구두를 얻어 신고 모든 것을 여자에게 의존하는 남자도 많다. 소위 양아치다. 여기 남자 중에는 남자 구실만 잘 하면 여자로부터 최고의 대접을 받는다고 생각한다. 밤일에 능력만 있으면 남자는 여자로부터 아주 당당하게 얻어먹는다. 얻어먹어도 흉이 아니라고 생각을 한다. 여자에게 봉사한 대가라고 생각을 한다.

한 예로 한 남자가 여자로부터 돈을 빌려달라고 하여 여자가 빌려주었다. 그러면 애인이 더 잘해줄 것으로 생각하였는데 파트너는 전혀 행동이 달라졌다. 돈만 빌려 가고 다른 여자에게로 떠나자 옛 애인이 괘씸하여 빌려준 돈을 달라고 하였다. 돈이라도 받아내야 할 것 같았다.

여자는 사람이 많은 곳에서 일부러 남자에게 돈 이야기를 꺼냈다. 빌려 간 돈을 달라고 하면 남자가 부끄러워서 줄 것이라 생각하였다. 그러나 남자는 의외의 행동을 하였다. 사람이 많은 앞에서 여자를 망신을 주는데 도저히 그 자리에 여자가 있을 수 없는 이야기를 꺼냈다.

이야기 내용은 못생긴 너(여자)를 누가 사랑하겠느냐? 자신이 나 사랑하지. 1주일에 3번씩이나 사랑해 줬더니 돈을 달라고 하느냐고 망신을 주었다고 한다.

여자는 창피하여 그 자리를 피하고 다신 콜라텍에 나타나지 않게 되었다. 이 세계에서는 남자는 여자에게서 빌린 돈은 그저 거저먹어도 되는 돈으로 알고 주려고도 하지 않는다.

절대 돈거래는 하지 말아야 한다.

바람둥이를 평정한 서경임

서경임은 50대 후반이다.

남편은 있지만, 사이가 안 좋아서 집을 나와 살고 있다. 남편이 바람을 피운 이력이 있는데 거기에 남편이 폭력까지 행사해서 별거 중이다. 서경임은 콜라텍에 처음 발을 들여놓았다가 고수인 최용구를 알게 된다.

최용구는 교육 행정공무원으로 나이는 50대 후반이다. 이혼한 경력이 있는데 몸이 안 좋지만, 술은 항상 즐겨 먹는 애주가다.

최용구는 여자들이 자신의 남성적인 매력에 반한다는 자신감에 바람을 어찌나 많이 피우는지 한 여자도 아니고 많은 여자를 양다리 걸치고 만나고 있던 상태에서 서경임을 만났다. 서경임을 만날 당시도 최용구가 만나는 여자들이 둘이나 있었는데 서경임이 두 여자를 만나 절대 최용구와 만날 수 없다고 자신이 애인이라고 당당하게 밝히고 구 여자를 평정하고 최용구를 꼼짝 못 하게 잡아 놓았다. 그 비결은 진정한 사랑과 헌신으로 바람을 잠재운 경우이다.

서경임은 남편과 사이가 안 좋아도 집은 나오지 않았었는데 최용구를 만나고 집을 나와 최용구 집에 들어가 사는 상태다. 서경임이 최용구를 만난 후 남편에게서 전혀 느끼지 못했던 남자의 성을 알고 최용구에게 바짝 들러붙은 경우다.

남편이 이혼해 주지 않아 이혼이 안 된 상태인데 이혼을 하고 나면 최용구와 살 것을 약속하고 들어가 살고 있다.

한 번은 서경임이 여러 커플들과 여행을 가면서 남편에게는 시어머니가 입원해 있는 요양병원에 다녀온다고 하고 여행을 떠났다. 서영임은 2박 3일 여행에서 마지막 날 요양병원을 들러 서울로 올라간다는 계획을 실천하기 위하여 전라북도의 한 요양병원에 들어서는 순간 기절을 할 뻔하였다.

요양병원 입구에 차가 들어선 순간 선글라스를 착용한 한 남자가 차 안을 뚫어지게 바라보다 서경임을 발견하였다. 서경임은 앞자리 조수석에 앉아 있다가 남편 눈에 띄었다. 남편은 자동차 앞을 가로막고 서서 두 팔을 벌려 차를 제지했다. 다행히 정면 앞에서 가로막은 게 아니라 자동차는 줄행랑을 쳐 도망갔다. 서경임의 남편 차가 쫓아오나 싶어 운전자는 이리저리 따돌리면서 요양병원을 빠져 서울로 올라왔다.

서경임은 최용구와 잠자리를 한 후 집에 들어가기가 싫어졌다고 한다. 최용구가 살림하라고 생활비도 주고 용돈도 주고 부부처럼 생활을 한다. 이혼하면 함께 살 것을 맹세하고 동거 중인데 이혼은 남편이 해 주지 않아서 현재 별거인 상태로 밖에 살지 못한다.

서경임은 최용구 어머니를 모시고 형제 집안 애경사에 가서 일을 도와준다. 여자가 바람이 나면 남편도 자식도 버리고 나온다고 하더니 정말 서영임이 그런 경우다. 서경임 아들들은 엄마 편이어서 엄마가 하고 싶은 대로 하라고 한단다. 아빠에게는 비밀로 해 주고 아들이 엄마와 집을 나와서 살고 있다.

여자 킬러 명경환

명경환은 50대 후반이다.

체격은 멀쑥한 게 여자들이 겉모습만 보면 괜찮다고 생각하여 좋아할 타입이다. 그러나 가까이 보면 빈티가 난다. 이혼 후 지하방 한 칸 얻을 돈 500만 원을 아내로부터 위자료로 받고 헤어졌다. 딸 하나 있는 자식은 1주일에 한 번 만나라는 허가를 받고 1주일에 한 번 딸을 면회한다.

수입은 기초생활보장 수급자여서 나라로부터 기초생활비 받는게 전부다. 여자 복이 있는 건지 여자들이 생활비를 많이 보조해준다. 반찬을 해다 주고 식품을 사서 냉장고에 넣어주고 살림을 맡아 해준다. 심지어 용돈을 주기도 한다.

강영옥이라는 여자는 나이가 68세인데 명경환에게 빠져 파트너가 되었다. 강영옥은 남편과 나이 차가 15년이나 되는데 남편은 요양병원에 입원 중이다. 강영옥은 파주에 남편을 요양시키고 자신은 답답함에 1주일에 한 번 영등포에 나와서 회포를 풀고 다니다 명경환을 만나 사랑에 빠진다. 명경환이 강영옥에게 나긋나긋하게 대하고 춤도 잘 추기에 파트너 역할을 잘 해주자 강영옥은 명경환 집에 가서 반찬을 해서 냉장고에 넣어 주고 식품도 사서 넣어주고 용돈도 주고 살림을 해주었다.

강영옥은 명경환과 파트너지만 한 사람하고만 춤을 추지 못하고 최소 다섯 사람과는 춤을 추어야 하는 스타일이어서 명경환이 불만이 있었다. 그래서인지 강영옥과 명경환은 1년도 못 넘기고 헤어졌다.

명경환에게 다른 여자가 생겨서 이별했는데 새로 만난 여자는 이미숙이고 혼자 사는 여자로 경제력이 좋은 70세 여자였다. 명경환은 다시 이 여자와 파트너가 되어 이미숙의 집에 가서 있는 날이 많았다. 이미숙은 곰국을 끓여 몸보신을 시켜 주고 심지어 미국 딸 집에 같이 여행도 다녀왔다. 하지만 이미숙과 오래가지 못하였다. 이유는 누구 때문인지 모르지만, 병에 걸려 치료를 받기 위해서 두 사람이 만나지 않아야 하는 상황에 이르렀다. 명경환과 이미숙은 헤어지게 된 것이다.

만인의 애인이 되고픈 여자 1

콜라텍에서 가장 고수는 파트너를 두지 않고 모든 남자와 춤을 즐기는 여자라 생각한다.

나이는 60대 초반인 여자가 있다. 헤어스타일은 고전 영화에 나오는 정숙한 사모님 스타일이다. 항상 원피스를 입고 웃음 띤 얼굴로 남자들과 춤을 춘다. 상대가 바뀌는 것으로 보아 정해진 파트너는 없는 것 같다. 아주 즐겁게 스킨십을 하면서 춤을 잘 춘다. 남자가 대시를 해오는 것을 즐기는 여자같이 보인다. 매일 다른 남자와 즐겁게 춤추고 같이 술이나 마시면서 행복하게 산다. 파트너 신경 쓰기 싫어 만인의 애인으로 살고 싶은 것이다. 매일 춤 잘 추는, 새 상대와 추니 항상 새로움에 질리지 않고 즐겁게 출 수 있는 것이다.

그리고 술에 강하여 소주 2병은 족히 마신다. 항상 기분 좋게 술에 취해 하루를 마감한다. 그 여자는 술과 벗하면서 인생을 아주 즐겁게 산다. 남편이 공무원으로 정년퇴직한 연금 수령자여서 생활도 중산층으로 살고 있다.

한 상대에 속하지 않고 모든 남자의 연인이 되고픈 여자같이 살고 있다. 춤을 잘 추는 여자가 만인의 애인이 될 자격이 있다.

만인의 애인이 되고픈 여자 2

이 여자 역시 나이가 60대 초반이다.

머리에는 항상 베레모를 쓰고 미니스커트에 반 부츠를 신은 현대 여성이다.

외모는 달라도 노는 방식은 같다. 항상 다른 남자들과 춤을 추는 데 파트너는 아닌 듯하다. 다른 점은 한 남자와 여러 번 춤을 춘다는 게 다르다. 스킨십을 하면서 남자의 향기를 즐기면서 노는 모습이다. 역시 운동을 하고 술을 마시는데 잘 마시는 편이다.

이렇게 파트너를 두지 않는 여자는 한 남자에 구속되기 싫어서 만들지 않는다. 파트너가 좋은 점도 있지만 불편한 점도 많다. 우선 파트너 기분을 맞춰 줘야 하는 점이다. 그리고 파트너가 여자의 기분을 잘 맞춰 주지 못하면 여자는 속이 상하게 된다.

여자들이 가장 좋아하고 기대하는 부분이 기념일을 잘 챙겨주는 일이다. 생일, 처음 만난 날 최소한 두 번은 챙겨 주기를 고대한다. 그런데 잘 챙겨주지 않으면 여자는 실망하게 되고 서운한 마음에 파트너가 싫어지기도 한다. 파트너가 마음이 넓으면 다행이지만 속이 좁은 남자는 잘 토라지고 삐지는 속성이 있다.

특히 나이를 먹으면 여자보다도 남자들이 자주 토라진다. 자신만 챙겨주기를 원하고 자신의 말에 순종하기를 원한다. 자신이 싫어하는 일은 하지 않기 바란다.

내가 만난 가장 멋진 노신사

내가 아저씨를 만난 것은 구정 연휴 전이었다.

아저씨 이름은 윤재석 나이는 72세, 사는 곳은 방배동이었다. 키는 작은 편이었지만 웃는 모습이 편안하고 너그러운 분 같았다. 하는 일은 임대업을 하였고 외모가 아주 단정하고 옷도 브랜드 명품만 입었다.

머리는 곱게 빗어 8:2 가르마로 마치 성직자 같은 이미지였다. 내가 춤을 추고 힘이 들어 잠시 의자에 앉아 휴식하고 있을 때 웬 한 아저씨가 웃으며 손을 내밀었는데 나는 그 웃음에 생각할 겨를도 없이 벌떡 응하였다.

인상이 참 단정하여 좋았다. 연세도 있어서 신뢰할 수 있었기에 나는 아무 생각을 하지 않았던 것 같다. 아저씨는 나보고 춤을 잘 춘다고 하면서 몇 곡을 추자 음료수나 한잔하자고 식당으로 데리고 갔다. 나보고 차림표에서 가장 비싼 것으로 시키라고 하면서 편안하게 해주었다.

아저씨가 자신을 소개하였는데 자신은 젊은 시절 군대 생활을 하였고 월남전에도 다녀왔다고 하면서 지금은 임대업을 하고 있다고 하였다. 자신은 사주를 보았을 때 돈을 없앨 사주라고 하여서 돈을 벌 때마다 부동산에만 투자한 결과 오늘날 많은 부를 누리게 되었다고 자신을 소개하였다.

자녀는 딸 셋에 아들도 다 잘 되었고 아내는 나이가 많은데도 자신만 너무 바라봐서 집착이 강한 편이라 힘이 든다는 이야기도 하였다. 아내는 가족만 알고 사는 스타일인데 심지어 체육복까지 다림질을 해줘서 고맙기도 하고 왜 그렇게 힘들게 사는지 모르겠다는 이야기도 하였다.

노부모님이 계신데 90이 넘으셨어도 건강하게 두 분이 생존해 계신다고 하였다. 도우미 아주머니가 와서 살림을 해주고 자식들이 1주일에 한번 반찬을 해서 꼭 찾아뵙는다는 이야기도 하였다. 부모님 앞으로 임대료가 대기업 부장 정도는 나오고 있다는 이야기도 해주었다. 효자라는 생각이 들었고 참 다복한 집안이라는 것을 금세 알 수 있었다.

아저씨 집안은 여자를 존중하는 집이었고 아저씨가 여자를 존중하는 멋진 사람이었다. 딸 셋은 모두 결혼하였는데 35세 아들이 아직 결혼을 하지 않았다면서 나 같은 며느리를 얻으면 참 좋겠다고 하셨다. 그러면서 나를 며느리 삼고 싶다고 하여서 내 나이가 55세라고 내 딸이 결혼할 나이인데 립 서비스를 하시는 거냐고 큰소리를 내면서 웃었다. 싫지 않은 멘트였다.

아저씨에게 며느리가 춤을 출 줄 알아서 콜라텍에 드나드는 것에 대해 어떻게 생각을 하냐고 하니 괜찮다면서 얼마나 건강한 생활을 하냐며 자신은 괜찮다고 아주 긍정적이었다.

아저씨는 항상 웃는 얼굴로 밝은 모습이 그 나이로 보이지 않았다. 치열이 아주 고른 게 보기가 좋았고, 젊은이 같이 진취적이고 건전한 생각을 가진 멋진 남자였다. 아저씨는 첫날 나랑 같이 운동을 하고 헤어져 집에 갈 때 안전하게 가야 한다면서 택시를 잡아주고 택시비까지 기사에게 주었다. 싫다고 하여도 여자는 안전하게 가야 한다며 택시비 2만 원을 주던 아저씨의 태도에 참 기분이 야릇하게 좋았다. 대화 내용으로 보아서는 제비 아저씨는 아니고 그냥 딸처럼 예뻐하며 주는 것 같았다.

구정 연휴 때는 온 가족이 해외여행을 간다고 하였다. 자신의 칠순 잔치를 가족 해외여행으로 잡았고 경비는 본인이 다 부담하는데 그것도 4박 5일로 발리로 가기로 했다고 하였다. 딸 세 가족, 자기 식구 모두 16명이 가는데 아저씨가 부담한다고 하였다. 가족 행사 차 발리에서 힐링을 하고 돌아온다고 인사를 하고 떠나셨다. 다녀온다는 인사를 하고 나서 1주일 후에 아저씨를 만났다. 아저씨는 나를 보러 동경으로 오셨다. 같이 춤을 추고 식당으로 들어갔다.

아저씨가 자기에게 새해 인사를 해보라고 하셔서 내가 "건강하세요!" 하니 내 손을 꼭 잡고 세뱃돈이라며 내 손안에 넣어주었다. 내가 극구 사양을 하여도 소용이 없었다. 아저씨는 5만 원을 조그맣게 접어 내 손안에 넣었다. 상대가 거절하지 못하도록 순식간에 선물을 전달하는 아이디어가 너무 좋았고 내 나이에 세뱃돈을 받아보니 기분이 이상야릇하였다. 응석 부리고 싶었다.

아저씨에게서 세뱃돈을 받으니 갑자기 어린 시절 명절이 주마등처럼 스쳐 갔다. 나는 고맙기도 하고 미안하기도 하여 이 돈으로 맛난 음식을 먹자고 하였더니 아저씨는 절대 안 된다면서 자신이 음식을 사겠다고 극구 사양하셨다.

아저씨는 사람을 편하게 하는 기술이 있었다. 항상 음식을 시킬 때는 나보고 가장 맛있는 것을 시키라고 권한을 주었다. 나는 메뉴판에서 가장 비싼 음식을 시켰다. 원래 나는 상대가 음식을 산다고 하면 가장 저렴한 것을 시키는데 아저씨에게는 안 쓰럽지가 않았다. 넘치는 경제력이 보여서 내가 먹고 싶은 것을 시켰다. 아저씨랑 파트너가 되어 춤을 추고 집에 가는 길에 해외여행에서 선물을 사 오지 못해 미안했다며 화장품 가게에 나를 밀다시피 하더니 가장 비싼 화장품이 뭐냐며 주인아주머니에게 물어봐 아이크림과 영양 크림을 사 주었다. 도저히 72세 연세 드신 분 같지 않게 센스가 있고 매너가 좋았다.

생각도 참신하고 행동도 젊은이처럼 진취적이고 멋졌다. 아저씨는 사업상 바빠 자주 나오지 못하고 가끔 나와서 같이 춤을 추었다.

춤을 즐겁게 춘 후 항상 맛난 음식을 먹고 헤어졌다. 아주 건전하게 운동을 하였다. 아저씨는 순수한 감정으로 마치 나를 막내 동생처럼 귀엽게 생각해주면서 즐겁게 춤을 추는 것으로 행복해하였다. 멋진 아저씨와 춤을 추는 게 즐거웠다. 좋은 인연으로 오래 만나고 싶었지만, 아저씨 아내분이 아파 춤출 상황이 안 되어 나오지 못하게 되었다.

아내가 아저씨가 곁에 계시기를 원해서 늘 곁에서 간병해 주어야 했다. 이 아저씨와는 함께 이야기만 나누어도 행복했는데, 아저씨는 건강하고 즐겁게 지내라고 인사한 뒤로 나오지 못하였다.

서운한 마음이 들었다. 이 세계에서는 이렇게 멋진 분 만나기 힘든데 행복도 잠시구나 생각하니 서운하기 이를 데 없었다. 춤을 추고 집에 갈 때는 항상 안전하게 택시 타고 가라고 택시를 잡아주면서 내 안전을 위해 신경을 써 주시던 아저씨였는데... 내가 콜라텍에 드나들면서 최초이자 마지막으로 만난 멋진 아저씨였다.

지금도 생각하면 참 멋진 분이라는 생각이 든다. 언젠가 한 번이라도 만날까 생각했는데 한 번도 만날 수 없었다. 그 후로 이렇게 멋진 아저씨는 보지 못하였다. 아저씨가 어디에 계시든지 건강하고 행복한 노년을 보내시기를 마음속으로 기원하고 있다.

콜라텍의 비밀

이별하면 바로 다른 상대를 사귄다.

이곳에서 헤어지면 칼로 무 자르듯 아주 깨끗하게 자른다. 미련 같은 것은 없다. 이유는 주변에 많은 여자 남자가 있어 손쉽게 다시 만날 수 있기 때문이다. 자원이 풍부한 곳이기에 헤어지면 금세 다른 사람을 만난다.

파트너가 있어도 양다리 걸치는 곳인데 파트너와 헤어지면 줄을 서서 기다리기라도 하듯 금세 다른 상대를 만난다.

떠난 파트너에 대하여 연연하지 않는다.

속으로는 생각이 날지 모르지만, 겉만큼은 미련이 없다.

영원한 동지도 영원한 적도 없다

이곳에서는 좀 유치한 경우가 많다.

친하게 지내며 늘 같이 어울리는 사람들이 많다. 주로 커플들끼리 어울려 술을 마시고 함께 친하게 지낸다. 어울려 술을 마시고 더치페이로 계산을 하고 때로는 여행도 함께 가기도 한다. 그렇게 우정을 과시하다 어느 순간 서운한 일이 생기면 유치하게 아이들처럼 다투고 말을 하지 않고 어울리지 않는다. 심지어

성토하고 비방하면서 다시는 안 볼 것처럼 처음 만난 사람들처럼 지낸다.

성숙한 어른이라면 조금 서운한 일이 생겨도 오해를 풀고 배려하면서 용서해야 하는데 토라져서 만나지 않는 모양새를 보면 정말 이해가 가지 않는다. 얼굴을 마주치면 원수 만난 듯 쳐다보지도 않다가 또 어느 시점에 가면 금세 친하게 만나는 것을 볼 수 있다.

이남식과 김광수, 서용국은 친한 동료였다. 경찰관 출신으로 같이 퇴직 후 영등포 콜라텍을 셋이 누비고 다녔다. 서용국은 아내한테 용돈을 타지 못하는 입장으로 친구들이 술을 사주고 담배도 사 주고 주로 얻어먹고 지냈다. 정말 양아치 같다는 생각이 들 정도로 얻어먹었다.

김광수는 브라질에 가서 다이아몬드를 수입해 와서 국내에 소매로 파는 일을 하였는데 남자로서 입이 너무 가벼웠다. 이 사람 저 사람 말을 금세 옮기는 스타일이다.

이남식은 동생이 운영하는 택배 회사에서 물품을 분류하는 일을 한다. 여자들도 어장 관리하듯 주변에 많다. 젊은 파트너 외에 강남 아귀 집 사장, 일본에 사는 여자, 밤 농장 하는 여자 등 수없이 많다.

서용국은 김광수과 이남식이 따돌려 한동안 어울리지 않았다. 친구들에게서 식사, 담배, 용돈도 얻어 타면서 고마운 줄도 모르고 친구들 말이나 옮기고 의리가 없는 짓만 하여서 두 사람이 상대하지 않았다. 도저해 이해가 가지 않는 사람이라고 사람 취급을 하지 않고 한동안 비방하면서 왕따를 했다.

그러다 김광수과 이남식 둘도 의견이 맞지 않아 1년 정도 소통도 하지 않고 지냈다.

김광수는 이남식이 자신을 무시한다고 전화가 와도 받지 않고 만나지 않고 지냈는데 어느 날 셋이 또 만나는 것이다. 요즘은 늘 같이 다닌다.

이곳에서는 친하게 지내다가도 원수처럼 멀어지고 또 시간이 지나 계기가 되면 다시 친하게 지내는 일이 비일비재하다.

유치원 아동처럼 노는 것을 보면, 나이가 들면 결국 어린이가 된다더니 그래서 그렇게 인간관계를 하는가 싶다.

그래서 나는 이곳은 영원한 동지도 영원한 적도 없다고 말한다.

여성 성(性)의 시대

이곳에서는 애정 표현을 남자보다 여자가 더 적극적으로 한다.

모계사회가 되어서인가? 참 격세지감을 느낀다. 남자에게 선택권이 있어서 남자가 상대를 선택하고 상대가 마음에 들면 대시도 남자가 하고 데이트 비용도 남자가 거의 대던 시절이었는데 요즈음은 반대다.

여자가 남자를 선택하고 데이트 비용도 여자가 더 과감하게 사용하고 마음에 드는 상대에게 오피스텔을 얻어주거나 집을 구해 준다.

춤을 출 때도 블루스 음악이 나오면 여자가 딱 밀착을 시켜서 남자를 유혹하는 제스처를 쓰고 남자가 마음에 들면 애인 하자고 제안한다.

여자가 마음에 드는 남자를 만나면 먼저 유혹하기도 한다. 전화번호를 달라고 먼저 이야기도 한다. 자신은 돈이 많다고 자랑도 한다. 용돈을 줄 수도 있다고도 한다. 정말 이해가 가지 않는 일들이 많이 벌어지고 있다.

우리나라 실버들 인구 성비가 여자가 8, 남자가 5라는 통계를 퇴직자 연수에 가서 들었다. 그래서일까? 콜라텍 플로어에서 춤을 추는 사람은 남녀가 한 쌍이 되어야 춤을 출 수 있기에 남녀가 성비가 같지만 구경하고 있는 사람들을 보면 의자에 앉아있는 것은 여자들이 많음을 알게 된다.

의자에 쭉 앉아있는 사람은 많아도 정작 춤을 출 만한 사람이 없다. 여자들이 더 많이 앉아 있으면 부킹 하는 언니들은 부킹 해주기 어려운 날이라고 한다. 여자가 모자라야 남자에게 붙여주면 말없이 고마워서 춤을 추는데 여자가 많으면 남자들이 고른단다.

주제에 맞지 않는 여자를 골라 거절을 당하면서도 부킹이 해주는 여자는 싫다고 하고 괜찮은 여자를 고르기에 바쁘다고 한다. 처음 춤을 추는 사이인데 여자가 남자를 유혹하는 모습이 자주 목격이 된다. 그리고 며칠 후에 보면 이미 커플이 되어 두 사람만 춤을 추는 것을 보게 된다.

상대를 유혹할 때 여자는 미소를 흘리고 몸을 뒤틀면서 남자에게 지그시 신체 접촉하는 것을 볼 수 있다.

처음엔 남자에게 직접적으로 눈빛을 주지 않지만, 곁눈질로 남자를 관찰한다.

머리에서 발끝까지 일종의 스캔을 시작한다. 옷차림, 매너, 경제력 사회적 신분, 진실성 등 최대한 파악할 수 있을 때까지 한다. 괜찮다는 생각이 들면 자신은 이곳에 자주 나오지 않고 주말에만 나온다고 한다.

즉 나는 매일 나오는 뺑순이가 아니라 직업이나 하는 일이 있다는 것을 은근히 드러낸다. 그리고 파트너가 없음을 나타내기 위하여 혼자 다닌다고 밝힌다. 쉽게 말해 나는 정결한 여자다, 그 흔한 파트너도 만들지 않는다는 이야기를 암묵적으로 표현하는 것이다.

유혹으로 들어가면 노골적인 여자는 도도한 표정을 지으며 섹시한 눈빛과 자세를 취한다.

그리고 블루스를 출 때 왼손은 상대의 어깨 위에 올려놓고 오른손을 잡고 추는 것인데 남자를 유혹하는 여자 중 어떤 여자는 남자가 자기 허리를 잡은 상태에 자신은 양팔을 아래로 늘어뜨리고선 자신을 잡아먹어도 좋다는 맡기는 포즈를 취하는 여자가 있다.

마치 자신을 포기하고 남자에게 일임한다는 포즈다. 그리고 블루스를 출 때 여자가 양손을 남자 어깨 아래에 넣어 남자 등 뒤에 여자의 양손을 깍지를 끼거나 남자의 허리를 잡는다.

왼손을 남자의 어깨에 올리고 오른손을 남자 왼손과 잡아야 하는 데 두 손을 남자 어깨를 겉에서 잡는 것이 아니라 양팔 사이로 두 손을 넣어 잡는 포즈이니 무척 친밀도가 높을 때 하는 동작이다. 아무나 이런 동작을 취하기가 어렵다. 아주 용기가 있을 때 할 수 있다.

또 한 방법으로는 여자는 남자가 접근해와 스킨십을 하면 아주 좋아하면서 겉으로는 강하지도 않고 살살 피하는 척 고개를 비끼면서 남자를 애태우는 포즈도 여자가 남자를 유혹할 때 사용하는 포즈다. 이런 동작을 여러 번 하다 결국 술 마시러 식당에 들어가게 된다. 이 대시가 통하였다면 두 사람은 커플이 되기 위하여 매일 춤을 추고 있다.

삼각관계

76세 신미자의 승리

이 세계는 사랑하는 사람을 위해서는 아무것도 생각하지 않는다.

오직 목표 달성을 위하여 체면도 위신도 없다. 그저 앞으로 전진이 있을 뿐이다. 내가 마음에 드는 상대가 파트너가 있어도 개의치 않는다. 이 세계에서는 뺏는 게 임자라는 생각뿐이다.

신미자 나이는 76세다. 그 옛날에 부산 지방 대학교를 졸업하고 병원에서 근무한 여자다. 얼굴을 보면 항상 웃는 모습이 헤플 정도로 보이며 나이는 60대 후반으로 보인다. 그래도 나이는 못 속인다고 다리가 휘어지고 허리가 굽어 얼굴을 제외하고는 제 나이가 보인다.

남편과 4년 전에 사별하고 춤을 추러 나온 여자인데 애인이 있는 68세의 이종섭을 만나게 된다. 이종섭에게는 9년 사귄 80세 된 친구 같은 애인이 있어 매일 만나 춤을 추는 사이다.

애인인 김지선이 한 달 정도 나오지 못하게 되자 신미자를 만나 매일 춤을 추다 정이 들었다. 이종섭은 항상 주변에 여러 명의 나이 든 연상의 여자들을 두고 이 사람 저 사람 춤을 추는 남자다. 항상 이 여자 저 여자 데리고 다녔고 제자라고 하였다.

그러던 어느 날 신미자를 데리고 왔는데 분위기가 다른 여자와는 달랐다. 사랑의 눈빛이 감지되었다. 신미자가 이종섭을 무척 좋아하는 행동을 보였다. 신미자가 턱 밑에 얼굴을 대고 항상 남자 턱 밑에 자신의 얼굴을 묻는 식으로 이야기를 하였다. 나이에 어울리지 않는 추한 행동을 하는 게 아주 용감해 보였다. 이 세계에서는 이종섭이 파트너가 있는 것은 삼척동자도 다 아는 사실인데 파트너가 있는 남자에게 추태를 보내기란 여간 용감하지 않고는 못 할 짓이었다. 만날수록 신미자의 공격은 강하게 들어왔다. 마치 자신의 남자로 만들려고 작정을 한 사람처럼 적극적이고 진취적으로 행동을 하였다.

김지선이 나오게 되어 이종섭이 만나자 신미자는 엉엉 울면서 자신은 어떻게 하냐고 애원 협박하여 결국 이종섭을 빼앗았다. 신미자의 끈질긴 애정 공세에 이종섭이 넘어간 것이다.

더 가관인 것은 파트너를 빼앗았으면 미안한 기색이라도 있으면 좋은데 너무 뻔뻔하게 행동을 하여 얄미울 정도다. 참 일반 세계에서는 도저히 있을 수 없는 일이 일어난 셈이다.

이종섭은 당이 심하여 부부생활을 하지 못하고 살아온 남자다. 20여 년을 당으로 고생하며 살다 신미자와 20여 년의 한을 풀게 된다. 신미자와 잠자리를 한 후 이종섭은 달라졌다. 김지선하고 술자리에 있을 때는 끈적끈적한 이야기나 행동은 하지 않는데 신미자와는 술자리에서 아주 다정하게 스킨십을 한다.

마치 몸이 불타오르는 듯한 끈적거리는 행동을 한다. 신미자를 주무르고 만지고 스킨십이 무척 강하고 용감해졌다. 마치 신미자는 여자로 보는 것 같은 느낌이 든다.

정(情)은 하나

신중섭에게는 9년간 사랑하는 하일선이 있다.

정은 하나라고 9년간 정신적인 사랑으로, 아니 사랑보다 정으로 엮인 사이인데 같이 춤을 배우다 친해지게 되었다.

하일선은 의사로부터 심장판막증으로 운동을 해야 한다고 하여 춤을 추러 나왔다가 신중섭과 파트너가 되었다. 하일선은 79세의 나이에 150cm 키, 얼굴이 대두로 아장아장 아기처럼 걸어 춤도 추지 못하는 그야말로 외모에서 도저히 남자가 잡아 주지 않을 외모다.

그런 하일선을 신중섭이 9년간 손잡고 핸드백 들고 아기 보호하듯 진실 되게 사랑하는 마음으로 데리고 다녔다. 12세 연하의 남자의 보호를 받으면서 주변 사람들의 야유와 비웃음을 감수하고 순애보 사랑을 해 온 사이였다.

그러다 한 달 정도 하일선이 아파 영등포에 나오지 못하게 되자 그 사이 신중섭이 김영자의 유혹에 걸린 것이었다. 거미줄에 걸린 잠자리처럼 신중섭은 김영자의 끈적거리는 거미줄에 걸려 하일선과 사이에서 양다리를 걸치게 되었다.

사람이 연애할 적에 거짓말을 가장 많이 한다고 한다. 신중섭이 김영자와 만난 후로 하일선을 멀리 하기 위해 거짓말을 밥 먹듯 하게 된다. 원래 양다리를 걸치면 하는 게 거짓말뿐이라고 한다.

신중섭에게 여자가 있다는 것을 알고서도 김영자가 좋다고 덤빈 경우이기에 김영자는 이종섭에게 하일선과 정리할 것을 은근히 요구하게 되고, 신중섭은 일 년 안으로 정리를 하겠다고 약속을 하고 평상시처럼 하일선을 만나 춤을 같이 추었다.

하일선은 김포에 사는데 매일 오후 3시에 영등포에 도착하면 신중섭이 정류장에 나가 맞이해 왔다. 하일선이 눈치를 채지 못하였기에 신중섭은 의무감으로 춤을 추었다.

하일선과는 늘 하는 대로 3시에 만나 춤을 추는데 김영자와는 1시에 만나 미리 두 시간을 놀고 하일선을 만난다.

원래 하일선과는 밤늦게까지 홍대도 가서 아이스크림도 먹고 낙지 요리도 먹고, 하일선이 차에서 잠이 들까 봐 김포 집에 도착할 때까지 홍대를 돌아다니면서 수시로 전화를 해 주던 자상한 남자였다.

그런데 어느 날부터 신중섭은 하일선에게 6시만 되면 집에 가자고 서둘러 헤어지게 된다. 그리고 거짓말을 밥 먹듯 하며 하일선을 콜라텍에 나오지 못하게 한다.

거짓말로 양다리를 걸치다

대구에 조카 결혼식이 있어서 가야 한다느니 집 세입자 도배를 해 주어야 한다느니 자기 자격증 갱신을 위해 연수차 나오지 못한다느니 이런저런 거짓말을 하면서 하일선을 따돌린다.

처음에는 하일선이 눈치채지 못하였고 주위에서 들려주는 신중섭의 양다리 이야기도 믿지 않으려 하다 결국에는 수상하게 생각을 하고 집에 간다고 버스를 타고 가다 돌아온다. 돌아와 다시 콜라텍에 와 보니 집에 간다고 헤어진 신중섭이 있자 서로 다투게 된다. 둘 사이에 믿음이 깨지기 시작을 하였다.

원래 부부 사이에서도 바람피우는 남편을 잡으면 헤어져야 한다고 한다. 모르는 척 넘겨주면 이혼은 하지 않게 된다고 한다. 파트너의 경우도 다른 여자가 생긴 것을 밝혀내면 헤어지게 된다. 차라리 모르는 척 넘어가는 게 약일 수도 있다. 하지만 사랑이 떠난 사람 몸만 붙잡고 있을 필요가 없을 것이다.

9년 된 사랑이 저만치 떠나네

하일선은 다정하던 신중섭이 변심하자 견딜 수가 없었다.

얼마나 행복해하면서 연하의 남자가 자신에게 정성을 다하는 모습에 자신은 남자 복이 많다고 자랑 자랑하던 여자였는데 이제 신중섭이 서서히 자신에게서 멀어져 가는 것을 느끼게 되니 이루 말할 수 없는 상실감이 밀려왔다.

신중섭에게서 사랑을 받을 때 하일선은 아기처럼 큰 소리 내어 호탕하게 웃기 바쁜 여자였다. 얼굴은 환하게 꽃피는 모습으로 행복에 겨워하던 여자였다. 마음 불편한 것은 자신의 나이가 12살이나 많아 자신이 없었는데 그래도 신중섭이 정성을 다해 사랑해 줘서 행복하였는데 이제 신중섭이 멀어져 가고 있는 것을 몸으로 느끼게 된 것이다.

식당에서 식사를 하면 항상 먼저 음식을 덜어 주고 식당에서 나올 때는 옷을 입혀 주고 손을 잡고 다니며 핸드백을 들어주던 아주 자상한 남자였는데 왠지 손길이 예전 같지 않고 표정이 예전처럼 따뜻하지 않았다. 자신에게 마음을 다하지 않는 것을 느끼게 된 하일선은 신중섭에게 따져 묻는다.

신중섭은 김영자를 만난 지가 한 달도 안 되어 사랑에 쏙 빠져 정신이 없다. 20년 만에 느껴보는 행복감이란다. 남자로서 자신감도 생겼다. 그러니 마음은 김영자뿐이고 하일선과는 건성으로 놀고 있는 것이다.

하일선을 만났을 때 전화가 오면 옆에서 받더니 이젠 멀리 떨어져서 받는다. 전화도 많이 온다. 신중섭은 아들이라고 하면서 아들이 종로 3가에 있으니 오라고 한다고 하면서 당황하는 모습으로 전화를 받기 일쑤였다. 하일선이 눈치를 채고 누구에게서 온 전화냐고 따지기 시작하였다.

비록 80세 이지만 여자는 여자다. 하일선은 여자의 육감이 발동하게 되어 신중섭에게 여자가 있냐고 묻고 신중섭은 있다고 자신 있게 이야기를 한다. 원래 여자는 질문을 그렇게 하여도 내가 사랑하는 남자가 아니라고 너밖에 없다고 해주기를 고대하면서 질문을 하는 것이다.

그러나 신중섭은 아주 과감하게 하일선을 실망시킨다. 일종의 무시였다. 새 파트너가 생겼으니 알아서 떠나라는 경고와 같은 답변을 한 것이었다. 하일선은 하지도 못하는 술의 힘을 빌려 주사를 하고 싶어 신중섭에게 강짜를 부린다. 신중섭은 몸을 가누지 못하는 하일선을 어찌할 수 없으니 하일선 가족에게 전화를 걸어 가족이 동원되어 데려갔다.

신중섭은 멀리서 가족의 품에 간 하일선을 보고 안도의 숨을 쉰다. 그렇게 헤어지고 다음 날 다시 만나 춤을 추지만 이미 사랑은 유리그릇과 같아서 금이 간 그릇이 되어 버려 관계가 냉랭하게 변하고 이제 신뢰가 가지 않게 된다.

더 이상 거짓말을 참기는 힘들어

신중섭은 5시가 되자 망원동 딸이 생일이라 저녁을 온 가족들이 모여서 먹기로 하였다고 가야 한다고 하였다. 항상 홍대에서 모이더니 오늘은 왠지 망원동에 가야 한다고 하니 하일선 생각에 무언가 거짓말이라는 생각이 들었다.

하일선이 같이 가자고 하여 신중섭을 따라가게 되었다. 신중섭은 왜 쫓아 오냐며 하일선이 따라가니 의심하여 따라온다고 욕을 하고 빠른 걸음으로 달려간다. 다리가 짧은 하일선이 도저히 따라가지 못하여 애태우며 가다가 그만두고 집으로 돌아갔다. 집으로 가라고 내쫓다시피 한 것이었다.

하일선은 자존심이 상하여 그다음 날부터 영등포에 나오지 않게 되고 신중섭은 전화 한 통 하지 않고 김영자와 둘이 신나게 만나게 되었다. 걸리적거리는 혹을 떼어 낸 셈이다.

정말 이곳에서는 파트너가 있어도 뺏는 게 임자라고 하면서 뺏는다. 김영자는 자신이 행동하는 일에 부끄러움도 없다. 오직 내가 좋아하는 신중섭을 내 남자로 만들기만 하면 된다는 식으로 무지막지하게 덤벼들어 결국 빼앗았다.

80세 하일선의 연민

이미 마음이 떠난 것을 알면 하일선이 과감하게 버리면 되는데 하일선은 자신의 입장을 너무나 잘 알기에 알고도 모르는 척하려고 하였지만, 신중섭이 사기꾼 같다는 생각에 분하기도 하고 억울하기도 하였다. 그러나 자신의 처지에 신중섭에게 따질 형편도 되지 못하자 속이 부글부글 끓어올랐다.

그래도 9년을 정으로 맺어진 사이인데 어쩌면 칼로 무 자르듯 인연을 끊어버리는지 약이 오르고 속이 상하기 그지없었다. 그래도 신중섭이 전화 한 통 해주어 자초지종을 이야기해 주기를 기다렸지만 전화 한 통 없는 게 괘씸하기 그지없었다. 신중섭 아니고는 자기 손을 잡아 줄 사람이 없다는 걸 너무나 잘 알기에 더욱 속이 상하였다. 그럼 영등포가 아닌 종로에라도 나가야겠다 싶어 종로로 다니게 되었다. 그러나 콜라텍에 다니는 사람은 어디서든지 만나게 되어 있다.

누군가 하일선이 종로에 나온다는 정보를 신중섭에게 알려줘 신중섭 마음의 한 치의 미안함도 없어져 이젠 영원히 마침표를 찍게 되었다.

김영자는 승리자가 되고 하일선은 패배자가 된 셈이다.

하일선이 신중섭에게 전화하여도 신중섭이 받지 않으니 더욱 자신이 처량해진다.

콜라텍의 성(性) 문화

파트너는 기본

콜라텍에서 파트너를 두고 지내는 것은 기본으로 생각을 한다.

그만큼 성에 관대하고 개방적이라는 이야기다. 파트너가 있는 것을 당연한 것으로 여기고 이상하게 생각하지 않는다. 이 세계에서 70% 정도는 파트너가 있다고 보인다. 그리고 파트너와 같이 행동하는 사람들을 커플이라고 한다.

요즘은 수명이 길어져 기대수명은 100세이고 우리나라 평균수명은 83세라는 이야기는 누구나 알고 있다. 이렇게 수명이 길어지다 보니 실버세대의 성을 새로운 시각으로 봐야 할 것 같았다.

여기서 나는 실버의 기준을 70세 이상으로 본다. 국가에서는 노인 법에 의하여 65세 이상을 노인으로 규정하여 여러 혜택을 주지만 내가 생각하기에 진정한 실버의 나이는 70세 이상이어야 한다고 본다. 내가 콜라텍을 다녀보면 실버라고 하지만 얼마나 신체적 정신적 성적으로 건강하게 사는지 모른다. 콜라텍에 출입하는 실버의 성(性)은 새로운 시각으로 봐야 한다고 느꼈다. 일반 사회의 실버와는 너무도 다른 너무도 건강한 게 정말 말할 수 없을 정도로 강한 남성을 지닌 실버들이다.

무슨 실버의 성을 논하느냐고 실버의 성을 폄하하는 사람들도 있을 것이다. 그러나 젊은이의 성은 중요하고 단지 생물학적 나이가 많다는 이유로 성의 가치를 논하면 안 된다. 실버의 감정도 존중해 주어야 한다. 그들의 성욕도 인정해 주어야 한다.

의학에서 남자의 건강 기준을 성으로 판단한다고 한다. 이곳의 실버의 성욕은 젊은이와 다를 바 없다고 생각한다. 콜라텍에서 남성 65세 이상은 노인도 아니다. 70대에도 아주 활발하게 젊은이처럼 성생활을 하고 있음을 알게 되었다.

생물학적 나이가 노인에 해당하니 노인이라고 치부하고 방치한다면 큰 사회문제가 될 수 있다. 실버들의 성도 존중해 주고 그들의 성욕을 건전하게 해결할 수 있도록 사회에서 대책을 세워야 실버들이 성병 없는 건전한 사회에서 건강한 삶을 살아갈 수 있다.

아무튼, 일반 사회의 남성보다 모든 면에서 건강하게 생활하는 것을 알게 되었다. 심지어 84세의 남성 실버도 75세의 파트너와 10년째 만나고 있는데 주기적으로 성생활을 한다는 소리를 듣고 경악하였다. 84세 실버가 성생활을 한다고 하여 추하다거나 나이에 어울리지 않게 무슨 짓이냐고 비웃을 필요도 없다. 그냥 있는 그대로 인정해 주는 것이 필요하다. 그리고 이곳만이 가능한 일이라는 것을 새삼 느꼈다.

늦게까지 성생활을 하는 실버들의 공통점은 파트너가 있다는 점이다. 젊은이처럼 사랑도 하고 맛있는 음식도 먹으러 다니고 팔짱 끼고 거리를 다닌다. 부끄럽지도 않다.

이제 경제력도 좋아졌고 의학과 산업의 발달로 건강이 좋아졌다.

다만 생물학적인 나이만 높아졌다. 그래서 실버가 억울할 때 자주 사용하는 말이 나이는 숫자에 불과하다고 항변하기도 한다. 한 방송에서 노인의 성(性)이 심각하다는 내용으로 방영하는 것을 보았다. 가정에서도 부부지간에 할아버지의 성을 할머니는 감당하지 못하여 할아버지들의 일탈을 방영하는 내용이었다. 그만큼 할아버지들이 젊어지고 있다는 내용이다.

이런 일이 빈번해지면 바로 노인 문제가 사회화되는 것이다. 따라서 콜라텍을 다니면서 싱글인 실버들은 파트너를 만나 자연스럽게 성을 해소하는 성문화가 바람직하다고 본다. 숨어서 은밀하게 표현하다 보면 퇴폐업소를 찾거나 음성적인 행위가 발생하니 당당하게 감정 그대로 표출하도록 도와주어야 한다.

난 콜라텍이야말로 실버들이 사랑을 표현하기에 아주 적합하고 건전한 곳이라는 것을 알았다.

파트너가 있는 실버의 모습은 파트너가 없는 실버와 다른 점이 있다.

* 표정이 밝고 생동감이 넘친다.

- 화장이 진하다. 연세가 많아도 용감하게 속눈썹을 붙였다.
- 옷차림이 화려하고 나이보다 젊게 입는다.
- 보정 옷을 입어 몸매를 날씬하게 유지한다.
- 여자 파트너가 식사나 술을 하면 계산하는 일이 많다.
- 파트너와 애정표현이 적극적이다.

이상이 파트너가 있는 실버의 모습이다. 젊은이와 같다는 것을 알 수 있다. 실버의 감정은 젊은이와 같다. 단 육체가 둔하여 날렵하지 않을 뿐이다.

83세의 조종사 실버 커플

이곳에서 가장 나이가 많은 대표적인 실버 커플이 공군 조종사 할아버지 커플이다.

83세의 공군 대령과 73세 김여사 커플이 이곳에서 유명한 커플이다. 할아버지 나이 83세. 이 커플이 만난 지는 10년이 넘는다. 83세이지만 아주 정정하다. 공군 조종사 출신인 이 영감은 늘씬한 키에 중절모를 쓰고 연금으로 생활을 하고 있다. 노년기에는 연금수령자가 가장 인기 있는 남자다.

김여사는 자식을 잘 두어 경제력이 좋은 편이며 남편과 사별을 한 지는 3년쯤 되었다. 할머니 김여사가 춤을 추러 처음 나왔을 때 할아버지가 첫눈에 반하여 자기 파트너로 만든 경우다.

83세이지만 생각하는 게 참 젊고 젊은이처럼 사랑 표현도 잘한다. 항상 파트너에게 사랑한다고 하면서 다른 사람 쳐다보면 쳐다보지 말라고 질투를 한다. 당신이 사랑하는 사람은 김여사밖에 없노라고 수시로 여자의 마음을 다잡아 논다.

이곳에서 고수는 처음 입문한 사람에게 관심이 많다. 아무래도 이 세계에 발을 들여놓은 경력이 짧으면 순수하다고 생각을 한다. 춤을 춘 역사가 긴 사람은 순수성이 떨어진다고 생각하기에 그렇다. 비교적 순수한 사람을 잽싸게 찜하는데 주로 고수들이 쓰는 수법이다. 때 타기 전에 자기 사람을 만들기 위하여 즉 용감한 자가 미인을 얼듯이 독수리처럼 채 간다.

선수였던 조종사 할아버지는 할머니의 어딘지 닳지 않은 순진한 매력을 느끼어 낚아챘을 것이다.

할아버지는 음악 감각이 아주 훌륭하다. 노래도 아주 잘하고 춤도 리듬을 타면서 정열적으로 춘다. 사랑의 표현도 아주 잘하여 할머니에게 사랑한다고 늘 표현한다. 둘은 매일 만나 콜라텍에서 맛난 음식을 먹는데 애주가여서 술이 강하다. 그 나이에 보통 소주 2병을 마신다. 술에 취하여 몸을 가누지 못하고 콜라텍 안 소파에 앉아 잠에 취할 때도 많다.

둘이서 친구들과 어울려 술을 마시고 즐겁게 놀다 각자의 집으로 간다. 자식들도 다 알고 있지만, 동거는 하지 않는다. 아주 젊은이처럼 현실적인 것이다. 동거하면 헤어질 수도 있는 상황에서 힘이 들고 서로 부담이 되기에 동거는 하지 않고 매일 만나는 것이다.

할머니 실버는 할아버지 실버 집에 반찬을 해서 갖다 주고 냉장고에 항상 고기와 반찬을 채워놓는다고 한다.

할아버지는 주량이 어찌나 센지 하루에 소주 2병 이상 매일 마시는데 안주를 먹지 않고 깡 술을 마신다. 안주라야 새우젓을 가장 좋아하는 할아버지다. 할아버지는 83세에도 할머니와는 한 달에 3번 사랑을 한다고 자랑스레 말한다. 비록 의학의 도움을 빌려서 하지만 얼마나 젊게 사는지 알 수가 있다.

이 세계 사람들의 섹스 실력은 참 놀라울 정도다. 섹스에 강한 이유는 스트레스를 받지 않고 음악 속에서 운동하기에 그런 것 같다. 주위에는 항상 여성들이 많아서 감성이 무디지 않고 깨어 있기에 일반 사회의 사람보다 성에 건강하다고 생각한다.

점잖은 실버 커플

이 커플은 70대 중반 약 75세 정도로 보인다.

이 커플의 세세한 내용은 알 수 없지만 나는 점잖은 실버라는 애칭을 붙였다. 지적인 외모의 할아버지 여성스러운 할머니 이 커플은 참 보기가 좋다.

할아버지 머리는 반백이 넘고 인상이 아주 부드럽고 지적으로 보인다. 젊은 시절 공직자로 정년퇴직을 한 것처럼 품위가 풍긴다. 할아버지는 점심때 할머니와 만나서 입장을 한다. 둘은 춤을 아주 사랑스러운 분위기로 춘다. 서로 코드가 맞는지 아주 사랑스러워한다. 젊은 사람 부럽지 않을 정도로 찰떡궁합이다. 애정 표현도 은근하게 잘 한다. 주변 사람 의식하지 않는다.

춤을 출 때 보면 할머니가 할아버지 코를 잡기도 하고 할아버지는 할머니를 번쩍 안아주기도 한다. 둘은 귓속말로 소곤댄다. 무슨 할 말이 그렇게도 많은지 소곤소곤 닭살이 돋는다. 요즘은 춤추다 입도 맞추면서 춘다.

두 실버는 아주 행복하게 춤을 추는 모습이 역력하다.

그러나 식당에 들어와 음식을 먹는 일은 한 번도 본 적이 없다. 매점에 들어가 커피를 마시는 일도 본 적이 없다. 술을 싫어해서 그런가? 건강을 위하여 술, 담배를 절대 하지 않는 것 같다.

술뿐 아니라 음료수 먹는 모습도 본 적이 없다. 할머니가 집에서 음식을 가져와 둘이 집으로 가다 백화점 의자에 앉아 먹는 모습은 보았다. 매일 오후 2시경이면 둘이 꼭 들어와서 5시가 넘으면 가정으로 돌아간다. 할아버지는 할머니 핸드백을 들고 다닌다.

여기서는 커플 모습에서 흔히 볼 수 있는 것이 남자가 여자 핸드백을 들고 다니는 모습이다. 길거리를 다니는 커플을 보면 남자 실버가 여자 실버의 핸드백을 들고 다니는 모습이 자주 목격이 된다. 할머니는 할아버지가 사랑스러운 듯 춤을 추다가도 할아버지 얼굴을 두 손으로 쓰다듬어 준다.

두 사람의 춤추는 모습은 할머니가 할아버지 코를 잡는 애교를 부리고 할아버지가 사랑스러운 듯 좋아 어쩔 줄 모른다. 할아버지 역시 할머니가 사랑스러운 듯 할머니 얼굴을 두 손으로 감싸 쥐고 때로는 사랑스러운 듯 엉덩이를 만지고 사랑의 표현이 아주 적극적이다.

나는 이 할아버지 할머니가 참 보기가 좋다. 나이가 들어서도 애정 표현을 적극적으로 하고 다른 사람 눈치 보지 않는 당당함이 좋아 보인다.

삼각관계 실버 커플

74세인 이창섭과 70세인 심미순 커플이 있다.

이 커플은 25년이 되었다. 젊은 시절부터 만났으니 영락없는 부부 커플이다. 이창섭은 사별하고 혼자이고 심미순은 이혼하고 혼자 산다. 이창섭은 운전기사 출신으로 택시, 버스를 하였다. 이창섭은 그 나이에도 얼마나 바람둥이인지 기가 찰 정도이다.

심미순이 암 정밀검사 후 간암 초기로 판명이 난 상태에서 항암 치료차 콜라텍에 나오지 못하게 되었다. 심미순은 같이 어울리는 모임 친구들에게 병 치료 잘 받고 나오겠다고 인사하고 울면서 병원에 입원하여 암 치료를 받게 되었다.

이창섭은 청량리 콜라텍에 가서 여자 하나를 데리고 왔다. 김길순이라는 여자인데 심미순과 나이가 비슷한데 이 여자는 아주 여우 같이 끼가 많은 여자였다. 이창섭은 김길순에게 자신의 애인이 암으로 죽었다고 소개를 하고 만나게 되었다.

이 여자는 돈이 많다고 자랑을 하였고 영등포 모임에 나와 신고식도 푸짐하게 하고 심미순 자리를 빼앗아 이창섭과 커플이 되어 나타났다.

신고식으로 돈을 잘 쓰니 모임의 여자들도 관대하게 봐주고 이창섭은 여자가 돈을 쓰니 너무 좋았다. 심미순은 가정형편이 어려워 자신이 용돈을 주어야 했는데 김길순은 경제력이 좋아 챙기지 않아도 김길순 스스로 돈을 잘 썼다.

심미순이 항암 치료가 잘 되어 병이 호전되어 이창섭과 만나게 되었는데 이창섭은 두 여자를 만나야 하니 거짓말을 할 수밖에 없어 하루걸러 한 번씩 차례대로 만났다. 조카 사업을 하는데 돌봐주어야 한다며 하루걸러 한 번씩 인천에 간다고 하고서는 김길순을 만나러 다녔다.

두 여자를 번갈아 만나고 있다가 결국 거짓말이 탄로가 났다. 그런데 이상한 일은 두 여자가 이창섭을 버리는 게 아니라 알면서 용서하고 번갈아 만나면서 하루걸러 한 번씩 다른 여자 만나는 것을 이해한다는 점이다.

자신이 만나지 않는 날에는 다른 여자를 만난다는 것을 알고도 참는데 그 마음은 얼마나 비참하고 속이 아플지 상상이 간다. 참는 여자의 마음이 얼마나 힘들었을까 그런데도 두 여자는 남자를 버리지 않고 번갈아 만났다.

사랑은 사랑을 많이 하는 사람이 참고 기다리는 법 심미순은 마누라로 말하면 조강지처이고 김길순은 첩인데 역시 심미순이 더 많이 인내하는 것이었다. 25년을 만나면서 이창섭이 여러 번 심미순을 속 썩이고 애를 태워도 지금까지 참고 기다려 유지해 온 관계였다. 심미순은 김길순을 버리고 자신에게 돌아올 것을 믿고 기다렸다. 이창섭을 너무 사랑하기에 김길순을 버리고 돌아올 때까지 기다린다고 하더니 결국 1년이 지나 이창섭은 심미순 곁으로 돌아왔다. 이창섭은 한순간 한눈팔고 역시 옛정이 강한 심미순에게 돌아온 것이다.

이렇게 남자들은 파트너가 있으면서도 상황이 되면 한 눈을 파는 게 수법이다. 그런데도 정은 하나라고 이창섭이 나중에는 김길순을 버리고 심미순에게 돌아왔다. 25년 사랑이 이긴 것이었다.

이 커플은 서로 궁합이 너무 잘 맞는다고 공공연히 이야기한다. 지금도 젊은 시절처럼 애틋한 사랑을 한다며 노익장을 과시하여 젊은 사람들의 부러움을 사기도 한다.

섹스리스 실버 커플

정창웅과 조선희 커플의 경우이다.

남자 나이는 74세 여자는 70세다. 정창웅은 경제력은 좋은 편인데 대신 건강이 좋지 않아 대장암 수술 후 치료 중이다. 옆구리에 대변을 받아내는 통을 달고 다닌다. 섹스는 하지 못하는 커플이다. 만나던 중 남자가 수술하여서인지 매일 만나 술을 벗삼아 데이트를 한다.

두 사람은 모두 배우자가 있다. 정창웅의 아내는 남편이 환자이니 스트레스받지 않고 재미있게 어울려 살기를 원하기에 여자 친구가 있는 것을 알면서도 환영해 준다. 남편이 여자 친구를 만나 즐겁게 생활하면서 대장암이 낫기를 원하는 마음에서 풀어주는 것이었다. 성생활은 하지 못한다는 것을 알고 있기에 허락하는 것 같다. 집에 남편이 있으면 몸이 아프다고 신경질이나 내고 그러면 가정이 불편하니 낮 동안 콜라텍에 가서 여자 친구와 즐겁게 술 마시고 놀다 들어오라고 허락하는 것이었다.

아내는 친구들과 놀다 오는 걸 환영하기에 정창웅에게 콜라텍에 속히 나가라고 재촉한다고 한다. 정창웅 아내는 여자 친구인 조선희를 알면서도 질투나 시기를 하지 않는다. 어차피 배우자와는 성생활을 하지 못할 것을 알아서일까, 아니면 대장암 환자인 남편을 즐겁게 해 주고 뒷바라지를 해주는 조선희가 고마워서일까 어쨌든 콜라텍에 일찍 나가라고 보내는 것이었다. 정창웅은 배우자의 허락을 받고 당당하고 떳떳하게 여자 친구를 만나는 경우다.

정창웅과 조선희는 여행도 자주 간다. 조선희는 남편과 부부생활을 건강하게 잘 한다고 한다. 남편이 워낙 건강하여서 70세이지만 성생활에 불만이 없다고 한다.

정창웅과는 섹스가 없어도 아무 문제가 되지 않기에 정으로 정창웅을 만나는 것이었다.

조선희는 남편에게는 에어로빅을 배우러 다닌다고 거짓말을 하고 콜라텍에 나온다고 한다. 점심때 만나서 저녁 늦게까지 술을 마시면서 정창웅과 시간을 보내고 귀가한다.

정창웅은 조선희에게 줄 수 있는 게 선물밖에 없기에 기념일이나 생일에 순금으로 패물을 해 준다. 목걸이, 팔찌, 반지 등 패물을 해 주고 조선희는 아내처럼 병수발을 다 들어준다.

이 커플은 섹스는 없지만 정으로 맺어진 술친구로 매일 만나 춤을 추고 술 마시고 저녁엔 퇴근한다. 그래서인지 티격태격 말싸움을 자주 한다. 섹스가 없어서 잘 토라지고 잘 풀어지지 않는 것 같다.

다투고 다시는 안 볼 것 같이 헤어지지만, 며칠 못 가서 다시 만나 논다. 이런 모습은 콜라텍에서 흔히 볼 수 있는 커플들 모습이다.

순애보 실버 커플

68세의 지창열과 78세의 김일화 커플은 연상 연하 커플이다.

지창열은 젊은 시절에는 국내 S 통신에 근무를 하였다. 외국인 태국과 필리핀 동남아에 나가서 국민과 나라를 위하여 정열을 바친 지적인 남자다. 지창열의 고향은 대구, 김일화 고향은 마산이다. 김일화는 남편이 공무원으로 정년퇴직을 하고 자식들도 잘 키워서 남부럽지 않은 여자다.

8년 전 김일화는 우울증으로 진단을 받고 의사가 운동을 하라고 하여서 춤을 배우러 나왔다가 지창열을 만났다. 그 당시 지창열도 춤을 처음 배워 서로 파트너가 되어 춤을 추었다.

도무지 두 사람은 어울리는 게 하나도 없는 커플이다. 나이도 여자가 12년 연상, 키도 남자는 175cm에 여자는 150cm, 춤도 여자는 하나도 추지 못한다. 사람들은 김일화 키가 하도 작아서 땅콩이라는 별명을 지어주었다.

지창열은 나이가 젊어서 혼자서 유튜브(YouTube)★를 보면서 열심히 노력한 결과 춤을 잘 추는데 김일화는 다리가 짧아 아장아장 걷는 걸음으로 춤을 춘다고 하고 있다. 그런데도 매일 김일화를 위하여 영등포에 마중 나가 콜라텍 입구에서 마중해오고 핸드백은 항상 들고 다니고 식사할 때도 겉옷을 받아 옷걸이에 걸어주고 음식도 가장 먼저 떠서 올려준다. 아주 지극정성으로 모신다고 해야 어울릴 표현이다. 만나면 맛난 음식을 사서 주고 아무튼 주변 사람들이 참 이상하다고 수군거린다. 아마 김일화가 용돈을 두둑이 주어서 저렇게 모시는 게 아니냐고 의심을 했다.

김일화가 딸이 사용하라고 준 카드를 주었다는 이야기도 들렸

★ 많은 동영상을 볼 수 있는 인터넷 사이트.
http://www.youtube.com/

다. 딸이 준 카드인데 지창열에게 주었는데 지창열이 심하게 많이 사용하여 빼앗겼다는 이야기도 들렸다.

하지만 김일화가 음식도 잘 사지 않고 용돈도 전혀 주지 않는다는 사실을 알게 되었다. 정말 신중섭은 마음에서 우러나는 진실된 마음으로 김일화를 극진히 섬긴 것이었다. 요즘 세상에 보기 드문 순애보 사랑을 하는 것이었다.

그러나 신중섭은 당 환자라 섹스는 하지 않는다고 당당하게 말한다. 김일화는 신중섭이 아니면 누가 손을 잡아 줄 사람이 없다. 나이도 많지 춤도 못 추지 오로지 신중섭이 있어야 운동을 할 수 있기 때문이다.

아무튼, 연하의 신중섭이 지극하게 돌보는 모습을 보면서 참 순애보 사랑을 한다고 생각한다. 일시적이고 진실성이 부족한 이곳에서 두 사람은 순애보 사랑을 하는 것이다.

나이를 먹어도 순수한 사랑이 가능하다는 것을 알게 되었다.

진실이 부족하다고 하는 콜라텍에서 이렇게 순애보 사랑이 가능하다는 사실에 참 놀라웠다.

팽이 커플

여자 남자 나이는 60대 중반 정도이다.

이 커플은 남녀 모두 댄싱을 아주 좋아하고 잘하는 편이다. 이 커플은 춤만 추지 술이나 기타 음식을 먹으러 식당에 들어오지 않는다. 남자 의상은 언제나 검은색 등산복 여자는 언제나 화려한 댄싱복이다.

남자는 어깨가 구부정한 모습인데 춤을 아주 재미있게 춘다. 춤을 출 때 여자를 빙글빙글 돌면서 손을 내리치는 동작을 하면서 신나게 춘다. 마치 팽이를 치는 포즈를 자주 취해서 나는 팽이 커플이라고 애칭을 지었다.

두 사람은 술은 하지 않고 춤만 추는 커플이다. 주변 사람들은 이 커플의 춤이 하도 재미있어서인지 쳐다보기에 바쁘다. 남자가 너무 우습게 춤을 추니 코미디 한 편을 보는 것 같다.

나도 이 커플을 보고 있노라면 우습기 그지없다. 남자가 여자 앞에서 마치 재롱을 부리듯 춤을 춘다. 남자가 애교를 부리면 여자 파트너는 우습지 않다는 듯 무표정한 얼굴로 춤을 추고 남자는 계속 돌아가며 일어섰다 앉았다 춤을 춘다. 아마 여자는 오랫동안 남자의 행동에 익숙해진 탓일 것이다.

이 커플도 매일 만나 신나게 춤을 추는 커플이다. 아주 건전한 커플이다. 스킨십도 없고 그저 춤만 출 뿐이다. 남자는 장끼가 까투리 앞에서 묘기를 부리듯 여자 앞에서 갖은 애교를 떨며 춤을 춘다. 차라리 귀엽기까지 하다.

7장

콜라텍 뒷이야기

콜라텍의 레벨을 결정하는 것은
음악을 연주하는 연주자에 달려있다.

콜라텍의 시설

콜라텍의 구조는 입장료를 받는 곳, 물품을 맡기는 보관소, 춤을 출 수 있는 플로어, 술을 마시고 싶으면 식당, 차를 마실 수 있는 매점, 맥주를 마시는 호프집, 옷을 벗을 수 있는 탈의실, 화장실 등이 있다.

입장료

입장료는 보통 1,000원을 받는데 오후 5시가 지나면 받지 않는다.

그래서 철새족들은 한 곳에서 놀다 오후 5시가 되기를 기다린 후 다른 콜라텍에 입장을 한다. 돈 1,000원이 비싸게 느껴지는지 입장료를 내지 않으려고 식당에 술 먹으러 간다는 등 갖은 꼼수를 부리는 경우가 많다.

그래도 주인 입장에서는 돈을 벌 수 있는 것이 입장료보다 음식을 파는 식당에 의하여 좌우가 되는 편이다.

단 돈 1,000원이지만 주말에 3,000명 이상이 입장하는 경우는 300만 원이 넘어 큰돈이 된다. 입장료를 무시하지 못한다.

푼돈 같지만 입장료 1,000원 보관료 500원이 큰돈이다.

보관소

보관소는 500원을 받고 옷과 소지품을 맡아준다.

커플이 같이 오면 1,000원을 내고 바구니를 받아 바구니에 두 사람이 같이 담는다.

사람이 많은 주말에는 보관소에 옷을 맡기거나 찾을 때 줄을 서서 기다려야 할 정도로 복잡하다. 내가 다니는 영등포의 경우 7층은 옷을 맡기고 찾는데 보통 10분 이상 기다려야 한다. 평일에는 2,000명 주말에는 3,000명이 맡기니 정신이 없을 지경이다.

이것도 단돈 500원이지만 주말에는 150만 원 수입이 된다.

플로어

플로어가 매끄러운 곳이 좋은 곳이다.

플로어는 마루로 되어 있어 윤을 잘 낸 플로어가 좋은 플로어다. 청소가 잘 되어 매끄러워서 미끄럼판처럼 잘 미끄러지는 곳이 좋은 플로어이다. 오래된 곳, 사람이 많은 곳은 덜 미끄럽고 이용자들이 껌을 뱉어 끈적끈적 한 곳도 있다.

매끄러워야 춤을 얼음판에서 미끄러지듯 출 수 있어 구두 바닥에 감자녹말을 바르고 춘다. 플로어 구석구석에 감자녹말 봉지를 두었다.

그래서 춤을 추는 사람들이 구두 수선 방에 자주 간다. 플로어에서 발바닥을 문지르는 춤을 너무 많이 춘 탓에 구두 발바닥을 자주 갈아주어야 미끄럽지 않다. 구두 바닥이 닳아서 너무 미끄러우면 넘어지기 일쑤다.

매점

매점에는 음료수와 차를 판다.

음료수는 보통 2천 원 선이다. 사람이 너무 많아 자리 잡기가 힘이 든다.

여름철에는 팥빙수도 팔고 아이스크림과 각종 차를 판다.

매점은 직영도 하고 임대도 하는데 장사가 잘 되는 곳은 주로 직영을 한다. 돈을 가장 적게 들이고 쉴 수 있는 곳이다.

커피 한 잔 마시면서 숨을 고를 수 있다.

호프집

호프집에서는 식당처럼 술을 판다.

소주, 맥주, 막걸리를 팔고 안주로 가벼운 마른안주와 순대 등 주방에서 간단하게 요리하여 판다.

소주, 맥주, 막걸리 모두 3천 원에 판다.

가볍게 술을 마시고 싶으면 호프집을 찾으면 된다.

식당

콜라텍에서 수입원이 가장 좋은 곳이다.

콜라텍을 허가받았지 식당은 허가받지 않아서 식당의 음식 가격은 비교적 저렴하다. 그러다 보니 춤 손님이 아니어도 주변에서 음식을 먹으러 식당을 찾아오기에 식당은 장사가 잘 된다. 거기다 맛까지 좋으면 금상첨화(錦上添花)다.

그리고 손님들이 식당을 애용하는 이유는 춤을 추다 밖에 나가서 먹으려면 핸드백을 보관소에서 찾아서 나가야 하는데 그러면 보관료를 다시 한번 내야 할 수도 있기에 손님들은 번호표만 가지고서 식당을 이용한다. 지갑이 없으면 번호표를 식당 카운터에 맡기고 계산을 하면 보관소로 연락이 가서, 옷을 찾을 때 그때 계산하면 된다.

그리고 춤을 추다 밖에 나가 음식을 먹으면 시간이 많이 소요되고 가격도 비싼 편이어서 부담스럽지만, 구내식당은 가까이 있어 춤을 추다 바로 식당에 가서 음식을 먹을 수 있어 인기가 좋은 것이다.

음식점 메뉴와 값을 보면 홍어 무침이나 골뱅이 등 국물이 없는 것은 15,000원 선, 국물이 있는 탕은 13,000원에서 20,000원 선 보통 15,000원 선이 맛도 좋고 사람들이 좋아한다. 가장 비싼 회 종류와 백숙이 3만 원에서 4만 원 선이다.

식당에 가서 매일 어울려 술을 마시는 사람은 이 세계에서 잘 나가는 사람 축에 든다. 하루에 용돈을 3만 원 사용하면 월 1백만 원이면 족하고 5만 원 사용하면 150만 원 선이다. 어떤 이는 용돈이 궁하여 콜라텍에 와서 술 한 잔 못 마시고 가는 사람들도 많다. 그만큼 경제적으로 어렵다는 뜻이다.

보통 커플끼리만 먹는 사람도 있지만, 술은 어울려 먹어야 제맛이라고 친한 사람들과 어울려 마시고 더치페이를 한다. 이곳은 경제관념이 아주 투철하여 혼자서 술을 사는 일이 없는 편이다. 항상 어울리는 사람끼리 더치페이 문화가 잘 정착이 되어있다.

요즘은 콜라텍 안을 포장마차처럼 꾸며 놔서 각종 메뉴를 골고루 먹는 재미가 쏠쏠하다. 주방장 솜씨가 좋으면 다른 곳에서 놀아도 음식은 잘하는 주방장에게 와서 시켜 먹는다. 콜라텍의 식당 성패는 주방장에게 달려있다.

식당이 맛이 없으면 놀기는 음악이 좋은 곳에서 놀고 음식은 다른 콜라텍에 가서 먹고 오는 사람들이 많다. 입장료를 내지 않기 위하여 가방은 처음 들어간 곳에 둔다.

그럼 입장료를 내지 않아도 되고 보관소에 옷을 맡기지 않아도 되어 마지막 집에 가는 시간에 옷을 찾아가면 온종일 입장료 한 번 내고 돌아다니는 셈이 된다.

연주자

콜라텍의 레벨을 결정하는 것은 단연 음악을 연주하는 연주자에 달려있다.

특히 음악이 좋은 곳은 춤을 못 추는 사람이 입장료 천 원을 내고 들어와 감상만 해도 돈이 아깝지 않을 정도이다. 그 정도로 음악이 좋은 곳도 있다.

여러 곳을 다녀 보면 연주하는 실력이 천차만별인데 템포가 빠른 곡을 연주하여 춤추는 사람이 신이 나고 춤을 추고 싶게 만드는 연주자도 있고, 조용하면서도 감성적인 음악 약간 느린 발라드 음악을 연주하여 학창 시절 생각이 나도록 연주하는 연주자도 있고, 건반 솜씨가 황홀한 연주자도 있고, 정말 실력이며 스타일이 천차만별이다.

또한, 사람들도 취향이 다르기에 각자 좋아하는 연주자가 있다. 그래서 연주자들은 자기 팬을 몰고 다니기도 한다.

참고로 연주자가 2명인 곳은 40분 연주하고 다음 연주자가 바통을 이어받아 40분 연주하고를 반복한다.

콜라텍의 여건

영등포가 콜라텍의 메카이다.★

영등포에는 5개의 콜라텍이 성업 중이다. 심지어는 한 건물에 두 개의 콜라텍이 들어있어 이 건물은 콜라텍 건물이라 할 수 있다.

새로 한 곳이 생기면 한동안 입장료 1,000원도 받지 않고 영업을 한다. 서로 제 살 깎기 출혈경쟁을 하고 있다. 결국에는 돈이 많은 자만 살아남고 영세업자는 죽게 된다.

그런데도 요즘은 개업하면 성공하는 경우가 많다. 워낙 춤이 생활화가 되어 춤 인구가 많다 보니 기존 콜라텍이 포화상태가 된 것이다. 새로 개업해서 성공한 곳들이 늘고 있다.

참고로 콜라텍도 이용자가 순서를 매기는데 주로 음악이 좋은 곳이 일등이다.

★ 저자 교감 선생님의 활동무대가 영등포였다.

콜라텍은 여러 곳을 이용

콜라텍을 한 곳만 이용하는 사람은 적다.

메인 콜라텍이 있기는 하지만 여기저기 서너 곳을 이용한다.

이유는 단 하나, 음악이 다르기 때문이다.

우리가 밥만 먹다 새로운 음식을 먹으면 맛있듯이 건반리스트
가 다른 음악을 듣다 보면 마치 외식을 하는 기분이다.

음악의 장르와 노래의 내용과 질이 다르기에 우리는 수많은
음악을 단돈 1,000원을 내고 이곳저곳 다니면서 감상하는 것이
다.

건반 치는 솜씨가 아주 훌륭하다.

수준급인 연주자의 음악을 듣고 노래를 들으면 여러 곳을 다
니면서도 힘이 들지도 피곤하지도 않다.

콜라텍의 환경

비위생적인 공간

사람이 많이 드나들다 보니 환경은 비위생적이다.

사람이 너무 많아 통제되지 않을 정도다 보니 관리가 제대로 되지 않는 게 특징이다.

식당 안 청소 상태가 그렇고 식기류와 주변 상태가 지저분하다. 특히 음수대인 정수기 주변은 컵을 씻어 대기에도 인력이 부족한 상태다. 식당이 항상 만석이어서 밀려오는 사람을 감당할 수 없어 그럴 것이다.

사람들은 식당에서 자리가 나기를 기다려 착석한다. 착석 후 종업원이 오기가 바빠 손님들이 식탁을 정리하고 음식 맞을 준비를 한다.

화장실은 워낙 많은 사람이 이용하기에 여자 화장실의 경우는 줄을 서서 한참을 기다려야 차례가 올 정도다. 청소가 제대로 되지 않아 냄새가 나고 사용한 휴지는 바닥에 널브러져 발에 밟혀 돌아다닌다. 눈으로 볼 수 없을 정도로 지저분한데도 많은 사람이 당연하게 불평 없이 이용한다. 사람들이 이해심을 발휘하여 참고 이용하는 것이다. 마치 당연한 것으로 여긴다. 아니 그것보다는 재미있는 춤을 추러 와서 지저분한 화장실쯤은 봐줄 수 있다는 마음인 것 같다.

어떤 콜라텍은 화장실 수압이 낮아 볼일 본 소변이 내려가지 않는 곳도 있다. 처음 이용하는 사람들은 이런 곳이 있느냐고 불평을 하지만 두 번째 이용할 때부터는 당연시하고 눈 곳에 다시 눈다.

이렇게 비위생적인 환경인데 단속하는 기관이 없으니 발전되지 않는다. 사장에게 이야기하는 사람도 없고 해보았자 개선되지도 않는다. 이곳은 그러려니 이해를 한다. 처음에 온 사람은 왜 물이 안 내려 가냐고 불평하지만, 동경 화장실을 사용한 단골들은 그냥 봐 고 있다.

구청이나 다른 곳에서 위생 점검을 나오지 않는 것 같다.

내가 돈 1,000원 내고 저렴하게 이용하니 이런 불편은 감수해도 된다는 자세다.

여자 화장실 경우 그 안에서 이루어지는 풍경은 재미있다.

화장실을 사용하려고 순서를 기다리는데 나이 든 여자들이라 성격 급한 아주머니는 지퍼를 내리고 기다리고, 배려심이 너무 많은 아주머니는 옷을 올리지도 않고 나와서 올려준다. 그리고 사용한 휴지를 휴지통에 버리지 않고 바닥에 버려서 휴지가 돌아다닌다.

그리고 더 이해가 되지 않는 것은 사용 후 물을 내리지 않고 뻔뻔하게 그냥 나온다.

나는 꼭 확인하여 내리지 않고 나오는 사람은 내리라고 지시한다. 일종의 망신을 준다. 그러면 다시 자신이 사용한 곳에 들어가 물을 내리고 나간다.

공기는 많은 사람이 호흡하면서 내뿜은 이산화탄소와 생리작용으로 내뿜은 가스로 실내 공기 질이 나쁘다. 그리고 실버들이 많아 실버 특유의 냄새도 난다.

간혹 향수를 사용한 실버들이 있는데 향수는 비싼 것을 사용해야 향이 좋지 싸구려는 머리가 아프기까지 하다. 그러면 향이 아니라 악취 수준으로 변하여 주변 사람들이 괴롭다.

공기 청정기 한 대 없이 주말에는 이천여 명씩 돌고 뛰고 땀을 흘리는 이곳에서 놀다 보면 목감기 코감기가 끊이지 않고 있다. 얼마나 공기가 나쁜지 흰 진바지를 입고 다녀온 날은 진 바지 단이 새까맣다.

여기저기 뱉어놓은 껌이 발바닥에 붙어 끈적일 때도 있다. 그러나 부킹이 매일 껌 제거를 하여서 껌이 많은 편은 아니다.

식당의 불결한 환경

식당은 환기도 되지 않는 공간에서 많은 사람들로 북적댄다.

자리가 없어서 사용할 수 없을 정도로 성황이다. 음식값이 저렴하고 양을 넉넉히 주는 덕분에 장사가 잘 된다.

행주를 보고 있으면 걸레같이 지저분하고 식탁 위에는 음식

찌꺼기가 제대로 청소되지 않아 지저분하다. 바닥에는 코 푼 종이, 음식 흘린 찌꺼기 등 이루 말할 수 없이 지저분하다. 비위가 약한 사람은 도저히 음식을 먹을 수 없을 정도다. 정수기 옆의 물 컵은 깨끗이 세척되지 않고 사용 후 다시 갖다 놓은 것처럼 지저분하다. 사람들은 뜨거운 물에 컵을 헹구어 사용하기에 정수기 주변 물받이 통은 더욱 지저분하게 된다.

식기류는 제대로 소독이나 하는지, 남은 잔반도 재활용되는 것 같아 기분이 찜찜하다. 눈으로 보아도 반찬 담긴 모습이 지저분하다. 일반 식당에서는 잔반이 재활용되지 않는 거로 아는데 콜라텍 식당은 위생검열이나 받는지 궁금하다. 업주 사장이 돈 버는 데만 혈안 되지 말고 이용하는 이용객을 위한 위생에도 신경을 써야 한다고 생각한다.

몇 년째 드리워진 실내 커튼은 한 번이라도 세탁하였을까? 춤이 아닌 것에 신경을 쓰면 비위생적이라서 춤을 추지 못할 것이다.

탈의실의 부재

여자의 경우는 댄스복 댄스화를 갖고 다닌다.

그러나 갈아입을 공간이 마땅치 않다. 콜라텍 주인은 공간이 조금만 있어도 매점으로 활용하지 손님을 위한 서비스 공간으로 제공하지 않는다. 손님들이 불편해도 딱히 불만을 이야기할 곳이 없고 만약 불만을 이야기하면 오지 않아도 좋다고 할 것이다.

탈의실로 사용하라고 창고 같은 비좁은 공간을 제공하는 곳도 있다. 비좁더라도 단정하게 정리가 된 곳이 아니라 바닥에는 신문지를 깔아놓고 벽에는 재활용 물건들로 쌓여 있는 곳이 있나 하면 어떤 곳은 화장실 옆에 커튼을 치고 탈의실을 하라고 공간을 마련해 주는데 거울 하나 없는 곳이다. 어느 곳도 반듯하게 거울이 있고 옷걸이가 있어 옷을 갈아입기 편리하게 해 준 곳은 없다.

손님 복지 차원에서 공간 하나를 장만해 주지 않고 돈벌이에 혈안이 되어있다. 그렇다고 손님이 건의 한번 못 하는 입장이니 관계 부처에서 정기 점검을 나와 합격점에 도달하지 못하면 개선하도록 하면 좋겠다.

콜라텍의 직원

콜라텍 직원의 보수는 모두 일당이다.

문 앞에서 지키는 기도, 옷 보관하는 직원, 부킹, 모두 일당이다. 건반을 치는 연주자도 일당, 식당에서 일하는 주방장 및 조리원도 일당이다.

왜 이곳은 일당제인가 생각해 보니 장사가 안되면 어느 순간 없어질 수도 있는 곳이기에 안전성이 확보되지 않아서 일당으로 지급을 하는 것 같다.

일당이 가장 센 사람이 연주자다. 가장 센 연주자가 일당이 15만 원 선이다. 영등포에서 가장 실력파 연주자가 일당 15만 원 선이다. 주방장이 일 10만 원 선, 부킹이 일당 3~5만 원 선이다.

부킹은 월급보다도 팁이 더 많다. 남자만 팁을 주는 게 아니라 여자들도 주는데 요즘은 남자보다 여자가 팁을 많이 준다. 예를 들어서 나이가 많은 할머니에게 연하의 남자를 해 주는 경우는 부킹이 할머니에게 팁을 받아서 그렇다. 부킹이 자신보다 나이가 많은 사람을 소개해 줄 경우는 거의 부킹이 팁을 받고 해주기 때문이다.

처음 춤을 배웠을 때는 춤 실력도 좋지 않고, 용기도 없어서 부킹이 소개해 줘야 춤을 출 수 있다. 그러니 부킹에게 의존도가 높다. 부킹에게 팁을 자주 주어야 하고 음료수라도 자주 주어야 사람을 붙여 준다.

부킹이 음료수를 얼마나 많이 받는가 하면 오후에 집에 갈 적에 큰 시장 가방에 음료수를 가득 가져간다. 하루 종일 모아 두었던 음료수다. 어떤 경우에는 자신이 다 먹지 못하고 매점에 도매로 들여오는 가격에 팔아 환전한다. 손님이 매점에서 음료수를 2천 원에 사서 부킹에게 주면 부킹은 매점에 1천 원에 되팔아 돈으로 환전한다는 뜻이다. 부킹은 팁을 주지 않으면 거의 여자 소개를 잘 해주지 않는다. 부킹에게 주는 팁은 음료수, 담배, 돈으로 향응을 한다.

하루 수입

콜라텍의 하루 수입을 추측해 보면 규모가 큰 곳이 주말에 3,000명 이상이 입장하니, 입장료만 해도 하루에 300만 원이 넘는다. 보관료는 150만 원. 알기 쉽게 이 두 개만 계산해도 주말에는 450만 원 이상 들어온다. 얼마나 콜라텍이 수입이 센 곳인지 알 수 있다. 보통 입장료로 일당을 지급하고 전기세 수도세 임대료를 낼 수 있다고 한다.

그런데 사실 가장 큰 수입은 식당인데 식당은 자리가 없어 기다려야 하는 수준이니 수입이 상상이 간다. 보통 사장이 직영으로 운영하는 곳도 있지만, 세를 주어서 운영하는 곳도 있다. 사장이 입장료와 식당만 운영하고 보관소는 보증금을 받고 세를 놓는 곳도 있고 공동으로 운영하는, 즉 사장이 4명으로 된 콜라텍도 있다.

부킹의 위력

콜라텍 한 곳에 부킹이 서너 명 있다.

장소를 나누어서 맡는다. 일종의 상가 자리라고나 할까?

사람들은 춤을 출 때 항상 자기가 서는 자리를 찾아가는 속성이 있다. 홀을 4등분 하였을 때 왼쪽 1번이라 하면 항상 그 자리에 서려고 한다.

내 생각으로는 항상 그 자리를 고수하는 사람은 그 자리에서 만 춤을 추다 보니 그 자리에 서야 자세가 안정되고 마음이 편해서 고수하는 것 같다. 앞에만 서서 추던 사람이 뒤로 가면 왠지 춤이 잘 안 춰지고 불안하던지 뒤에서 서서 추던 사람이 앞에 서면 이상하게 안정감이 안 들고 춤이 안 춰지는 이유가 바로 습관에서 오는 것일 것이다.

부킹이 하는 일은 보통 남녀를 소개해 주고, 플로어 껌을 제거하고, 녹말가루를 펴는 등 이런 일을 한다. 규모가 작은 콜라텍은 부킹이 화장실 청소까지 한다. 부킹이 하는 일은 콜라텍마다 분위기가 다르다.

K 콜라텍 부킹의 경우 소개를 잘 해준다. K 부킹은 잠시도 앉아 있을 기회를 주지 않는다. 부킹하는 정숙 씨가 정신없이 매칭을 해주어서 부킹이 필요한 사람들은 K 콜라텍을 선호한다.

춤을 잘 추지 못할 때는 부킹이 필요하지만 내가 어느 정도 잘 할 경우에는 자신이 직접 조달을 한다.

부킹이 매칭을 잘 해주지 않고 유난히 팁을 바라는 콜라텍에는 남자들이 가려고 하지 않는다.

그러니까 부킹에 의해서 손님이 모이기도 하고 떨어지기도 한다.

남녀 손님이 파트너가 없어서 춤을 추지 못하고 의자에 앉아 있는 사람이 많으면 부킹의 역할을 다 하지 않은 것이다.

실력 있는 부킹은 잘 어울릴 상대를 골라 매칭을 해준다.

서로 신체적 조건, 분위기, 심지어는 춤이 맞을 것 같은 사람을 매칭 해 줄 혜안이 있어야 실력 있는 부킹이다.

실력 있는 부킹이 손님에게 매칭을 해 주면 어떤 손님은 부킹의 말을 순순히 응해 주는 사람이 있고 거절을 하는 경우도 있다. 그래도 반강제로 매칭을 시켜 주는 카리스마가 있는 부킹이 있는데 K 콜라텍의 정숙 씨가 참 잘하고 있다.

부킹은 여자 손님이 혼자 있으면 파트너 유무를 먼저 확인을 한다.

손가락으로 혼자 왔느냐고 손가락 한 개를 펴 보인다. 혼자 온 손님은 그렇다고 고개를 끄덕이고 파트너와 같이 온 경우는 설레설레 머리를 흔들어 보이면 된다. 부킹은 같이 온 경우는 절대 해 주지 않는다. 상도덕이 있듯이 콜라텍 도덕이 있다.

정숙 씨는 이곳에서 뼈가 굳은 사람이어서 투잡(Two Jobs)으로 나이트클럽에서 웨이트리스를 한다. 낮에는 콜라텍 밤에는 나이트클럽, 같은 계통이기에 단골손님이 많아 영업을 잘 한다. 나이가 65세 이상이어도 젊은 사람처럼 움직인다.

때로는 부킹이 아르바이트도 한다. 춤을 배운 사람의 손을 잡아 주고 시간당 돈을 받기도 하는데 그런 경우 주인이 알면 해고를 당하게 된다.

콜라텍과 카바레의 차이

일반적으로 콜라텍과 카바레를 혼동하는 경우가 많다.

일반 사람이 알고 있는 개념은 카바레에 대한 인식이 강하다. 과거 음성적으로 춤을 추던 곳으로 인식된 상태여서 현재의 콜라텍을 부정적인 관점으로 접근한다.

현재 카바레와 콜라텍이 상존한다. 그런데 비율로 보면 영등포만 하여도 콜라텍은 일곱 군데고 카바레는 한 군데 나이트클럽이 한 군데다. 지금은 콜라텍이 대세여서 콜라텍을 해야 사업이 번창하지 카바레는 사업이 잘 안 된다.

콜라텍은 주로 점심시간에 문을 열어 저녁 시간에 문을 닫는다. 보통 6시면 손님이 끊어지고 손님이 많은 곳만 9시경 문을 닫는다. 카바레는 오후 3시경 시작하여 밤까지 영업하고 나이트클럽은 오후에 시작하여 다음 새벽 4시경 문을 닫는다.

카바레는 실내 장식이 화려하고 술을 먹어야 한다. 술을 마시면서 춤을 추러 플로어로 나온다. 기본이 35,000원 선이고 팁을 요구하기도 한다. 나이트클럽은 밤새 영업하기에 무대가 화려하고 자리를 잡고 술을 먹어야 한다. 기본이 50,000원 선이고 팁을 주어야 한다. 의자가 소파로 되어 있어서 편안하다.

웨이터들이 술을 날아오고 수시로 술자리를 청소해 준다. 물티슈를 교환해 주기도 하고 각종 쓰레기를 치워준다. 음악을 하는 밴드가 있고 외부에서 가수가 와서 노래를 부르고 쇼를 하기도 한다. 무대 등이 화려하고 의자가 편한 소파로 되어 있어 자리가 안락하다. 중앙에는 춤을 출 수 있는 무대가 있고 연주자가 있다. 술 나르며 서빙하는 남녀가 부킹까지 해 준다. 외부에서 춤을 추는 사람이나 가수가 와서 노래하고 춤을 춘다. 나이트클럽에서는 자리가 있어서 앉아야 하기에 술을 먹지 않으면 춤을 출 수가 없다.

술값도 비싸 보통 기본만 마셔도 몇만 원을 내야 한다. 즉 술을 마시면서 춤을 추고 다른 사람 춤을 구경한다. 이용시간이 주로 야간에 오픈하기에 식사를 마치고 2차 노래방이나 술을 하고 3차로 나이트클럽을 많이 이용한다. 나이트클럽에 오는 사람들은 직장인인데 춤을 출 줄 알고 춤을 추고 싶은 데 갈 곳이 마땅치 않아 나이트클럽에 간다.

요즘은 카바레를 부수고 콜라텍으로 변경하는 곳이 많다. 춤이 일상화 되다 보니 콜라텍이 인기다.

그만큼 콜라텍의 인구가 증가하고 춤이 생활화가 된 덕이다.

콜라텍은 쉽게 이야기하여 춤을 추는 공간이라고 하면 된다. 춤을 배우는 곳이 아니라 춤을 출 줄 아는 사람들이 모여서 춤을 추는 공간이라고 인식하면 된다. 입구에서 입장료를 받고 들어가면 소지품과 옷을 보관하는 보관소가 있다. 중앙에는 춤을 추는 플로어가 있고 연주자가 연주하는 무대가 있다. 춤을 추다 음료수를 먹고 싶으면 매점을 이용하고, 음식을 먹고 싶으면 식당을 이용하면 된다.

사람들이 춤을 추고 중앙에는 연주자가 있다. 부킹해 주는 여자는 사이드로 분주하게 움직인다. 음식을 먹으려면 격리된 장소로 이동하여 호프나 차나 식사를 하면 된다. 식사하면서는 춤을 출 수 없고 구경도 할 수 없는 공간이다. 완전히 격리된 공간이기에 그렇다. 분위기는 건전하고 음식값이 일반 식당보다 저렴하다. 춤을 추지 못하는 사람도 식당을 이용하기 위하여 출입한다.

이용시간도 점심때 문을 열어 오후 6시경이면 문을 닫는다. 값이 저렴하여 일반 서민이 이용하기에 좋고 특히 실버세대들이 이용하기에 부담이 적은 이유다.

영등포는 카바레의 경우 사양 산업으로 콜라텍에 밀려 문을 닫는다. 일반 대중이 이용하기에 저렴하고 부담이 없기에 콜라텍을 선호한다. 콜라텍은 낮 시간이라 이용하기 좋고 경제적이고 사람들이 많아서 파트너 구하기가 좋아서 콜라텍을 선호한다.

요즘은 춤 인구가 얼마나 많은지 평일에는 2,000여 명이 출입한다.

풍요 속의 빈곤

콜라텍에 드나드는 사람들이 하는 이야기가 있는데, 참 사람은 많은 데 마음에 드는 사람이 없다고 한다.

사귀고 싶은 사람이 없다는 뜻이다.

청춘 시절에나 쉽게 사랑에도 빠지지 나이가 들면 이것저것 가리고 재느라 결혼 상대를 못 고르는 것처럼 풍요속의 빈곤이다. 운동을 같이하는 동반자로는 좋지만, 파트너로는 좋지 않다는 이야기다.

콜라텍 앞에 장사들이 잘 안되어 폐업하는 경우도 많다.

유동인구가 많다고 음식점을 섣불리 차리면 망하고 만다. 조금만 비싸도 그 식당에 가지 않기 때문이다. 아주 철저하게 가성 대비 효과가 커야 이용을 한다.

콜라텍 안의 식당들이 저렴하기에 일반 식당들이 개업했다가 폐업한다. 유동인구만 보고서 식당을 차리면 안 되고 콜라텍 안 식당보다 저렴해야 이용을 한다. 밖에서 성공하려면 특별히 맛이 있거나 값이 저렴해야 성공할 수 있다.

한 번은 오피스텔 분양사무실이 콜라텍 앞에 있는데 그 앞을 수많은 사람이 통행해도 한 사람도 들어가지 않는다. 홍보팀에서 지나가는 사람들 선물 준다고 아무리 붙잡고 애원해도 한 사람도 들어가는 것을 보지 못하였다.

정말 풍요 속의 빈곤 현상이다.

사업을 시작하려는 경우 유동인구가 많다고 장사가 잘 될 것이라고 착각하여 사업을 시작하면 망할 우려가 있어 주의가 필요하다.

강한 콜라텍만이 생존

영등포에는 콜라텍이 가장 힘이 센 곳이 아자 건물의 콜라텍들이다.

규모 면에서나 이용자 수에서 아자를 이길 콜라텍은 없다.★ 주말에는 3,000명 이상이 출입하는 곳이다.

콜라텍이 들어오면 한 달 정도는 무료입장을 한다. 새로 생긴 곳이 무료입장을 하면 기존 콜라텍은 술값을 무료로 준다든지 하는 이벤트를 연다.

입장료가 1,000원인데 하루에 1,000명만 받아도 백만 원이 넘는데 무료입장을 하면 한 달이면 약 3천만 원을 버리는 것이다.

서로 출혈 경쟁을 하는 것이다.

이렇게 과도한 경쟁을 하다 보면 경영난에 허덕이는데 이럴 때 강자만 살아남고 약자는 다 도태된다.

콜라텍에 출입하는 사람은 입장료 단돈 1000원에 무척 예민하다. 돈 안 받는 콜라텍이 있으면 찾아다닌다.

★ 책을 내는 시점을 기준으로 현 상황이 그렇다.

행복한 삶을 위한 곳

콜라텍을 다녀보니

발행일 : 2018년 3월 5일

지은이 : 정하임
펴낸이 : 박승합
디자인 : 김은미

펴낸곳 : 노드미디어
주　소 : 서울시 용산구 한강대로 320(갈월동)
전　화 : 02-754-1867, 0992
팩　스 : 02-753-1867

홈페이지 : http://www.enodemedia.co.kr
전자우편 : nodemedia@daum.net
출판사 등록번호 : 제 302-2008-000043 호 (1998년 1월 21일)

ISBN : **978-89-8458-317-7 03810**

정가 15,000원